복지법인시설실무길라잡이(1권)
/이 상문 지음/

도서명 복지법인시설실무길라잡이(1권)

발   행 | 2024년 3월 6일

저   자 | 이상문

펴낸이 | 한건희

펴낸곳 | 주식회사 부크크

출판등록 | 2014.07.15.(제2014-16호)

주   소 | 서울시 금천구 가산디지털1로 119, SK트윈타워 A동 305호

전   화 | 1670-8316

이메일 | info@bookk.co.kr

ISBN | 979-11-410-7510-1

www.bookk.co.kr

ⓒ **저자명 이 상문**

" 복지법인시설실무길라잡이" 발간

이 책은 2024년도 보건복지부와 각 시도에서 발간한 "사회복지법인과 사회복지시설관리안내"를 중심으로 사회복지관련 새로운 법령과 제도의 변화에 맞추어 현장 실무자들이 이해하기 쉽도록 다양한 사례를 수록해 두었으며,

● 또한 이 책은 내용 분량이 많은 점을 감안하여 현장 실무자들이 쉽게 찾아볼 수 있도록 1권과 2권으로 분권하여 편집하였습니다.

● 이 책에서 인용한 주요 복지실무사례는 저자가 운영하고 있는 "복지법인시설실무카페"의 자료를 참고하였으며,

● 실무사례에 대한 답변과 견해는 객관적인 입장을 유지하도록 노력하였으나, 경우에 따라서는 각자의 의견이 다를 수도 있습니다. 이란 경우에는 주무관청의 해석이 우선함을 밝혀둡니다.

● 그리고 이 책 내용에 대한 이해가 부족한 점은 "복지법인시설실무카페"에 글을 올려 주시면 성심성의껏 저자 본인이 직접 답변 드리도록 하겠습니다 ((https://cafe.naver. com/leesm1955)

이 책의 주요 내용과 특징을 간략하게 소개드리면

1. 자료 출처는 보건복지부를 비롯한 중앙부서 및 지방자치단체, 관련 유관기관 등에서 공개(답변)한 자료와 사례를 알기 쉽게 요약하였습니다.

2. 이 책에서 인용한 질의, 답변 사항은 카페에서 해석(답변)을 가능한 한 객관성을 유지하고자 합니다만, 만약 다른 의견이 있는 경우에는 주무관청의 유권해석이 우선함을 미리 알려드립니다.

3. 이 책에서 실린 내용과 의견은 "복지법인시설의 실무자"의 업무 참고자료 활용을 주목적으로 하며, 게재 내용은 확정적인 효력

은 없으며, 만약 다른 의견이 있는 경우에는 반드시 주무관청에 유권해석을 받도록 하시기 바랍니다.

4. 이 책은 사회복지 법인 또는 시설 종사자가 실무 수행 시 참고용 교재로 활용하시기 바라며, 아무쪼록 사회복지법인, 시설 종사자 여러분들께서 실무 수행 시 조금이나마 이 책의 자료가 도움이 되었으면 좋겠습니다.

5. 유의사항 : 이 책의 주요 내용은 사회복지 업무 수행에 필요한 참고자료이며, 법적인 효력이나 지침이 될 수 없음을 알려 드립니다.

※ 이 책에서 별도의 규정을 두지 않는 한, 용어는 아래와 같이 약칭으로 합니다.

- 사회복지법인 및 사회복지시설 재무회계규칙 : 재무회계규칙
- 사회복지사업법 : 사회복지사업법
- 사회복지사업법 시행령 : 같은 법 시행령
- 사회복지사업법시행규칙 : 같은 법 시행규칙
- 지방자치단체를 당사자로 하는 계약에 관한 법률 : 지방계약법
- 지방자치단체 보조금 관리에 관한 법률 : 지방보조금법
- 지방자치단체 보조금 관리에 관한 법률 시행령 : 같은 법 시행령
- 지방자치단체 보조금 관리에 관한 법률 시행규칙 : 같은 법 시행규칙
- 보조금 관리에 관한 법률 : 보조금법
- 공익법인의 설립·운영에 관한 법률 : 공익법인법
- 상속세 및 증여세법 : 상증법
- 지방자치단체 : 지자체

CONTENTS

①. 사회복지 예산(1권)

②. 회계 지출

3. 민간위탁사무

④. 수입분야

⑤. 계약실무

6. 물품관리

7. 후원금 관리

8. 퇴직급여제도

9. 업무추진비 집행 대상 직무활동 범위 　212

1 0. 사회복지와 세금(4대보험)

11. 공익법인 재무제표와 회계처리.........................285

▣ 부록

① 사회복지 예산

1. 예산의 개념

○ 사회복지법인이나 사회복지시설(이하 "법인·시설"이라 한다)
  에서 1회계연도의 목표와 사업계획을 달성하기 위한 경제활동
  의 수입과 지출을 금전으로 표시한 재정계획을 말한다.

○ 세입예산은 수입의 예상치이고 법령이나 계약 또는 공공서비스
  로 얻어지는 수입으로 예산에 의해 수입이 확정되는 것이 아
  니므로, 수입액이 초과하거나 미달할 수 있다

○ 세출예산은 실질적으로 예산에 계상되어 있지 아니하면, 예산
  초과 지출은 제한되나 예비비 또는 전용 제도를 통하여 예외
  적으로 허용하고 있다.

◆(핵심정리)

○ 1회계연도란 당해연도 1월1일부터 12월 31일까지를 말한다.
○ 세입예산은 수입의 예상치이므로 수입액이 초과하거나 미달
할 수 있다.
○ 세출예산은 예산에 계상된 범위를 초과하여 지출할 수 없다.
 그러나 예외적으로 예비비 또는 예산의 전용은 법령에서
  정하는 절차에 의해서 가능하다.

---

2. 예산제도

● 예산관련 법령

○ 사회복지법인 및 사회복지시설 재무회계규칙(약칭 : 재무회계
  규칙), 지방재정법, 지방자치단체를 당사자로 하는 계약에 관
  한 법률(약칭 : 지방계약법), 지방회계법, 지방자치단체 보조

금 관리에 관한 법률(약칭 : 지방보조금법), 보조금 관리에 관한 법률(약칭 : 보조금법), 사회복지사업법, 공익법인의 설립·운영에 관한 법률(약칭 : 공익법인법), 상속세 및 증여세법(약칭 : 상증법), 공익법인회계기준, 자치법규 등

○ 재무회계규칙은 사회복지사업법에서 위임된 보건복지부령으로서 다른 법령에 특별한 규정이 없는 한 사회복지법인이나 시설의 재무회계에 적용된다.

○ 사회복지법인이나 시설은 사회복지사업법이나 재무회계규칙에 의해 위반한 경우 행위자 또는 법인에게 양벌주의가 적용된다

3. 예산의 기본원칙

○ **예산총계주의**(재무회계규칙 제8조)
- 1회계연도의 모든 수입을 세입으로 하고 모든 지출은 세출로 하며, 세입과 세출은 모두 예산에 편성되어야 하고 편성된 모든 수입은 각각의 목적과 용도에 부합되게 지출하여야 한다.

◆ 예산총계주의 원칙과 예외

○ 사회복지법인시설 재무회계규칙
제7조(세입·세출의 정의) 1회계연도의 모든 수입을 세입으로 하고, 모든 지출을 세출로 한다.
제8조(예산총계주의원칙) 세입과 세출은 모두 예산에 계상하여야 한다.

○ 지방재정법
제34조(예산총계주의의 원칙) ① 한 회계연도의 모든 수입을 세입으로 하고 모든 지출을 세출로 한다.
② 세입과 세출은 모두 예산에 편입하여야 한다.

---

③ 지방자치단체가 현물로 출자하는 경우와 「지방자치단체 기금관리기본법」 제2조에 따른 기금을 운용하는 경우 또는 그 밖에 대통령령으로 정하는 사유로 보관할 의무가 있는 현금이나 유가증권이 있는 경우에는 제2항에도 불구하고 이를 세입·세출예산 외로 처리할 수 있다.

○ 지방재정법 시행령

제40조(세입세출예산 외로 처리할 수 있는 경비의 범위) ① 법 제34조 제3항에서 "대통령령이 정하는 사유"라 함은 다음 각 호의 어느 하나에 해당하는 사유를 말한다.

1. 공공시설 손실부담
2. 계약보증·입찰보증·차액보증 및 하자보수보증
3. 다른 법률에 의한 예치
4. 사무관리상 필요에 의하여 지방자치단체가 일시적으로 보관하는 경비

② 제1항 각 호의 경비는 세입·세출외 현금으로 관리하되, 이 영 또는 다른 법령에 달리 정하고 있는 경우를 제외하고는 직접 사용하여서는 아니된다.

출처 : 복지법인시설 실무카페

○ **회계연도 독립의 원칙**(지방재정법 제7조)
 - 각 회계연도의 경비는 해당 연도의 세입으로 충당하여야 한다.

○ **수입의 직접 사용의 금지**(지방회계법 제25조, 지방재정법 제34조)
 - 다른 법률에 특별한 규정이 있는 경우를 제외하고는 그 소관에 속하는 수입으로 납부하여야 하며, 이를 직접 사용하지 못한다.
 - 1회계연도의 모든 수입을 세입으로 하고, 모든 지출은 세출로 하되, 모두 예산에 계상하여야 한다.

○ **예산의 목적외 사용금지의 원칙**(재무회계규칙 제15조)

- 법인이나 시설의 예산은 세출예산이 정하는 목적 외에 이를 사용하지 못한다.

◆ 회계연도 독립의 원칙(보충)

○ 지방재정법 제6조. 같은 법 제7조
  세출예산은 회계연도 개시 전은 물론 당해 회계연도를 경과한 후에는 집행할 수 없으며 전년도에 발생한 업무와 관련하여 현년도 예산에서 집행할 수 없음.
  ※ 예외 : 예산의 이월. 지난 회계연도 지출 등 지방회계법 제37조(지난 회계연도 지출)지난 회계연도에 속하는 채무확정액으로서 지출하지 아니한 경비는 현 회계연도의 세출예산에서 지출할 수 있으며, 그 지출액은 그 경비가 속한 회계연도의 각 정책사업의 금액 중 불용금액을 초과할 수 없다. 다만, 경비의 성질상 따로 대통령령으로 정하는 보충적 용도에 속하는 것은 그러하지 아니하다.

○ 지방회계법 시행령
  제47조(보충적 경비) 법 제37조 단서에서 "대통령령으로 정하는 보충적 용도에 속하는 것"이란 다음 각 호의 경비를 말한다.
  1. 공무원의 보수 2. 「공무원연금법」 제71조에 따른 연금부담금 3. 공무원 사망급여금 4. 공무원 공상급여금 5. 배상금과 보상금 6. 반환금·결손보전금 및 상환금 7. 이자 8. 소송 및 등기비용 9. 법령 또는 조례·규칙에 따라 지방의회에 제출하는 의안류 인쇄비
  10. 지방세 징수교부금 11. 체납처분비 및 범칙처분비 12. 감염병 예방 및 검역비 13. 증표류 제조비 14. 물품회송 및 보관료 15. 각종 세금과 공과금 16. 공공요금 인상에 따르는 차액 17. 보험료

◆ 예산의 전용 절차(핵심)

○ 사회복지법인·시설재무회계규칙 제16조에 따라 법인의 대표이사나 시설장은 관, 항, 목간의 예산을 전용할 수 있다. 다만 관간의 전용은 이사회 의결을 거쳐 시장, 군수, 구청장의 승인을 얻어야 한다.

○ 동일 관내 항간의 전용은 이사회 의결을 거쳐야 하며, 목간의 전용은 시설장이 할 수 있으나, 이때 시설장은 시설운영위원회에 보고하여야 한다. 다만, 예산총칙에서 전용을 제한하고 있거나 예산 성립 과정에서 이사회에서 삭감된 관, 항, 목으로는 전용못한다.

○ 그리고 법령에 따라 전용금지 항목인 인건비, 시설비(부대비 포함), 상환금, 업무추진비에 해당하는 사항은 전용할 수 없다.

○ 보조금은 보조사업 목적 및 교부조건 상 다른 사업으로 전용할 수 없으며, 불용액은 반납하여야 한다.

○ 회계연도가 종료된 후에는 전용할 수 없다.

○ 같은 규칙 제16조 제3항에 따라 전용 사항은 결산보고 시 과목 전용조서에 따라 법인 대표이사, 시장, 군수, 구청장에게 따로 제출하여야 한다.   출처 : 복지법인시설 실무카페

○ **예산 공개의 원칙**(재무회계규칙 제10조제4항)

 – 예산은 투명하고 효율적인 재정운영과 지역주민의 이해증진을 통한 참여와 협조체계 구축을 위하여 공개하여야 한다.

○ **예산의 수지균형의 원칙**(지방자치법 제122조)

 – 지방재정의 수지균형의 원칙은 예산편성결과 세입과 세출이 일치하는 것을 말하며, 사회복지예산의 대부분은 정부나 지자체 보조금이 주 세입 원천인 것을 감안하면, 당연히 보조금 예산편성 결과에 맞추어 세입과 세출을 일치하게 편성하는 것입니다.

다만 예산이란 1회계연도의 세입세출의 추정치로 반드시 일치하지는 않습니다.

4. 예산의 종류

● 예산의 성질별 분류(재무회계규칙 제6조)

· **법인회계** : 법인의 업무 전반에 관한 회계

· **시설회계** : 법인이 설치 운용하는 시설에 관한 회계

· **수익사업회계** : 법인이 수행하는 수익사업에 관한 회계

◆ 수익사업회계(핵심)

○ 당해 법인이 수행하는 수익사업에 관한 회계로 법인회계

및 시설회계와는 구분 계리되고

○ 수익사업의 목적은 법인의 목적사업을 수행하는데 필요한 재원을 지원, 충당할 목적으로 수익창출을 위하여 운영되는 사업을 말하며, 이 경우 법인정관 변경 및 사업 종류가 기재되어 있어야 하고, 주무관청의 허가를 받아야 한다.

○ 수익사업운영에 관한 관할세무서에 사업자등록이 되어야 함.

○ 수익사업에서 얻어지는 수입은 당해 사업 수행상의 필요한 경비를 제외하고는 전액 당해 시설의 목적사업 수행에 충당되어야 함.

○ 결산서 작성은 복식부기에 의한 재무제표 및 단식부기로 작성하여야 한다. 출처 : 복지법인시설 실무카페

● **예산의 성립 시기에 따른 분류**

[**본예산, 추가경정예산, 수정예산, 준예산**]

○ **본예산**(재무회계규칙 제10조)

- 법인이나 시설에서는 매 회계연도마다 예산안을 편성하며 시설의 경우 시설운영위원회 보고 후 이사회 제출하며, 법인에서는 이사회에 예산안을 제출하여 심의 의결을 득하면 예산이 성립된다(다만, 법인이 아닌 시설의 경우에는 시설운영위원회 보고로 예산이 확정된다).

- 법인에서는 이사회 의결되어 성립된 예산안을 주무관청에 보고하고 법인 인터넷 홈페이지에 3개월 이상 공고하여야 한다.

○ **수정예산**

- 예산안이 이사회에 제출된 이후 부득이한 사유로 그 내용의 일부를 수정할 필요가 있을 때 제출하는 예산을 말한다.

- 수정예산이 필요한 경우로는

· 법령·조례 등의 제정으로 소요경비가 불가피하게 반영할 필요가 있는 경우

· 보조금의 내시가 변경되어 예산의 수정할 필요가 있는 경우

· 기타 제출한 예산안의 내용 중 불가피하게 변경이 필요한 경우

○ **추가경정예산**(재무회계규칙 제13조)

  - 예산 성립 후에 생긴 사유로 인하여 이미 성립된 예산을 변경할 필요가 있는 경우 편성하는 예산을 말한다.

  - 추가경정예산에는 당초 예산에 없던 비목을 새로 추가하거나 당초 예산을 경정(가감.삭제)하여 편성할 수 있다.

◆ **결산(정리) 추경의 중요성**

- 법인이나 시설의 예산을 집행하다 보면, 여러 사유로 세입과 세출이 일치하지 않을 수 있습니다.
  세입예산 대비 세입액 초과는 문제가 없으나, 당초 예산 대비 세출액이 초과하여 지출된 경우에는 결산시 문제가 발생할 수 있습니다.

- 또한 세입 초과분은 결산 시 잉여금으로 다음연도에 이월하면 되지만, 세출 초과분은 결산 시 문제가 발생하므로 당해연도 11월 내지는 12월경에 세입과 세출액을 정확하게 추계하여 맞추는 결산 추경(정리 추경)을 하게 됩니다. 이때 세출예산 초과 지출액을 반영하여야 결산에 문제가 발생하지 않습니다.

- 시설장이나 회계 업무 담당자는 결산 추경에 신경 쓰시기 바랍니다.

출처 : 복지법인시설 실무카페

◆ **최종 추경예산성립후 교부된 국비**

 - 최종 추경예산이후 교부된 국비에 관하여는 간주처리하여 집행해야 할 것 으로 사료되며

 - 일부 지자체의 경우 세입조치 및 세계잉여금을 처리한후 다음연도 추경예산으로 편성하고 있음

출처 행정안전부 지방재정경제실 지방재정정책관 지방정책과

○ **준예산**(재무회계규칙 제12조)

  - 이사회가 회계연도 시작 전에 예산안을 의결하지 못하였을 때에는 전년도 예산을 준하여 지출할 수 있도록 한 예산제도이다.

  - 지출이 허용된 경비로는

  · 법령 · 조례에 의하여 설치된 기관 또는 시설의 유지, 운영

- 법령 또는 조례상 지출 의무가 있는 경우
- 이미 예산으로 승인된 계속 사업비

◆ **실행예산이란?**

○ 실수입이 세입예산에 비하여 현저하게 감소하거나 감소될 우려가 있는 경우 세출예산 집행에 차질을 가져왔을 때, 미집행된 경비예산을 사전 조정하여 예산을 통제하여 세입을 고려하면서 점차적으로 집행하도록 하는 예산(재무회계규칙 제25조)

○ 연말 결산시 세입은 추정치이지만, 총 세출액이 총 세입액 대비 초과 지출되면 아니되므로, 기 편성되어 있는 세출예산이라 하더라도 세입예산 대비 현저하게 실수입이 감소 예상 또는 되는 경우에는 세출예산 집행을 통제하는 예산을 말함.

출처 : 2022 예산회계실무(p28)

---

5. 예산의 구성과 편성

● 예산의 구성

○ **예산총칙**(재무회계규칙 제11조)

- 예산총칙에는 세입·세출예산, 계속비, 채무부담행위 및 명시이월비에 관한 총괄적인 규정, 일시차입금 한도액, 그 밖의 예산집행에 필요한 사항(예비비 등)을 규정하도록 되어 있다.

- 예산총칙에 간주처리 조항을 추가하여, 사전에 법인이사회 의결을 받아서 처리하게 된다. 회계연도 중에 그 용도가 지정되고 소요액이 교부된 경비와 재해구호 및 복구와 관련하여 교부된 경비는 추가경정예산 편성 이전에 내시된 보조금, 특

별교부금은 예산 승인 된 것으로 간주처리하고 다음연도 추가경정정예산에 계상하여야 한다.

◆ 예산총칙(예시)

제1조(예산총액) 사회복지법인 ***재단(000)의 20**년도 세입·세출 예산총액은 각각 0000천원으로 하며, 일시차입할 수 있는 한도액은 다음과 같다.

제2조(세입 예산) 세입예산은 00000천원으로
(사업수입 0000천원, 이월금 0000천원 등)

제3조(세출 예산) 세출예산은 00000천원으로
(사무비 000천원, 재산조성비 000천원, 사업비 00000천원, 법인전출금 0000천원, 예비비 0000천원 등)

제4조 채무부담행위는 별첨 "채무부담행위조서"와 같다.

제5조 계속비사업은 별첨 "계속비사업조서"와 같다.

제6조 명시이월사업은 별첨 "명시이월사업조서"와 같다.

제7조 일시차입한도액은 000천원으로 한다.
다만, 일시차입한도액은 회계연도마다 이사회 의결을 득해야 한다.

제8조 예비비는 000천원으로 한다.

제9조 국가 또는 지방자치단체로부터 교부된 보조금 등은 추가경정예산성립 이전이라도 보조금 목적에 적절한 경우, 먼저 법인에 보고 후 사용할 수 있으며, 이는 다음 추가경정예산에 반영하여야 한다.

제10조 법인의 대표이사 및 시설의 장은 관, 항, 목간의 예산을 전용할 수 있다. 다만, 시설에서 관간 전용 또는 동일 관내의 항간 전용을 하려면 시설운영위원회 보고 후 이사회의 의결을 거쳐야 한다.

출처 : 복지법인시설 실무카페

- 사회복지법인. 시설 재무회계규칙 제2조의2 규정에 의하면,

다른 법령에 특별한 규정이 있는 경우를 제외하고는 이 규칙에 따른다고 되어 있습니다. 예산총칙은 다른 법령인 지방재정법에 근거가 있으므로 이 법이 우선 적용되는 것으로 사료됩니다.

 - 지방재정법 제40조(예산의 내용) ① 예산은 예산총칙, 세입·세출예산, 계속비, 채무부담행위 및 명시이월비(明示移越費)를 총칭한다.

○ 예산총칙에는 세입·세출예산, 계속비, 채무부담행위 및 명시이월비에 관한 총괄적 규정과 지방채 및 일시차입금의 한도액, 그 밖에 예산 집행에 필요한 사항을 정하여야 한다.

○ **세입·세출명세서**(재무회계규칙 제11조, 지방재정법 제41조)

  - 회계연도 간의 세입·세출의 예정액을 표시한 것을 말한다.

  - 예산의 구성은 관, 항, 목으로 구성된다.

○ **계속비**(지방재정법 제42조)

  - 공사나 제조 그 밖의 사업으로서 그 완성에 수년을 요하고 1회계연도 단위의 공사로는 그 효용을 발휘할 수 없는 경우, 그 완성에 필요한 총경비를 미리 이사회 의결을 받아 놓는 방식이다.

  - 계속비를 지출할 수 있는 연한은 그 회계연도로부터 5년 이내로 하며 필요시 이사회 의결을 득하여 연장할 수 있다.

  - 계속비의 설정은 그 경비의 총액과 연도별 금액을 예산으로 정하고 각 연도의 지출은 각 연도의 세출예산에 계상하지 않으면 지출할 수 없다.

○ **명시이월비**(지방재정법 제50조)(재무회계규칙 제17조)

  - 세출예산 중 경비의 성질상 그 회계연도에 그 지출을 마치지 못할 것으로 예상되어 명시이월비로서 세입세출예산에 그 취지를 분명하게 밝혀 미리 이사회 의결을 얻은 금액을 다음 회계연도에 이월하여 사용할 수 있는 것을 말한다.

- 이는 회계연도 독립의 원칙의 예외로 명시이월비에 의하여 다음 회계연도에 이월하여 사용하고자 하는 세출예산경비는 그 지출에 필요한 금액도 다음 회계연도에 이월하여야 한다.

> ### ◆ 세출예산의 이월
>
> ○ 회계연도 독립의 원칙의 예외로서 당해년도에 사용하여야 하나, 사업의 변경으로 사용하지 않은 세출예산을 다음연도에 넘겨서 사용할 수 있도록 하는 제도이다.
> ○ 세출예산 중 경비의 성질상 당해년도 회계연도 안에 지출을 마치지 못할 것으로 예측되는 경비 및 연도 내에 지출원인행위를 하고 불가피한 사유로 인하여 연도 내에 지출하지 못한 경비를 각각 다음 연도에 이월하여 사용할 수 있다. 다만 이월 시에는 이사회 의결과 주무관청의 승인을 받아야 한다.
> ○ 이월의 종류에는 사고이월과 명시이월 두 종류가 있다.
> 출처 : 민간위탁사무 예산회계 매뉴얼(서울시.2018)

○ **특정목적사업 예산** (재무회계규칙 제18조)
- 법인의 대표이사 및 시설의 장은 완성에 수년을 요하는 공사나 제조 그 밖의 특수한 사업을 위하여
- 회계연도 이상에 걸쳐서 그 재원을 적립할 필요가 있는 때에는 회계연도마다 일정액을 예산에 계상하여 특정목적사업을 위한 적립금으로 적립할 수 있음.

    (예시) 운영충당 적립금, 환경개선준비금, 퇴직적립금 등
- 적립금의 적립 및 사용계획(변경을 포함한다)은 시장, 군수, 구청장에게 사전에 보고하여야 함.
- 적립금은 그 적립목적에만 사용하여야 함.
- 시장, 군수, 구청장은 시설의 재정 상태 등을 감안하여 적립금의 적립 여부, 규모 및 적립기간 등에 관하여 필요한 조치를

할 수 있음.

O **일시차입금**(지방회계법 제24조)(재무회계규칙 제10조제3항(별
표)

- 세입세출예산 집행에 있어 일시적으로 부족한 자금을 외부로부
터 일시로 차입하는 것을 말한다.

- 지방회계법 제24조에 일시 차입을 위해서는 그 한도액을 회계
연도마다 회계별로 예산총칙에 포함하여 미리 법인이사회의
의결을 얻도록 하고 있다. 다만 일시차입금은 매 회계연도 내
에 반드시 상환하여야 한다.

O **예비비**(재무회계규칙 제14조, 지방재정법 제43조)

- 예측할 수 없는 예산외의 지출 또는 예산초과 지출에 충당하기
위해 세입세출예산에 예비비를 계상하여야 한다.

- 예비비의 총액은 전체 총예산의 1% 이내로 편성할 수 있다.

- 예비비의 사용은 나중에 이사회의 승인 의결을 받아야 한다.

◆ **예비비의 편성 근거**

O 사회복지법인 시설 재무회계규칙 제14조(예비비)에 따르면,
법인의 대표이사 및 시설의 장은 예측할 수 없는 예산외의
지출 또는 예산의 초과지출에 충당하기 위하여 예비비를
세출예산에 계상할 수 있다.

O 예비비란 재정활동 수행에 있어 예측할 수 없었던 불가피
한 지출 소요에 적절히 대처하기 위해 예산 운용에 탄력성
을 부여한 제도입니다.

O 지방재정법 제43조에 따라 예산총액의 1% 범위 내로 편성
되며, 재해·재난 등 예측 불가능한 사태의 예산외 지출 또
는 예산초과지출에 충당하기 위해 집행됩니다.
관련법령 : 지방재정법 제43조(예비비)

작성부서 : 충청북도교육청 기획국 예산과 | 043-290-2137
출처 : 네이버지식in

● 세입예산안 작성(지방재정법 제41조)(재무회계규칙 제10조)

○ 세입예산안은 재원별, 성질별, 관, 항, 목으로 구분하여 편성한다.

○ 주요 세입 재원으로는 보조금, 법인전입금, 후원금, 이용자부담금 수입, 이월금, 잡수입 등으로 구분한다.

○ 모든 수입은 누락 없이 편성하여야 한다.

6. 예산의 편성 및 결정 절차

업무명	주요 내용	해당기관	일정
① 예산편성지침 통보	법인 또는 시설에 특히 필요하다고 인정하는 사항에 대해 예산편성지침 통보 가능	시. 군. 구청장	회계연도 개시2개월 전까지
② 예산편성지침 결정	법인은 법인과 산하 시설의 예산편성지침을 결정	법인 대표이사	회계연도 개시1개월 전까지
③ 회계별 예산안 편성	법인(법인, 시설, 수익사업회계)의 예산안 편성	법인 대표이사 및 시설의 장	회계연도 개시 전까지

업무명	주요 내용	해당기관	일정
④ 시설운영위원회보고	시설회계 예산안을 법인에 제출하기 전에 시설 운영위원회 보고 (법인회계 및 수익사업회계는 불필요)	시설의 장	예산안 편성 완료시
⑤ 법인이사회 개최	법인의 회계별 예산안을 이사회 의결 및 예산안 확정 (법인이 아닌 시설의 경우 시설운영위원회 보고로 확정)	법인이사회	예산안 편성 완료시
⑥ 확정된 예산안 주무관청 보고	확정된 예산안을 시. 군. 구청장에게 제출	법인 대표이사 및 시설의 장	회계연도 개시 5일 전까지
⑦ 확정된 예산안공고	확정된 예산안을 법인(시설) 홈페이지에 20일 이상 공고	시·군·구청장, 법인대표이사, 시설의 장	예산안 제출 20일 이내

◆ 소규모시설이란?

○ 재무회계규칙 제11조제1항에 의하면 예산편성시 첨부하여야 할 서류를 나열하면서 "소규모시설"을 정의하고 있다

○ 국가 또는 지방자치단체, 법인 이외의 자가 설치, 운영하는 시설로서 거주자 정원 또는 일일 평균 이용자가 20인 이하인 시설을 말함

● **예산편성지침**(재무회계규칙 제9조)

○ 예산편성지침 통보

- 법인의 대표이사는 매 회계연도 개시 1월전까지 그 법인과 해당 법인이 설치·운영하는 시설의 예산편성 지침을 정하여야 한다

- 법인 또는 시설의 소재지를 관할하는 시장·군수·구청장은 특히 필요하다고 인정되는 사항에 관하여는 예산편성지침을 정하여 매 회계연도 개시 2월전까지 법인 및 시설에 통보할 수 있다.

- 주무관청에서는 시설(법인)에 보조금 교부(안)를 다음 연도 "예산편성 지침"의 교부(가)내시 공문에 따라 통보하며, 시설(법인)에서는 이 기준에 의해 편성하여야 하며

- 법인에서는 자체적으로 내년도 예산 편성 지침(기준)을 정하여 산하 시설에 통보하며, 시설에서는 이 지침에 따라 내년도 예산을 편성하여야 합니다.

- 따로 지침 통보가 없는 경우에는 시설장이 판단하여 전년도에 준하여 편성가능함)

※ 다음 연도 예산편성의 기본 방향·중점 목표 등을 제시한 지침을 말한다. 예산편성지침은 다음해의 국내외 경제 전망, 재정 운용 방향, 경비별 편성지침 및 예산요구서에 사용할 각종 서식 등으로 구성되어 있다.기획재정부장관은 매년 3월 31일까지 국무회의의 심의를 거쳐 대통령의 승인을 얻어 다음 연도의 예산편성지침을 각 중앙관서의 장에게 시달하도록 되어 있다.

[네이버 지식백과]예산편성 지침[豫算編成指針] (행정학사전, 2009. 1. 15., 이종수)

● 가내시와 확정내시

○ 자치단체의 다음연도 보조금 예산액이 확정되지 않은 상황에서 명확한 기준을 통보할 수 없다.

- 따라서 우선 보조금의 예상규모, 단가기준 등을 통보하게 되는데 정부에서는 이를 가내시라는 용어를 사용하고 있다

○ 가내시의 규모와 기준으로 법인 및 시설예산을 우선 편성하게 되고 확정된 예산을 통보(확정내시)받은 후 예산규모와 기준을 조정하여 예산안을 확정하게 된다.

 - 만약 이 확정 통보가 늦은 경우 예산 편성 절차에 따라 예산을 의결(확정)하고 다음 연도에 추가경정예산 편성 등으로 조정하는 것이 일반적이다.

● 세입예산의 추계

○ 수입 추정의 정확성을 높이는 것은 재무.회계운영에 매우 중요하다. 법인 및시설의 목적사업 운영방향을 고려하고 수입재원 별로 예상 가능한 재원을 누락없이 계상할 수 있어야 한다

 - 세입의 재원(자금의 원천), 세입 충당 가능성

 - 정부 예산 편성방향에 따른 보조금의 변동 추이

 - 법인 및 시설의 전년도 결산을 근거로 미래의 세입예측

● 가용재원의 배분 판단

○ 예산 수요를 가능한 세입의 재원 범위 내에서 조정하여야 하므로

 - 법정경비 : 우선적으로 반영

 - 기본경비 : 사업 수행부서 운영에 필수적으로 소요되는 비용을 판단 조정

 - 사업비 : 총 사업비, 금년도 예산수준, 다음연도 예산소요 등을 구분 조정

 - 특정목적사업의 적립금 등의 설정여부

● 예산의 세부사업 설정

○ 보조재원 포함 사업

 - 국.시비 보조사업의 보조금과 지방비 부담을 포함한 세부사업을 말함

 - 사업명은 보조사업의 세부사업명을 그대로 사용하여야 함

(합병불가). 사업간 연계성을 유지해야 함

　○ **자체 재원사업**

　- 보조금이 포함되지 않은 자체 재원만으로 추진하는 사업

출처 2020 지방자치단체 예산편성 운영기준 및 기금운용계획수립 기준(행정안전부. 2019.)

● 예산금액 단위표기와 끝수처리

　○ 예산서는 천원단위 규정만 있고 백만원 단위 규정은 없으나 백만원단위로 처리한다면 천원단위 기준을 준용해도 될 것으로 봅니다.

　○ <기타단수관련자료>

　- 금액표기참조

　- 세입·세출예산서의 표기금액은 "천원"으로 하되, 산출기초칸의 금액단위는 "원"으로 함.

　- 예산의 세입은 1,000원 미만을 절사하고- 세출은 1,000원 미만이라도 절상함

　- 지출금액은 원단위 절사

　- 세입세출결산서상의 서식중의 금액은 "원"단위로 하되 10원미만은 절사

　○ **지방회계법**

제55조(끝수 처리) 지방자치단체의 수입 또는 지출에서 10원 미만은 계산하지 아니할 수 있고, 전액이 10원 미만이면 0으로 처리할 수 있다. 다만, 세입금을 분할하여 징수하는 등 대통령령으로 정하는 경우에는 그러하지 아니하다.

　○ **지방회계법 시행령**

제67조(끝수 계산) 법 제55조 단서에서 "세입금을 분할하여 징수하는 등 대통령령으로 정하는 경우"란 세입금을 분할하여 징수·수납하거나 지급할 때 다음 각 호의 어느 하나에 해당하여

그 분할금액 또는 끝수를 최초의 수입금 또는 지급금에 합산하는 경우를 말한다.

  1. 그 분할금액이 10원 미만일 때

  2. 그 분할금액에 10원 미만의 끝수가 있을 때

출처 예산회계실무, 22 지방자치단체 예산편성운영기준 및 기금운용계획수립기준(행정안전부)

● **예산의 이월**(재무회계규칙 제17조)

  ○ 법인의 대표이사 및 시설의 장은 법인회계와 시설회계의 세출예산중 경비의 성질상 당해회계연도안에 지출을 마치지 못할 것으로 예측되는 경비와 연도내에 지출원인행위를 하고 불가피한 사유로 인하여 연도내에 지출하지 못한 경비를 각각 이사회의 의결 및 시설운영위원회에의 보고를 거쳐 다음 연도에 이월하여 사용할 수 있다. 다만, 법인이 설치 · 운영하는 시설인 경우에는 시설운영위원회에 사전 보고한 후 법인 이사회의 의결을 거쳐야 한다.

  ○ 사회복지법인.시설재무회계규칙 제17조에 따르면, 법인의 대표이사나 시설의 장은 당해연도 내에 지출 또는 지출원행위를 할 수 없는 경우 이사회 의결과 시설운영위원회 보고 등 절차를 거쳐 결산 추경에 원인행위가 불가능한 경우 명시이월로, 원인행위는 하였으나, 당해연도내 지출이 어려운 경우는 사고이월조치합니다

  ○ 이월방법은 보통 결산추경에 명시이월조서를 첨부하여 이사회에 제출하여 심의의결을 받고는 다음연도 1월10일경에 명시이월 확정하시면 됩니다.

  ○ 작년 12월 말경 보조금이 입금되어 계약체결 등 원인행위가 이루어진 경우에는 사고이월, 아직 교부된 보조금이 미집행으로 있는 경우에는 명시이월대상입니다만,

○ 출납기한(12월31일)이 지났기 때문에 주무관청 담당 주무관과 협의하여 이월조치방안을 검토하여야 합니다.

● 예산서상 1식이란?

○ 式 : 법식 이구요

수량 등이 불분명할때 사용하는 단위측정 용어로써 건축이나 설계 부문에서 주로 사용하는 용어랍니다. 참고하세요~

○ 1식 단가 구성으로 될 경우 전체금액이 경비로 가는 경우가 많습니다.

이 경우는 품을 산정하기 어렵기 때문에 보통 견적이나 경비로 처리 합니다.

○ 1식 단가 : 일부 공종의 단가가 세부공종별로 분류되어 작성되지 아니하고 총계방식으로 작성되어 있는 경우

출처 네이버지식in

7. 보조금 예산의 편성(지방보조금, 보조금법, 지방재정법)

● 지방보조금의 정의

○ 지방보조금법 제2조(정의) 이 법에서 사용하는 용어의 뜻은 다음과 같다.

  1. "지방보조금"이란 지방자치단체가 법령 또는 조례에 따라 다른 지방자치단체, 법인·단체 또는 개인 등이 수행하는 사무 또는 사업 등을 조성하거나 이를 지원하기 위하여 교부하는 보조금 등을 말한다.

  다만, 출자금 및 출연금과 국고보조재원에 의한 것으로서 지방자치단체가 교부하는 보조금은 제외한다.

  2. "지방보조사업"이란 지방보조금이 지출되거나 교부되는 사

업 또는 사무를 말한다.

3. "지방보조사업자"란 지방보조사업을 수행하는 자를 말한다.

4. "지방보조금수령자"란 지방자치단체 및 지방보조사업자로부터 지방보조금을 지급받은 자를 말한다.

● (국고)보조금의 정의

○ 보조금법 제2조(정의) 이 법에서 사용하는 용어의 뜻은 다음과 같 다.

1. "보조금"이란 국가 외의 자가 수행하는 사무 또는 사업에 대하여 국가(「국가재정법」별표 2에 규정된 법률에 따라 설

치된 기금을 관리·운용하는 자를 포함한다)가 이를 조성하거나 재정상의 원조를 하기 위하여 교부하는 보조금(지방자치단체에 교부하는 것과 그 밖에 법인·단체 또는 개인의 시설자금이나 운영자금으로 교부하는 것만 해당한다), 부담금(국제조약에 따른 부담금은 제외한다), 그 밖에 상당한 반대급부를 받지 아니하고 교부하는 급부금으로서 대통령령으로 정하는 것을 말한다.

2. "보조사업"이란 보조금의 교부 대상이 되는 사무 또는 사업을 말한다.

3. "보조사업자"란 보조사업을 수행하는 자를 말한다.

4. "간접보조금"이란 국가 외의 자가 보조금을 재원(財源)의 전부 또는 일부로 하여 상당한 반대급부를 받지 아니하고 그 보조금의 교부 목적에 따라 다시 교부하는 급부금을 말한다.

5. "간접보조사업"이란 간접보조금의 교부 대상이 되는 사무 또는 사업을 말한다.

6. "간접보조사업자"란 간접보조사업을 수행하는 자를 말한다.

7. "중앙관서의 장"이란 「국가재정법」 제6조 제2항에 따른 중앙 관서의 장을 말한다.

8. "보조금수령자"란 보조사업자 또는 간접보조사업자로부터 보조금 또는 간접보조금을 지급받은 자를 말한다.

● **보조금의 종류** (지방보조금법 제2조, 보조금법 제2조, 지방재정법 제23조)

○ 보조금에는 국고보조금과 지방보조금(이하 "보조금"이라 한다)의 두 종류로 구분됩니다. 보조금은 보조금법에 의한 국고보조금을 말하며, 지방보조금은 지방보조금법에 따른 시·도 보조금을 말합니다.

○ 국가 보조사업에는 법령상 매칭 비율(국비. 지방비 부담 비율)이 정해져 있으므로 보조금 지원 시 보조사업에는 매칭 비율에서 정하는대로 국비, 시·도비, 구비의 부담 비율이 정해지며, 연말에 이 매칭 비율(부담 비율)에 따라 정산이 됩니다. 더 자세한 내용은 카페 검색하시면 정보가 있어요.

● **보조금 예산편성 원칙(지방보조금법 제6조, 예산편성기준)**

○ 보조금은 법령 또는 조례에 따라 당해 지방자치단체의 사무와 관련한 사업비를 예산으로 편성

※ 강사료·원고료·출장여비 등 자치단체가 적용하는 공통기준을 보조사업자에게 제시하여 동일 자치단체 내에서 지급단가는 동일하되, 법령 또는 조례 등에서 다르게 기준을 제시한 경우에는 예외 가능

- 법령에 명시적 근거가 있는 경우 외에는 법인 또는 단체에 운영비 목적으로 보조금을 교부할 수 없음.

 * 다만, 특정 보조사업의 추진에 따라 그 사업기간 동안 직접 소요되는 인건비, 재료비 등은 '운영비'에 포함되지 않음

※ 보조금은 법인 또는 단체의 기본적인 업무 수행에 필요한 인건비, 사무실 임차료, 공과금, 사무관리비 등 운영비 지원 목적의 보조금은 법령에 명시적 근거가 있는 경우에 한하여 지원할 수 있으며, 이 경우 '민간단체 법정운영비 보조' 또는 '사회복지시설 법정운영비 보조예산'으로 편성

◆ **보조금 예산의 구분(질의응답)**

○ (질문내용)
주무관청(보건복지부)이 아닌 고용노동부나 지원하는 일자리안정자금, 고용유지지원금 등의 기타 지원금이 사회복지시설 재무회계규칙상 위 세입과목중 기타보조금 또는 기타 잡수입 중 어느 과목으로 구분 가능한지?

○ (답변내용)

안녕하십니까? 보건복지정책에 관심을 가져주셔서 감사드리며, 귀하께서 국민신문고를 통해 접수하신 민원에 대하여 아래와 같이 답변드립니다.

귀하께서는 고용노동부 등 타 부차에서 지원하는 일자리안정자금 등의 '사회복지법인 및 사회복지시설재무회계규칙(이하 "재무회계규칙")'상 세입예산과목 구분을 기타보조금으로 해야 하는지, 또는 기타잡수입으로 해야 하는지 질의하셨습니다.

고용노동부에서 공개한 국고보조사업현황에 따르면, 일자리안정자금 사업은 민간보조사업(비공모)에 해당합니다. 고용노동부 홈페이지-정보공개-국고보조사업-국고보조사업현황-2022년 고용노동부 국고보조사업현황(파일)

따라서 일자리안정자금은 상기 재무회계규칙상 세입예산과목 구분을 국고보조금(411) 목으로 하는 것이 타당할 것으로 사료됩니다.

○ 이것으로 귀하의 민원에 대한 답변을 마치며, 추가적인 질문이 있으시면 우리부 보건복지상담센터(129)로 문의하여 주시기 바랍니다. 감사합니다

출처 보건복지부 사회복지정책실 사회서비스정책관 사회서비스자원과

접수번호(2AA-2203-0473634 (김 0진, 02-202-3258, 2022.3.29.)

○ 법령에 구체적 근거가 없는 한 국가 및 공공기관(시설) 신설·확장·이전·운영과 관련된 비용 등과 관련한 포괄적 보조금 예산편성 금지

○ 보조금은 해당 보조사업의 성격, 보조사업자의 비용부담 능력 등을 고려하여 적정한 수준으로 책정

○ 보조금 예산은 '보조금심의위원회'의 심의를 거친 범위 내에서 사업별로 편성

※ 「지방보조금법」 제6조에 따른 '보조금 예산을 편성할 때' 위원회는 예산편성 일정 등 여건을 고려하여 보조금 과목별·사업별 규모, 공모대상 보조금 규모, 보조사업 유형별 재원분

담 기준 등에 대해 심사 가능

○ 사회복지시설의 보조금 수입 세입계정의 세입예산과목 구분은 보조금의 자금원천을 확인하기 어려운 점을 감안하여 교부기관별로 구분하는 것이 타당하다고 사료됨(보건복지부 사회서비스자원과-5862, 2014.10.15.)

○ 지방자치단체장은 사업자 선정 및 지원예산 규모 산정시, 과거 불법행위로 벌금 이상의 형을 선고받고 그 형이 확정되었는지 여부 등을 고려할 수 있음

◆ 기타 정부기관의 각종 지원금 세입예산 과목 구분방법?

○ 보조금 : 국가나 지방자치단체(행안부, 시·도, 시·군·구)로 부터 교부되는 보조금을 말함.

○ 기타 보조금 : 위 항목 이외 다른 기관이나 단체로부터 교부되는 보조금을 말함.

○ 예산총계주의에 의해 모두 다 세입세출 예산과목에 편성하여 사용하여야 함. 출처 : 복지법인시설실무카페

◆ 노인일자리사업 민간위탁금 세입예산 편성방법 질의(질의응답)

2023-05-10
처리결과 (답변내용)
1. 안녕하십니까? 귀하께서 국민신문고를 통해 신청하신 민원(신청번호
1AA-2305-0001751호) 내용에 대해 다음과 같이 안내드립니다.
가. 질의요지
○ 노인일자리사업 민간위탁금 세입예산 편성방법 질의
나. 답변내용
○ 노인일자리 및 사회활동지원사업에 대한 귀하의 관심에 감사드립니다.
○ 귀하께서 요청하신 질의는 지방자치단체에서 노인일자리사업 예산편성 시 세입예산을 민간위탁금으로 편성 및 교부하고 있으나, 노

인일자리 수행기관에서는 세입예산 편성 시 민간위탁금으로 편성이 불가하므로 예산편성 방법에 대해 문의하신 것으로 이해됩니다.

○ 지방자치단체 예산편성 기준과 노인일자리 수행기관의 예산편성 기준은 서로 다른 기준에 의하여 편성되므로, 지방자치단체에서 노인 일자리사업 예산을 민간위탁금으로 편성하여 교부하더라도, 노인일자리 수행기관은 '사회복지법인 및 사회복지시설 재무회계규칙' 등에 따라 '보조금수입' 세입예산 과목으로 예산을 편성하여 세입조치하도록 되어 있으니 이 점 참고하여 주시기 바랍니다.

2. 답변 내용에 대한 추가 문의사항이 있으실 경우 보건복지상담센터(☎129) 또는 노인지원과 주무관(☎044-202-3482)에게 연락주시면 안내해 드리도록 하겠습니다. 감사합니다.

● **보조금 지원 대상**(지방보조금법 제2조, 지방재정법 제23조)

○ 법률에 규정이 있는 경우

○ 보조재원에 의한 것으로서 지자체가 법령이나 조례에서 지정한 경우

○ 용도가 지정된 기부금의 경우

○ 보조금 지출에 관한 근거가 조례에 직접 규정되어 있고, 그 보조금을 지급하지 아니하면 사업을 수행할 수 없는 경우로서 자치단체가 권장하는 사업을 위하여 필요하다고 인정되는 경우

○ 지방자치단체의 소관에 속하는 사무와 관련하여 당해 지방자치단체가 권장하는 사업을 하는 공공기관에 지원하는 경우

  * 그 목적과 설립이 법령 또는 법령의 근거에 따라 그 지방자치단체의 조례로 정하여진 기관 또는 지방자치단체를 회원으로 하는 공익법인

  ※ '법령의 근거에 따라 그 지방자치단체의 조례로 정하여진 기관'에 대한 규정은 2016회계연도부터 적용

○ 시·도가 정책상 또는 시·군·구의 재정 사정상 특히 필요하

다고 인정하여 시·군·구에 지원하는 경우

◆ 보조금 신청(지방보조금법 제7조, 지방재정법 제24조)(질의
응답)

○ 보조금은 민간 등이 자율적으로 수행하는 사업에 대해 개인, 또는
단체 등에 지원하거나 시·도가 정책상 또는 재정 사정상 특히 필요
하다고 인정할 때 시·군·구에 지원하는 재정상의 원조를 의미합니
다.

○ 보조금 지원대상에 해당하는 경우는 법령, 조례, 「지방보조금법」
제2조에 법률에 규정이 있는 경우, 국고 보조 재원(財源)에 의한 것
으로서 국가가 지정한 경우, 용도가 지정된 기부금의 경우, 보조금
을 지출하지 아니하면 사업을 수행할 수 없는 경우로서 지방자치단
체가 권장하는 사업을 위하여 필요하다고 인정되는 경우(지출근거가
조례에 직접 규정되어 있는 경우)로 보조금 지원대상을 규정하고 있
습니다.

○ 해당 보조사업을 수행하기에 적합한지 여부는 공모절차에 따른 신
청자를 대상으로 보조금 관리위원회의 심의를 거쳐 결정하게 되며
(지방보조금법 제26조), 이와 관련한 보다 자세한 사항은 「지방보조
금 관리기준(IV 지방보조사업자 선정 및 교부)」을 참고해 주시기 바
랍니다.

○ 관련 법령 : 지방보조금법 제26조

작성부서 : 행정안전부 지방재정경제실 지방재정정책관 재정정책과
| 044-205-3714

● 보조금 교부 신청(지방보조금법시행령 제5조, 보조금법 제
16조, 지방보조금관리조례)

○ 보조금의 교부를 받으려는 자는 다음 각 호의 사항을 적은
교부신청서를 시장, 군수, 구청장에게 제출하여야 합니다.

  - 신청자의 성명 또는 명칭과 주소

  - 보조사업의 목적과 내용

- 보조사업에 소요되는 총 경비와 교부 받으려는 금액
- 자기자금 부담액(사업비의 일부를 부담하는 경우만 해당)
- 보조사업 기간
- 그 밖에 시장, 군수, 구청장이 정하는 사항

○ 또한 신청서에는 다음 각 호의 사항을 적은 사업계획서를 첨부하여야 합니다.
- 신청자가 경영하는 주된 사업의 개요
- 신청자의 자산과 부채에 관한 사항
- 보조사업의 수행계획에 관한 사항
- 교부받으려는 지방보조금 등의 금액과 그 산출기초
- 보조사업에 드는 경비의 사용 방법
- 보조사업에 드는 경비 중 보조금 등으로 충당되는 부분 외의 경비를 부담하는 자의 성명, 부담하는 금액 및 방법
- 보조사업의 효과
- 보조사업을 수행함에 따라 발생할 수입금액에 관한 사항
- 그 밖에 시장, 군수, 구청장이 정하는 사항
  이외에 궁금한 사항이 있으시면 성실히 답변드리겠습니다.

● **보조금 교부의 일반적인 조건**(지방보조금법 제9조, 보조금법 제18조, 지방보조금관리조례)

○ 보조금 교부 조건의 근거
- 시·도지사는 보조금의 교부를 결정함에 있어 보조금의 교부목적 달성에 필요하다고 인정되는 조건을 붙일 수 있으며 보조사업의 완료로 인하여 보조사업자에게 상당한 수익의 발생이 예상되는 때에는 보조금의 교부 목적에 위배되지 아니하는 범위내에서 보조금의 전부 또는 일부에 해당하는 금액을 반환하게 하는 조건을 붙일 수 있음(「시·도 지방보조금

관리조례」제20조).

◆ **보조금 교부 조건의 이행보증보험증권 징구(질의응답)**

 - 「지방보조금 관리기준」에 따라 지방자치단체의 장은 지방보조사업자에게 교부를 결정함에 있어 보조금액에 대한 상당률의 자체 부담과 법령 및 예산이 정하는 보조금의 교부 목적 달성에 필요하다고 인정되는 조건을 붙일 수 있을 것입니다.

 - 또한 해당 보조사업으로 인해 수익 발생이 예상되거나, 보조사업자가 보조사업의 목적과 다르게 사용할 경우 해당보조사업자에 대해서 일정금액의 반환을 명할 수도 있을 것입니다. 이러한 경우 재정력이 부실하거나 일부 부도덕한 보조사업자는 해당 금액에 대한 환수 조건을 이행하지 못하여 지방자치단체의 재정에 악영향을 미치는 경우도 있을 것입니다.

 - 지방자치단체장이 상기와 같은 부정적 사례를 방지하고 투명한 보조사업의 운영을 위해서 필요에 따라자체적으로 조례나 방침을 세우고 이에 따라 이행보증보험증권 징구를 사전에 교부조건에 명시하는 것은 가능하다 할 것입니다. **출처 : 소관부처** 재정정책과 이*창 (2015.03.16.)

○ 보조금의 (간접)보조사업자는 법령과 (간접)보조금의 교부 목적에 따라 선량한 관리자의 주의로 간접보조사업을 수행하여야 하며 그 (간접)보조금을 다른 용도로 사용하여서는 아니됨(「보조금관리에 관한 법률」 제22조, 「시·도 지방보조금 관리조례」 제23조).

○ 보조사업자는 사업을 완료하거나 폐지의 승인을 얻은 때는 지체 없이 그 보조사업의 실적보고서와 사업비 정산서를 시장, 군수, 구청장에게 제출하여야 하고 시장, 군수, 구청장은 보조금의 정산검사를 하여야 함(「시·도 지방보조금 관리조례」 제25조, 제26조).

⇒ 보조금은 집행 후 정산하여야 하므로 정산 후 남은 집행

잔액은 반납이 원칙임.

◆ **지방보조금 교부신청시 자부담의 범위(질의응답)**

1. 안녕하십니까, 귀하께서 국민신문고를 통해 신청하신 민원(신청번호 1AA-2304-0644392)에 대한 검토 결과를 다음과 같이 알려드립니다.

2. 귀하의 민원내용은 '지방보조금 교부신청시 자부담의 범위'에 관한 문의 사항으로 판단됩니다.

3. 귀하의 질의 사항에 대해 검토한 의견은 다음과 같습니다.

○ 먼저, 법령 개정 등 지방보조금 관련 현안과 국민신문고 민원 과다로 답변이 늦게 된 점 양해해 주시기 바라며, 지방보조금 관련 규정에 한정하여 답변드리도록 하겠습니다.

○ 지방보조사업의 자부담이란 지방보조사업비와 매칭되는 자기부담금액을 말하는 것으로서, 자부담 비율은 「지방보조금법」제26조에 따라 지방자치단체의 장이 지방보조금관리위원회 심의를 거쳐 결정하게 됩니다.

- 자부담은 지방보조사업자가 부담하는 금액으로, 그 재원에 관해서는 개별 법령 등에서 별도로 규율하는 경우 외에는 지방보조사업자가 자체 판단할 사항이지 지방보조금 관련 법령에 의해 정해지는 사항이 아닙니다.

- 따라서, 자부담에 관한 사항은 사회복지시설 등에 관한 개별법령 및 지방자치단체 사업부서 등에 추가 확인하시기 바랍니다.

4. 법령 해석상 답변이 불만족스러우실 수 있겠으나 특정 내용에 대한 구체적인 사실 판단과 적용은 사업 시행기관의 영역임을 양해하여 주시기 바라며, 추가 설명이 필요한 경우 행안부 재정협력과 진*곤 주무관(☎ 044-205-3735)으로 연락주시면 친절히 안내하여 드리도록 하겠습니다. 감사합니다. 끝.

● **보조사업의 내용 변경 등(지방보조금법 제14조, 보조금법**

제21조, 같은 법 제23조)

○ 보조사업자는 사정의 변경으로 보조사업의 내용을 변경하거나

◆ 2022 노인일자리사업비 교부방법 변경(보조금 →민간위탁비)

○ 2022년 노인일자리 및 사회활동지원사업 보조금은 민간위탁금으로 교부되어

종전 보조금 자금원천에서 교부방법 변경으로 지방보조금법의 검증보고서 및 회계감사 대상에서 제외되었습니다

○ 민간위탁으로 교부되어 회계감사는 재무회계규칙에 따릅니다

○ 출처 보건복지부 노인지원과-159(2023.1.10.)호와 부산시 노인복지과-870 (2023.1.11.)

보조사업에 드는 경비의 배분을 변경하려면 지방자치단체의 장의 승인을 받아야 한다. 다만, 지방자치단체의 장이 정하는 경미한 사항은 그러하지 아니하다.

● **보조사업의 실적보고**(지방보조금법 제17조, 보조금법 제27조)

○ 보조금 정산처리에 대해서는 「지방보조금법 제17조에 따라 보조사업을 완료하였을 때, 보조사업 폐지의 승인을 받았을 때, 회계연도가 끝났을 때 보조사업자는 대통령령으로 정하는 기한까지 그 보조사업의 실적보고서를 작성하여 지방자치단체의 장에게 제출해야 하며 실적보고서에는 그 보조사업에 든 경비를 재원별로 명백히 한 계산서 및 지방자치단체의 장이 정하는 서류를 첨부해야 하며, 이와 관련하여 보다 자세한 사항은 「보조금 관리기준 (Ⅵ 지방보조사업의 정산)」을 참고해 주시기 바랍니다.

● **보조금 집행시 유의사항**

○ 보조금의 용도외 사용 금지(지방보조금법 제13조, 보조금법 제22조)

 - 보조사업자는 법령의 규정, 보조금의 교부결정의 내용 또는 법령에 의하 교부기관(행정관서 처분의 장)의 처분에 따라 선량한 관리자의 주의로 성실히 그 보조사업을 수행하여야 하며 그 보조금을 다른 용도에 사용하여서는 아니된다.
 - 간접보조사업자는 법령의 규정과 간접보조금의 교부 목적에 따라 선량한 관리자의 주의로 간접보조사업을 수행하여야 하며 그 간접보조금을 다른 용도에 사용하여서는 아니된다.
 - 보조사업자는 사정의 변경으로 보조사업의 내용을 변경하거나 보조사업에 소요되는 경비의 배분을 변경하고자 할 때에는 교부기관(지방자치단체의 장)의 승인을 얻어야 한다. 다만 교부기관(지방자치단체의 장)이 정하는 경미한 사항은 그러하지 아니한다.

○ **보조사업비에 포함된 자부담사업비 집행**

 - 자부담 예산에 대한 집행을 전제로 하여 보조금 지급이 결정된 것이므로 보조금의 집행기준과 동일하게 집행
 - 자부담 사업비는 반드시 집행하여야 하며, 집행비율이 낮을 경우 자부담 사용비율에 따른 정산 후 반환토록 조치

출처 : 예산회계실무(기본편.p258)

◆ 보조금 사용승인 시점

○ 일반적으로 보조금지원 절차는 사업공모 → 사업신청 → 보조금심의위원회 심의 → 보조사업자 선정통보 → 보조금 교부신청 → 보조금 교부결정 → 보조금 집행(사업착수) → 보조금 정산검산의 절차로 진행됩니다.

○ 「지방보조금 관리기준」에서는 보조금 교부결정 이전에 집행한 사업비는 보조금으로 보전 불가하며, 자치단체장의 사전 사용승인을 받은 사업 외에는 보조결정 통지일(사업개시일) 이전에 집행한 사업비는 보조금으로 보전할 수 없고, 자치단체장은 보조사업의 시급성, 타당성 등을 종합검토하여 제한적으로 사전 사용승인 제도 운용(교부결정전 집행액은 당초 보조사업계획에 포함된 자부담 외 별도의 추가 자부담으로 처리해야 하며, 보조금 교부후에 사전승인을 위반한 집행액 발견 시에는 해당 금액만큼 환수)하도록 규정하고 있으므로, 특정내용에 대한 구체적인 사실판단과 적용은 사업 시행기관의 영역임을 양해하여 주시기 바랍니다.

○ 다만, 질의하신 사항이 국비가 포함된 국고보조사업이라면 기획재정부의 「보조금 관리에 관한 법률 및 시행령」, 「예산 및 기금운용계획 집행지침」에 따르도록 규정하고 있으므로, 기획재정부의 해석이 필요할 것입니다.

관련법령 : 지방재정법 시행령 제37조의4(지방보조사업의 평가 및 관리)

작성부서 : 행정안전부 지방재정경제실 지방재정정책관 재정정책과 | 044-205-3714

● **가내시와 확정 내시**

○ 예산안 편성 작업은 회계연도가 시작되기 몇 개월 전부터 시작되지만, 지방자치단체의 다음 연도 보조금 예산액이 확정되지 않은 상황에서 명확한 기준을 통보할 수 없음. 따라서 우선 보조금의 예상 규모, 단가 기준 등을 통보하게 되는데 정부에서는 이를 가내시라는 용어로 사용하고 있음.

○ 가내시의 규모와 기준으로 법인 및 시설의 예산을 우선 편

성하게 하고 확정된 예산을 통보(확정내시라 함) 받은 후 예산 규모와 기준을 조정하여 예산안을 확정하게 됨. 만약 이 확정 통보가 늦는 경우 예산편성 절차에 따라 예산을 의결(확정)하고 다음 연도에 추가경정예산 편성 등으로 조정하는 것이 일반적임.

○ 내시(內示)란 (무슨 일을 공식으로 알리기 전에) 내부적으로 알린다는 의미를 지니고 있습니다.

○ 가내시(假內示)는 일차적으로 공식적으로 확정되기 전에 알려준다는 의미이며

○ 본내시(本內示)에 의하여 예산이 최종적으로 확정된다는 의미입니다.

◆ **보조금 내시 없는 경우 예산 편성**

○ 보조금 지원을 받는 시설의 경우, 교부기관으로 부터 내시 공문이 아직 없는 경우 먼저 교부기관과 유선으로 협의하신 후, 우선 전년도에 준하여 예산편성하고 이후 예산교부 내시 변경사항이 있는 경우, 다음 연도 추경에서 조정하면 됩니다.

출처 : 복지법인시설 실무카페

◆ 당초 세입예산 편성시 유의사항

○ 보조금 수입
  각 보조 사업별 교부기관의 확정(내시) 공문에 따라 각 보조 사업별로 명확히 구분
  - 실비 이용료 수입, 후원금, 법인전입금, 수익금(사업단)

○ 모든 수입을 누락 없이 편성하되, 시설별 계정과목을 재무 회계규칙에서 정하는 대로 구분
  후원금 계정과목 설치 및 별도 구분(지정, 비지정으로 구분)

○ 법인전입금은 시설에 지원하는 법인의 방침에 따라 편성, 법인운영규정에서 정하는 기준에 따라 사용

○ 특정목적사업의 적립금(환경개선 적립금, 시설운영충당금 등)과 수익금 등 적립금은 당초 법인 및 주무관청에 보고된 운용적립계획대로 적립, 집행 반영하여 편성 후원금도 별도 집행계획을 수립하여 편성

○ 예비비는 예산총칙에 별도 표기하되, 예산총액 대비 1% 범위 내에서 시설장이 판단하여 편성

○ 일시차입금이 필요시 예산총칙에 차입한도액을 표기하여야 함(시설운영위원회보고 및 이사회 의결을 받아야 함).

○ 세입 총액은 세출총액과 일치해야 함으로 세입추계를 가능한 정확하게 하여야 함.

출처 : 복지법인시설 실무카페

8. 기능보강사업 추진

● 기능보강사업(이하"사업"이라 한다)의 정의

○ 사회복지시설의 시설물이나 시설장비의 구입이나 신·증축, 개보수 등을 통해 해당 사회복지시설이 목적사업을 잘 수행할 수 있도록 지원하는 사업을 말함.

● 추진 절차

○ 근거 법령

　- 사회복지사업법, 지방보조금법, 지방계약법, 건설산업기본법, 건축법, 국토법, 조달사업법, 소방법, 전기공사업법, 정보통신공사업법 등

　- 사회복지법인 및 사회복지시설 재무회계규칙

○ **사업 대상 선정 추진 절차**

연번	추진명	세부내용	비고
1	기능보강사업계획 수립	사업의 필요성과 시급성, 적정성을 고려하여 보조사업자가 사업추진 의지를 가지고 구체적 사업계획수립, 개략 설계도서 및 공사비 첨부 사업신청서류 제출	
2	시, 군, 구 검토	사업대상 현장 방문, 사업별 지원대상 적정 여부 검토, 기술부서 의견 취합, 검토의견서 제출	
3	시, 도 주관부서 검토	사업신청 요건, 필요성, 시급성 적정성 등 신청 내용 적정 여부 검토. 시, 군, 구 검토의견서 검증	
4	기능보강사업 취합부서 검토	서류 검토 및 현장 실사 신청사업을 시설유형별, 사업 종류별로 분류하여 사업의 타당성 검토	
5	사회보장위원회 심의	타당성 검토 결과에 대한 검토 및 심의 사업의 타당성과 우선순위 등에 대한 심사	
6	주관부서 시, 군, 구 통보	주관부서 예산확보 및 보조사업자 사업 진행 관리, 감독 기능보강사업 보조금 신청 등 절차 이행 철저	

● 사업 진행 절차 및 방법

연번	추진명	세부내용	비고
1	설계용역	과업지시서 작성, 설계자 선정, 견적에 의한 수의계약(2천만원 이하인 경우) 최종성과품 납품 용역 완료	

연번	추진명	세부내용	비고
2	감리용역	설계용역 절차와 같음	
3	공사계약	입찰, 수의계약 방법 검토	
4	공사시행	이하 "계약사무" 절차 이행	
5	공사완료	〃	
6	준공정산	〃	
7	정산보고	보조금 정산 요령과 같음	

● 기능보강사업 추진 시 주요 검토사항

○ 관련 법령 검토 : 건축법, 국토법, 소방법, 전기공사업법, 정보통신공사업법, 승강기법, 지방계약법, 건설산업기본법, 사회복지법인, 시설재무회계규칙 등.

○ 개략 설계도서 및 공사비 산출근거 : 해당분야 전문가의 자문 의뢰, 비교견적 2개업체 이상

○ 사업 추진에 필요한 자부담 예산 확보 가능 여부 : 설계비, 용역비 등 부대비

9. 세입예산 구분

● 보조금

○ **국고보조금** : 국가로부터 받은 경상보조금 및 자본보조금
  - 보조금법 적용

○ **지방보조금** : 지방자치단체로 부터 받은 경상보조금 및 보조금
  - 지방보조금법 적용이나 자치단체 조례 적용

● 지방보조금

○ 시.도 보조금 : 시.도로부터 받은 경상보조금 및 자본보조금

○ 시.군.구 보조금 : 시.군.구로부터 받은 경상보조금 및 자본보조금

○ 기타 보조금 : 그 밖의 국가 및 지방자치단체 및 사회복지기금 등에서 공모사업으로 선정받은 보조금

   - 사회복지공동모금회 재원은 지정후원금으로 구분

◆ 사회복지시설 보조금 수입의 구분(질의응답)

○ 사회복지시설의 보조금수입(04-41) 처리시 세입예산과목 구분을 교부기관으로 할 것인지? 자금원천별로 할 것인지? 여부는

○ 보조금 수입처리 시 세입예산과목 구분은 교부기관별로 구분하는 것이 타당할 것으로 판단 됨

   - 단순히 보조금을 교부받는 입장에서는 보조금의 자금원천을 국비/시비/구군비로 확인하기 어려운점을 감안

   - 출처 보건복지부 사회서비스자원과-5862, 92014.10.15.)

● 사회복지예산의 구성

○ 복지업무는 지방이양사무로 예산구성이 국고와 지방비 각각 50%, 50%로 구성되는게 대부분이나, 부서별, 개별 지침에 따라 달리 지원할 수 있음

○ 보조사업 실적 정산시 국고와 지방비, 자부담의 매칭 비율을 맞추어야 함

● 시설회계 세입예산과목구분과 관련 혼돈하기 쉬운 비목 구분 (사회복지시설 재무회계규칙)(별표3)

○ 기타보조금((414)

그밖의 지방자치단체 및 사회복지사업 기금 등에서 공모사업 선정으로 받은 보조금

○ 비지정후원금(512)

국내외 민간단체 및 개인으로부터 후원명목으로 받은 기부금, 위문금, 찬조금 중 후원목적이 지정되지 아니한 수입과 자선행사 등으로 얻어지는 수입

○ 지정후원금(511)

후원목적이 지정된 수입

○ 기타차입금(712)

개인.단체 등으로 부터의 차입금

○ 금융기관 차입금(711)

금융기관으로 부터의 차입금

○ 법인전입금(811)

법인으로부터의 전입금(보조금은 제외)

○ 법인전입금(후원금) (812)

법인으로부터의 전입금(후원금)

○ 전년도이월금(911)

전년도 불용액으로서 이월된 금액

○ 전년도이월금(후원금)

전년도에 후원금에 대한 불용액으로서 이월된 금액

○ 00 이월사업비(913)

전년도에 종료되지 못한 00사업의 이월된 금액

○ 기타예금수입(1012)

기본재산예금 외의 예금이자수입

○ 불용품매각대(1011)

비품.집기.기계.기구등과 그 밖의 불용품의 매각대

10. 세출예산안의 작성(재무회계규칙 제10조)

● 세출예산은 경비의 성질과 기능을 고려하여 관, 항, 목으로 편성한다.

○ 지출단가에 대하여는 정부 및 지방자치단체, 주무관청의 지침이 있는 경우에는 이를 우선 적용한다.

○ 지출단가가 없는 경우에는 조달청 가격 또는 한국물가정보에서 발행하는 월간 종합물가정보지를 참조하거나, 시장조사를 통해 결정할 수 있다.

● **인건비 산출 기준은 최저임금법과 "사회복지시설 종사자 인건비가이드라인"을 적용한다.**

○ 이외 수당은 법인운영규정이나 취업규칙에서 정하는 바에 따른다.

● **보조사업의 경우 교부기관의 내시 또는 지침 공문에 따라 편성한다**

◆ 예산에 첨부하여야 할 서류

사회복지법인.시설 재무회계규칙 제11조(예산에 첨부하여야 할 서류)

① 예산에는 다음 각호의 서류가 첨부되어야 한다. 다만, 단식부기로 회계를 처리하는 경우에는 제1호·제2호·제5호 및 제6호의 서류만을 첨부할 수 있고, 국가·지방자치단체·법인 외의 자가 설치·운영하는 시설로서 거주자 정원 또는 일일평균 이용자가 20명 이하인 시설(이하 "소규모 시설"이라 한다)은 제2호 및 제6호의 서류만을 첨부할 수 있으며, 「영유아보육법」 제2조에 따른 어린이집은 보건복지부장관이 정하는 바에 따른다. <개정 1993. 12. 27., 2012. 8. 7., 2018. 3. 30.>
1. 예산총칙
2. 세입·세출명세서
3. 추정대차대조표
4. 추정수지계산서

5. 임직원 보수 일람표
6. 당해예산을 의결한 이사회 회의록 또는 해당 예산을 보고받은 시설운영위원회 회의록 사본
② 제1항제2호 내지 제5호의 서류의 서식은 별지 제1호서식 내지 별지 제4호서식에 의한다. 다만, 노인장기요양기관의 장이 첨부하여야 하는 제1항제5호의 임직원 보수 일람표는 별지 제4호의2서식에 따른다. <개정 2018. 3. 30.>
[시행일] 제11조제2항 단서의 개정규정은 다음 각 호의 구분에 따른 날부터 시행한다.

◆ 예산편성시 주의사항(핵심)

○ 업무추진비/ 기관운영비

 - 명절.생일선물 구입비,격려 만찬 회식비, 경조사비 등 소속 직원에게 보탬이되도록 기관명의로 집행하는 경비

○ 기관운영비 또는 기타운영비

 - 직원에게 포상금, 격려금 등

○ 구체적인 예산편성은 은 지자체의 지침으로 정함

○ 비지정후원금 업무추진비 편성 금지

11. 시설 종사자 인건비 편성

● 인건비 편성 기준

○ 지방자치단체에서는 보건복지부 "사회복지시설 종사자 인건비 가이드라인"을 고려하여 보조금으로 기본급 및 수당을 지급함에 있어서 예산사정에 따라 개별적인 기준을 마련하여 시행하도록 규정하고 있습니다.

○ 또한 보건복지부에서는 매년 "사회복지시설 종사자 인건비 가

이드라인"을 고시하여 권고하고 있으나, 각 지방자치단체별로 수당은 달리 적용할 수 있습니다. 그러나 최저임금법이나 근로기준법을 위반할 수는 없습니다.

○ 보조금 인건비 지급 상한 기준

- 보조금 인건비 지급 상한 기준(사회복지시설 관리안내, 보건복지부)에 따르면, 정부의 보조금 인건비 지급 상한 기준으로는 시설장은 65세, 종사자는 60세로 되어 있습니다. 이를 초과하여 계속 근무하는 종사자의 인건비는 시설이 자체적으로 지급하여야 함.

- 지급 상한 기준일 적용은 해당 종사자(시설장 포함)의 출생일을 기준으로 하며, 1월에서 6월 사이 지급 상한 일자는 6월 30일, 7월에서 12월 사이 지급 상한 일자는 12월 31일이 됩니다.

- 만약 인건비 보조금 지급 상한 기준을 위배한 경우 보조금법, 지방재정법, 자치구 보조금 관리조례에 따라 해당 부적정 집행 보조금은 환수하게 되어 있습니다

● 사회복지시설 종사자 기본급 기준

○ 시설 유형별 직위별 기본급 적용 기준(예시)

. 생활시설(생활지도원)/이용시설(사회복지사)/일반직(4급)

. 생활시설(선임생활지도원)/이용시설(선임사회복지사)/일반직(3급)

. 생활시설(과장, 생활복지사)/이용시설(과장)/일반직(2급)

. 생활시설(사무국장)/이용시설(부장)/일반직(1급)

. (장애인) 이용시설. 일반직/사무국장

. 생활시설(원장)/이용시설(관장)/일반직(관장)

○ 직급별 승진 최소소요연한에 대하여 개별 지침상 별도 기준이 있는 경우 이를 적용

출처 2022년도 사회복지법인.시설 업무가이드(p182)

● 예산의 세부사업 설정

○ 보조재원 포함 사업

국비보조사업 및 시·도비 보조사업의 보조금과 지방비 부담을 포함한 세부사업을 말함.

사업명은 보조사업의 세부사업명을 그대로 사용하여야 함(합병 불가), 사업간 연계성을 유지해야 함. 매칭사업의 경우 보조금과 자체재원사업으로 구분하지 않고 세부사업 하나로 설정 가능

○ 자체재원사업

보조금이 포함되지 않고 자체 재원만으로 추진하는 사업

출처 : 2020 지방자치단체 예산편성운영기준 및

기금운용계획수립 기준 (행정안전부. 2019.)

◆ 직책보조비와 직책수당의 구분

사회복지법인,시설 재무회계규칙(별표) 세출예산과목 구분에 따라

○ **직책보조비**

- 업무추진비 - 직책보조비로 편성함
- 급여 성격은 아니며, 직책을 수행하는데 필요한 경비를 말함
- 매월 급여지급시 정액지급이 일반적인 사항임

○ **직책수당**

- 인건비 - 제수당으로 편성함
- 직책을 수행하는 근로의 댓가로 지급하는 급여 성격을 말함

○ **둘다 원천세 과표에 포함하여 매월 공제 산정후 지급함**

출처 복지법인시설실무카페

---

12. 보조금의 운영비 편성 기준(지방보조금법 제6조)

● 보조금 교부기준

○ 지방보조금법 제6조에 따라 보조금은 법령에 명시적 근거가 있는 경우 외에는 운영비로 교부 할 수 없다.

● 보조사업비 편성 원칙

○ 보조금 사업비 편성 원칙

- 보조금은 당해 지방자치단체의 사무와 관련한 사업비를 예산 으로 편성하는 것이 원칙

- 상근직원의 인건비, 사무실 임차료, 공과금, 사무관리비 등 직접적인 보조단체 운영비 지원은 예외적인 경우에만 가능

○ 예외적인 경우

- 법령에 단체의 운영비 지원에 대한 명시적 근거가 있는 경우 예산편성 가능

(예산과목 : 민간단체 법정운영비보조, 사회복지시설 법정운 영비보조)

- 그 외는 사업비로 예산편성 (예산과목 : 민간경상사업보조, 사회복지사업보조 등)

- 운영비는 단체 또는 법인의 기본적인 업무수행에 필요한 인건 비, 여비, 시설운영비, 재료 및 장비 구입비 등 「운영비 관련 규정의 해석기준」 P1 참조

※ 단, 사업추진에 따라 그 사업기간 동안 직접 소요되는 인건비, 재료비 등은 여기서 말하는 운영비에 포함되지 않음 (법령 : 법률, 대통령령, 총리령, 부령에 한함)

- 명시적 근거 : 「운영비 관련 규정의 해석기준」 P2~3 참조

출처 : 보조금의 운영비 관련 규정의 해석기준 (예산회계실무)

◆ 보조금 총액 계상방법(질의응답)

○ 안녕하십니까? 귀하께서 국민신문고를 통해 기획재정부 업무와 관련하여 질의하신 민원(신청번호 1AA-1908-487596)에 대해 안

내드립니다.

○ 먼저, 정부 정책에 관심을 가지시고 소중한 질의를 주신데 대하여 감사드립니다.

귀하의 민원내용은 "보조금 총액 계상 방법"에 관한 것으로 이해됩니다.

귀하의 질의사항에 대해 검토한 의견은 다음과 같습니다.

○ 보조금법 제27조의2에 의해 교부받은 보조금 총액이 10억원 이상인 보조사업자는 특정회계감사를 받게 되어 있고,

○ 귀하의 질문에 만족스러운 답변이 되었기를 바라며, 답변 내용에 대한 추가 설명이 필요한 경우 기획재정부

예산기준과(☎044-215-7158)에게 연락주시면 친절히 안내해 드리도록 하겠습니다. 감사합니다. 끝.

출처 : 복지법인시설 실무카페

◆ 자치단체 경상보조(자산취득비는 편성불가)

○ 330-01 자치단체경상보조는 국가가 자치단체에 교부하는 경상적 보조금이고(국가예산 - 국고보조금)

○ 308-01 자치단체경상보조는 광역이 기초지자체에 교부하는 경상적 보조금임(지방예산) - 광역(시도비)보조금

○ 용도 : 인건비, 운영비, 여비, 용역비 등 대부분 소모성 보조금을 말한다.

출처 : 330-01 자치단체 경상보조는 무엇인가요? (예산회계실무)

◆ 자치단체 자본보조

○ 400-02 자치단체 자본보조는 민간이전자본으로 민간자본사업보조금을 말한다

○ 용도 : 토지매입, 시설건축, 자산취득 등 투자성 보조금을 말한다

◆ 민간이전 보조금

① 민간경상사업보조(307-02)

○ 민간이 행하는 사업에 대하여 지방자치단체가 이를 권장하기 위하여 교부하는 것으로 자본적 경비를 제외한 보조금(경상 : 임차료 등 소모성 경비)

※ 민간경상사업보조를 받은 자는 보조금 교부조건에 특별한

규정이 없는 한 제3자에게 재 위탁 불가(지자체장의 승인 득할 경우 가능)

○ 『지방재정법』 제17조의 보조제한 사유에 해당되지 않는 경우에 한하여 지원

② 민간단체 법정운영비보조(307-03)

○ 『지방재정법』 제17조 및 제32조의2제2항에 따라 운영비를 지원할 수 있는 단체 등에 지원하는 경비

   - 「지방재정법」 제17조 및 제32조의2 제2항에 따라 법령에 명시적으로 운영비를 지원 할 수 있는 경우로서 보조금을 지원할 수 있는 단체

③ 민간행사사업보조(307-04)

○ 민간이 주관 또는 주최하는 행사에 대하여 자본적 경비를 제외한 보조금

   - 단체운영비(사무실임대료, 상근직원 인건비 등)지원 불가

   - 자치단체가 사실상 집행하는 행사의 경우에는 예산편성 금지

④ 사회복지시설 법정 운영비 보조(307-10)

○ 주민 복지를 위해 법령의 명시적 근거에 따라 사회복지 시설에 대하여 운영비 지원 목적으로 편성하는 보조금(사회복지분야 사업으로 한정)

⑤ 사회복지사업 보조(307-11)

○ 주민 복지를 위해 법령 또는 조례상 지원기준에 따라 의무적으로 지출하는 보조금 또는 자치단체가 권장하는 사업을 위하여 지급하는 보조금

⑥ 기타 예산과목

○ 민간위탁금, 이차보전금, 운수업계보조금- 자치단체 등 이전

○ 교육기관에 대한 보조, 예비군 육성지원 경상보조, 공기관 등에 대한 경상적 위탁사업비 등

민간자본이전

① 민간자본사업보조(402-01, 02)

○ 민간의 자본형성을 위하여 민간이 추진하는 사업을 권장할 목적으로 민간에게 직접 지급하는 보조금

   ※ 보조금과 대행 사업비의 개념은 차이가 있음

     ⇒ 대행 사업비는 국가 또는 자치단체의 위임사무의 수반경

비
　　　※ 교부조건에 구체적인 사용용도(영리행위 허용범위) 및 필요
　　　한 경우 단체 해산시 환수에 대한 내용을 적시
② 민간위탁사업비(402-03)
○ 지방자치단체가 직접 추진하여야 할 사업으로서 법령의 규정에
　　의하여 민간에 대행 또는 위탁시키는 사업의 시설비
　　　※ 단, 시설물의 건설 및 이의 유지보수를 위한 사후관리 등 자
　　　본 형성적 경비에 한함.
○ 국가 또는 지방자치단체의 위임사무에 수반하는 경비로서 자치단
　　체 이외의 타에 지급되는 교부금 자치단체 등 자본이전
○ 공기관 등에 대한 자본적 위탁사업비, 예비군 육성지원 자
　　본보조
　　출처 : 예산회계실무 카페

◆ 사회복지시설 법정운영비(질의응답)

질의의 요지는 인건비를 보조사업으로 교부할 수 있는지? 보조금으로 교부시 운영비, 사업비 구분여부인 것 같습니다. 인건비의 경우는 채용하려는 신분의 목적에 따라 기간제 근로자보수, 무기계약직보수, 보수(시간선택제)로 나뉩니다. 해당 목적에 맞게 예산을 편성하셔야 합니다.

○ 법정운영비는 해당 업무에 대한 지원 법령이 있고 관련 조직이나 기관의 운영비 필요한 경비를 보조하는 것이므로 명백하게 기관(상담센터)의 운영에 필요한 경비이냐에 따라 달라집니다. 시설관리자는 사실상 센터 운영에 필요한 경우라면 운영비로 처리하시는 것이 타당할 것입니다. 사업비의 인건비는 한시적 사업에 대한 부분이므로 센터 건물의 관리라면 운영비가 타당함.

○ 법정부담비율을 넘어서는 초과자부담의 경우에 보조결정을 전체 금액을 하게 되므로 시설관리인에 필요한 경비도 운영비에 포함된다면 함께 교부하여 관리하는 것이 타당합니다. 정산에 있어 비목별, 금액이 정리가 되므로 정산에 있어 문제가 되지는 않을 것입니다. 여러 기관에서도 인건비와 운영비를 함께 정산하셔도 크게 문제가 되지 않는데 굳이 교부하는 계좌를 나눌 필요가 있는 것인가

요? 인건비와 운영비의 지원비율이 다른 것인지 설명을 해주시면 더 답변을 드리겠습니다.출처 : 사회복지시설 법정운영비? 사업보조? (예산회계실무)

◆ 노인일자리사업 민간위탁금 세입예산 편성방법 질의(질의응답)

2023-05-10

처리결과

(답변내용)

1. 안녕하십니까? 귀하께서 국민신문고를 통해 신청하신 민원(신청번호 1AA-2305-0001751호) 내용에 대해 다음과 같이 안내드립니다.

가. 질의요지

○ 노인일자리사업 민간위탁금 세입예산 편성방법 질의

나. 답변내용

○ 노인일자리 및 사회활동지원사업에 대한 귀하의 관심에 감사드립니다.

○ 귀하께서 요청하신 질의는 지방자치단체에서 노인일자리사업 예산 편성 시 세입예산을 민간위탁금으로 편성 및 교부하고 있으나, 노인일자리 수행기관에서는 세입예산 편성 시 민간위탁금으로 편성이 불가하므로 예산편성 방법에 대해 문의하신 것으로 이해됩니다.

○ 지방자치단체 예산편성 기준과 노인일자리 수행기관의 예산편성 기준은 서로 다른 기준에 의하여 편성되므로, 지방자치단체에서 노인일자리사업 예산을 민간위탁금으로 편성하여 교부하더라도, 노인일자리 수행기관은 '사회복지법인 및 사회복지시설 재무회계규칙' 등에 따라 '보조금수입' 세입예산 과목으로 예산을 편성하여 세입조치하도록 되어 있으니 이 점 참고하여 주시기 바랍니다.

2. 답변 내용에 대한 추가 문의사항이 있으실 경우 보건복지상담센터(☎129) 또는 노인지원과 주무관(☎044-202-3482)에게 연락주시면 안내해 드리도록 하겠습니다. 감사합니다.

13. 예산편성 세부절차(재무회계규칙 제10조)

● 예산 편성지침 시달(재무회계규칙 제9조)

○ 법인의 대표이사는 법인의 재무회계운영의 기본원칙에 따라 매 회계연도 개시 1월 전까지 그 법인과 해당 법인이 설치·운영하는 시설의 예산편성 지침을 정하여야 한다. (재무회계규칙 제9조 제1항)

○ 법인 또는 시설의 소재지를 관할하는 시장, 군수, 구청장은 특히 필요하다고 인정되는 사항에 대해서는 예산편성지침을 정하여 매 회계연도 개시 2월 전까지 법인 및 시설에 통보할 수 있다. (재무회계규칙 제9조 제2항)

◆ 본예산의 비교기준은 전년도 본예산(질의응답)

1. 안녕하십니까? 보건복지정책에 관심을 가져주셔서 감사드리며, 귀하께서 국민신문고를 통해 신청하신 민원에 대하여 아래와 같이 답변드립니다.
2. 귀하께서 말씀하신 내용을 검토한 결과 다음의 내용으로 이해됩니다.
   ○ 사회복지법인 및 시설에서 「사회복지법인 및 사회복지시설 재무·회계규칙」에 따라 사회복지시설정보시스템에 예산 입력 시 '본예산'의 기준
3. 귀하께서 말씀주신 내용만을 전제로 다음과 같이 답변드립니다.
   ○ 「사회복지법인 및 사회복지시설 재무·회계규칙」(이하 "재무회계규칙")의 [별지 제1호서식] 세입·세출명세서에서 "전년도 예산액"은 추경을 포함한 당해연도의 최종예산액을 의미하는 것으로, 사회복지시설정보시스템 및 사회서비스정보시스템에서는 예·결산 자료 입력 시 "전년도 예산액"을 추경을 포함한 당해연도의 최종예산액으로 제공하고 있습니다.
   - 다만, 재무회계규칙 제2조의2에서 법인 및 시설의 재무·회계 처리에 관하여 다른 법령에 특별한 규정이 있는 경우를 제외하고는 이 규칙이 정하는 바에 따른다고 규정하고 있는바, 그 재원이 보조금인 경우에는 「보조금법」, 보조금 지원 기준 등 관련

법령에 따라 별도 예·결산 자료의 입력 기준이 다를 수 있으므로 위 내용을 참고하시어 귀 법인 및 시설의 보조금 지급 주체에 구체적으로 문의하시기 바랍니다.

4. 이상으로 답변을 마치며, 추가적인 질의사항이 있을 경우 보건복지상담센터(국번없이 129) 또는 사회서비스자원과 (044-202-3257)로 문의하시기 바랍니다. 감사합니다. 끝.

출처 : 보건복지부 (보건복지부 인구정책실 사회서비스정책관 사회서비스자원과) 처리기관 접수번호 2AA-2401-0311295 접수일 2024-01-09 16:47:2 담당자(연락처) 진*정

● 예산안 작성 및 시설운영위원회 보고(재무회계규칙 제10조)

○ 시설의 장은 예산을 편성하여 사회복지사업법 제36조에 따른 운영위원회 보고한 후 법인에 제출하여야 한다. 이때 법인 산하 아닌 개인 시설의 경우에는 시설운영위원회 보고로 예산이 확정된다(재무회계규칙 제10조제1항).

● 법인이사회 심의 의결(예산확정)(재무회계규칙 제10조)

○ 법인의 대표이사 및 시설의 장은 예산을 편성하여 각각 법인이사회 의결 및 사회복지사업법 제36조에 따른 운영위원회 보고한 후 법인이사회 의결을 거쳐 확정된다(재무회계규칙 제10조제1항).

○ 이때 법인의 경우에는 시설운영위원회 보고는 제외한다.

● 법인 예산의 성립 시점

재무회계 규칙상 매 회계연도에 편성한 세입 세출 예산(안)은 관할 시·군·구에 보고 사항인지?, 승인 사항인지 여부?

○ 재무회계규칙 제10조(예산의 편성 및 결정절차)에 의하면 예산은 "이사회의 의결을 거쳐 확정"되고 시·군·구청장에게 제출하도록 되어 있으나 법률적으로 법인예산은 행정청의 승인사항은 아님.

○ 다만, 동 규칙 제9조에 시·군·구청장이 특히 필요하다고 인정되는 사항에 관하여 예산편성 요령을 정하여 법인에 통보할 수 있으며, 법인 및 시설이 시·군·구의 정당한 요청에 대하여 이행하지 아니하여 발생한 회계 및 시설운영과 관련한 부당행위는 시행규칙 제26조2에 의거하여 행정처분을 행할 수 있음. 출처 : 2019 사회복지법인 관리 안내

◆ **예산안과 운영규정안의 이사회 의결은 별개사항(유권해석)**

○ 이사회 의결사항인 예산안과 운영규정안에 대해서는 각각의 의결 사항으로
○ 이사회에서 예산안 의결만으로 운영규정의 개정안으로 대신할 수 없다.
○ 그러므로 예산안과 운영규정안은 별개 사항으로 각각 이사회의 의결을 득하여야 한다.

출처 : 보건복지부 사회서비스자원과-1752 (2019.3.22.)

● **확정된 예산안 주무관청 제출**(재무회계규칙 제10조제2항)

○ 법인의 대표이사 및 시설의 장은 확정된 예산을 매 회계연도 개시 5일 전까지 관할 시장. 군수, 구청장에게 제출하여야 한다(시설에서는 사회복지시설 정보시스템 활용한 제출 포함).

● **예산에 첨부하여야 할 서류**(재무회계규칙 제11조)

① 예산총칙
② 세입·세출명세서
③ 추정재무상태표
④ 추정수지계산서
⑤ 임직원 보수 일람표
⑥ 예산을 의결한 이사회 회의록 또는 예산을 보고받은 시설운영 위원회 회의록 사본

● 세입세출예산안 공고(법인, 시설 홈페이지 등)
(재무회계규칙 제10조제4항)

○ 시장, 군수, 구청장은 제출받은 예산을 20일 이내 법인과 시설의 인터넷 홈페이지에 20일 이상 공고하여야 한다(재무회계규칙 제10조 제4항).

○ 사회복지시설정보시스템을 활용한 예산은 정보시스템에 게시하거나 공시하는 것으로 갈음할 수 있다(재무회계규칙 제10조제5항).

◆ 시설 예산의 공고

○ 사회복지시설의 예산은 법인이사회에서 심의의결을 득하면 예산이 성립되며

○ 사회복지법인시설 재무회계규칙 제10조제4항에 따라 예산에 대한 공고방법은 세입세출예산 내역서를 법인(시설) 홈페이지에 20일 이상 공고하거나

○ 사회복지시설 정보시스템에 등록으로 공고에 갈음할 수는 있으나, 정보공개 차원에서 가능한 한 제2항에 따라 공개하는게 바람직합니다.   출처 : 복지법인시설 실무카페

◆ 기타 전출금 예산 과목에 대한 해석

사회복지법인 및 사회복지시설 재무·회계 규칙 제10조 제3항 관련하여 명확한 해석 답변

○ 우리부 노인복지정책에 관심을 가지고 국민신문고를 방문하여 주셔서 감사합니다. 귀하께서 질의하신 기타전출금 등에 대해 아래와 같이 답변 드리겠습니다.

○ '기타전출금'은 민간기관의 특성을 고려하여 반영된 것으로써 설치.운영자가 사회복지법인이 아닌 그 외 법인이나 또는 개인이 설치한 장기요양기관이 시설 전체의 세입에서 제반 운영비(노인장기요양보험법에 의해 보건복지부장관이 정하여 고시하는 장기요양급여 중 인건비를 반드시 포함)등에 영향을 미

치지 않는 범위 내에서 세출예산에 편성하여 지출할 수 있습니다.

- 기타전출금 계정은 사회복지시설인 장기요양기관의 경우, 사회복지법인이 아닌 대표자(개인, 기타 법인 등)에 대해서 사용 가능하며, 재가장기요양기관의 경우에는 모든 대표자가 사용 가능합니다.

- 기관에서 다음연도 예산을 편성하면서 제반 운영비를 사용하고 남을 것으로 예상되는 금액을 기타전출금 목으로 편성하여 운영위원회에 보고(노인복지시설의 경우)를 거쳐 시 . 군 . 구 보고와 승인을 받은 후 지출할 수 있으며, 현재 규정상 지출금액의 한도, 전출 후 사용용도에 대해서는 제한이 없습니다.

○ 기타 자세한 사항은 보건복지부 보건복지 상담센터(☎129), 요양보험운영과(OOO-OOO- OOOO, 3518)로 문의하여 주시면 성심성의껏 답변하여 드리겠습니다. 감사합니다. 끝.

보건복지부 인구정책실 노인정책관 요양보험운영과 사회복지법인 및 사회복지시설 재무·회계 규칙

14. 추가경정예산(재무회계규칙 제13조)

● 추가경정예산의 편성

○ 법인의 대표이사 및 시설의 장은 예산성립후에 생긴 사유로 인하여 이미 성립된 예산에 변경을 가할 필요가 있을 때에는 제10조 및 제11조의 규정에 의한 절차에 준하여 추가경정예산을 편성 · 확정할 수 있다. 이 경우 노인장기요양기관의 장은 「노인장기요양보험법」 제38조제4항에 따라 장기요양급여비용 중 그 일부를 보건복지부장관이 정하여 고시하는 비율에 따라 인건비로 편성하여야 한다.

○ 법인의 대표이사 및 시설의 장은 추가경정예산이 확정된 날로부터 7일이내에 이를 시장 · 군수 · 구청장에게 제출하여야 한

다

● **예산의 전용**(재무회계규칙 제16조)

○ 법인의 대표이사 및 시설의 장은 관·항·목간의 예산을 전용할 수 있다. 다만, 법인 및 시설(소규모 시설은 제외한다)의 관간 전용 또는 동일 관내의 항간 전용을 하려면 이사회의 의결 또는 시설운영위원회에의 보고를 거쳐야 하되, 법인이 설치·운영하는 시설인 경우에는 시설운영위원회에 보고한 후 법인 이사회의 의결을 거쳐야 한다.<개정 1998. 1. 7., 2012. 8. 7.>

○ 전항에도 불구하고 예산총칙에서 전용을 제한하고 있거나 이사회 및 시설 예산심의과정에서 삭감한 관·항·목으로는 전용하여서는 아니 되며, 노인장기요양기관의 장은 예산을 전용하는 때에는 「노인장기요양보험법」 제38조제4항에 따라 장기요양급여비용 중 그 일부를 보건복지부장관이 정하여 고시하는 비율에 따라 인건비로 편성하여야 한다.<신설 2012. 8. 7., 2018. 3. 30.>

○ 법인의 대표이사 및 시설의 장은 제1항에 따라 관·항 간 예산을 전용한 경우에는 관할 시장·군수·구청장에게 제19조 및 제20조에 따른 결산보고서를 제출할 때에 과목 전용조서를 첨부하여야 한다.

○ 예산 전용금지 항목으로는 법령상(지방재정법시행령 제55조) 전용금지항목에 해당하는 아래 사항은 할 수 없다.

‑ 인건비, 시설비(부대비 포함),상환금, 업무추진비,

● **세출예산의 이월**

○ 사회복지법인 시설재무회계규칙 제17조에 따르면, 법인의 대표이사나 시설의 장은 당해연도 내에 지출 또는 지출원행위를 할 수 없는 경우 이사회 의결과 시설운영위원회 보고

등 절차를 거쳐 결산 추경에 원인행위가 불가능한 경우 명시
이월로, 원인행위는 하였으나, 당해연도내 지출이 어려운 경
우는 사고이월조치합니다.

○ 이월방법은 보통 결산추경에 명시이월조서를 첨부하여 이사
회에 제출하여 심의의결을 받고는 다음연도 1월10일경에 명
시이월 확정하시면 됩니다. 그런데 작년 12월 말경 보조금이
입금되어 계약체결 등 원인행위가 이루어진 경우에는 사고이
월, 아직 교부된 보조금이 미집행으로 있는 경우에는 명시이
월대상입니다만, 출납기한이 지났기 때문에 주무관청 담당 주
무관과 협의하여 이월조치방안을 검토하여야 합니다.

○ 시설에서의 보조사업 경우 대부분 당해 사업연도 종료후
정산보고하기 때문에 세출예산 이월이 거의 없으나, 기능보강
보조사업의 경우에는 세출예산 이월이 있을 수 있으므로,
이때는 교부기관 담당 주무관과 협의하여야 합니다.

● 당해연도 간주처리(결산추경이후)

○ 재무회계규칙에는 최종 추경예산성립이후 교부된 경비에
대한 처리기준에 대한 근거는 없으나, 지자체 예산에는
근거가 있음

○ 근거 : 재정정책팀-454('05.4.21) 최종 추경예산 성립 후
교부된 경비에 대한 처리기준 참조

○ 방법 : 간주편성(총칙명시 및 명시(계속비)이월조서 첨
부)->이사회(의회보고)(공문)

○ 총칙 문구(예시) : 0000년도 명시이월은 별첨 0000년도
명시이월조서와 같다 [출처] 마무리 추경이후 교부된
교부금(세)
간주처리실무(예산회계실무)|

② 회계 지출

1. 회계제도 일반

● 회계의 의의

○ 법인이나 시설이 그 존립 유지에 필요한 재산을 조달, 관리, 사용하는 일체의 종합적인 경제활동을 말한다.

○ 회계의 특성으로는
  - 사회복지서비스의 제공과 시설 운영을 목적으로 하는 비영리적인 성격이 강하다.
  - 국가 또는 지방자치단체로부터 보조나 기부, 기증에 의하여 운영에 필요한 자원을 조달한다.
  - 국민의 세금에 의한 것이므로 관련 법령에 의해 예산결산 보고가 중요시 되며, 예·결산 자료의 대외적인 공개 의무가 강조되고 있다.

● 회계의 종류(재무회계규칙 제6조)

○ **법인회계** : 법인의 업무 전반에 관한 회계
○ **시설회계** : 법인이 설치 운용하는 시설에 관한 회계
○ **수익사업회계** : 법인이 수행하는 수익사업에 관한 회계

● 회계의 일반원칙과 예외(재무회계규칙 제2조)

○ **건전운영의 원칙**(재무회계규칙 제2조)
  - 법인 및 시설의 재무회계는 그 설립목적에 따라 건전하게 운영되어야 한다.

○ **회계연도 독립의 원칙**(지방재정법 제6조, 같은 법 제7조)
  - 예산은 당해 연도 개시 전에는 물론 회계연도를 경과한 후에는 집행할 수 없으며, 당해 회계연도의 경비는 당해 연도 세입으로 지출하여야 한다.

(예외)
- 계속비, 세출예산의 이월, 결산잉여금의 이월, 과년도 지출, 기타 채무부담행위 등
- 회계연도 : 매년 1월1일부터 12월 31일까지로 한다.

○ **회계의 구분**(재무회계규칙 제6조)
- 회계는 법인회계 시설회계, 수익사업회계로 구분하여야 한다.

○ **정보매체에 의한 재무 · 회계처리**(재무회계규칙 제6조의2)
- 법인 및 시설의 재무 · 회계는 컴퓨터 회계프로그램으로 처리할 수 있다.
- 컴퓨터 회계프로그램 또는 시스템에 의한 전자 장부를 사용하는 경우 회계장부를 둔 것으로 본다.

○ **회계의 방법**(재무회계규칙 제23조)
- 개인시설의 회계는 단식부기에 의한다. 다만 법인 또는 시설 회계, 수익사업회계는 단식부기와 복식부기에 의한다.

○ **수입의 직접 사용 금지**(지방재정법 제34조, 지방회계법 제25조)
- 모든 수입은 지정된 수납기관에 납부하여야 하며, 다른 법령에 달리 정하고 있는 경우를 제외하고는 직접 사용하여서는 아니 된다.

○ **예산의 목적외 사용 금지**(재무회계규칙 제15조, 지방재정법 제47조)
- 세출예산은 정한 목적이외에 경비로 사용하거나 전용 또는 이체를 금지한다.

○ **정당한 채권자 이외의 예산집행 금지**(지방회계법 제33조)
- 세출예산을 집행하는 경우 법령, 조례, 규칙 또는 계약, 기타 정당한 사유
- 정당한 채권자 외에는 예산을 집행할 수 없다.

● 회계관계 직원의 직위 및 책임

(재무회계규칙 제22조, 지방회계법 제49조, 회계관계 직원 등의 책임에 관한 법률)

○ 법인의 대표이사나 시설장은 소속 직원 중에서 회계 관계 직원 중 각각 수입과 지출원을 둔다.

- 수입원과 지출원, 물품관리관, 물품출납원, 세입세출 외 현금 출납원

○ 회계 관계 직원이 고의 또는 중대한 과실로 직무상 의무를 위반하여 법인이나 시설에 재산에 손해를 끼친 때에는 그 손해를 변상하여야 한다.

○ 변상책임의 유형에는 단독변상, 공동변상, 연대변상으로 구분한다.

○ 회계 관계 직원은 손해변상과는 별도로 징계책임, 형사책임도 진다.

○ 회계 관계 직원은 재정보증 없이는 그 직무를 담당할 수 없다.

● 재정보증(지방회계법 제50조)

○ 수입원 또는 지출원은 회계담당자를 임명하였을 때에는 직무수행과정에서 발생 가능한 고의 또는 과실에 의한 손해를 대비하여 재정보증을 설정하여야 한다.

○ 재정보증보험은 회계관계 직원이 임명일로부터 30일 이내로 하여야 하며, 가입 시점은 기준으로 1년 단위로 가입하고 금액은 2천만원 이상으로 정하면 된다.

○「회계관계직원 등의 책임에 관한 법률」제2조(정의) 제4호에서 규정한 '보조자'의 의미는?

○ 대법원 1994. 12. 13. 선고 93누98 판결 : 회계관계직원 등의책임에관한법률 제2조 제4호에서 회계관계직원의 한종류

로 규정하고 있는 '제1호 내지 제3호에 규정된 자의 보조자로서 그 회계사무의 일부를 처리하는 자'에 해당되는지의 여부는

○ 직제상 동일 부서에 근무하는지의 여부에 따라 결정할 것이 아니라 그 업무의 실질에 의하여 결정되어야 할 것으로서, 회계업무를 직접 담당하는 같은 법조의 제1호 내지 제3호에 규정된 자가 그 회계업무를 처리함에 있어서 필수적으로 거쳐야 할 기초행위의 일부를 법령 또는 직제의 규정에 의하여 자기의 책임과 판단아래 처리하는 자는 이에 해당된다고 보아야 할 것이다.

출처 : 예산회계실무

2. 예산집행 품의 및 지출원인행위

● 예산의 집행 품의

○ 세출예산의 목적을 달성하기 위해서 집행의사를 결정하는 행위를 말한다.
- 실질적으로 예산지출을 확정하는 행위는 아니다.
○ 세출예산은 예산에 계상된 금액이나 해당 목적물의 산출에 따라 산출된 금액 등을 기준으로 추정가격 및 예정가격을 결정하여야 한다.
○ 모든 세출예산은 원칙적으로 예산에 표시된 목적과 금액의 범위 내에서 집행되어야 한다.
- 만약 예산이 부족하거나 없는 경우에는 지출원인행위 또는 계약 전에 반드시 추가 경정 예산을 수립하거나 예산을 전용하여 예산을 확보한 후 집행하여야 한다.
○ 법인과 시설에서 집행품의는 집행내용과 집행액의 규모에 따라

전결규정에 의하여 전결권자의 결재를 받음으로서 완료된다.

○ 예산집행품의를 생략할 수 있는 경우
 - 직무수행경비, 공공요금, 제세공과금, 인건비, 여비, 일상경비

◆ 내부기안문서와 품의서의 구분 기준

○ 품의내용을 기준으로 일반적으로 내부기안은 급여, 퇴직금, 제세공과금 등과 특별사업 진행으로 발생하는 지출을 처리할 때 사용하며

○ 품의서는 물품구입을 할 경우에 주로 사용합니다

○ 또한 지방자치단체 재무회계규칙에는 인건비, 공공요금이나 등기료, 제세공과금, 직무수행경비, 여비를 지출할 때에는 품의서를 생략할 수 있습니다. 출처 : 사회복지회계매뉴얼(대전복지재단)

● 세출예산의 집행 제한

○ 주무관청의 허가, 승인 또는 이사회의 의결을 요하는 것으로서 그 결정이 없을 때

○ 재원의 일부 또는 일부를 보조금, 기부금 등 기타 특정 수입에 의하는 경우 그 수입이 확정되지 않은 경우

○ 정당한 사유로 주무관청에서 집행중지 요청이 있는 경우

● 지출원인행위(지방회계법 제29조)

○ 세출예산에 대하여 지출원인이 되는 계약 및 법령에 의하여 발생되어 있는 채무를 확정하는 행위를 말한다.

● 인터넷 등을 이용한 전자상거래 물품 구입시

○ 인터넷 등을 이용한 전자상거래는 물품구입 시 「전자상거래 등에서의 소비자보호에 관한 법률(약칭 : 전자상거래법)」 제12조에 의거 등록된 통신판매업자가 동법 제10조(사이버몰의 운영)의 규정에 의하여 운영되는 업체를 이용하여 2천만원

이하의 물품구매 시 가능
- 이 경우 다른 사이버몰과의 가격을 충분히 비교검토 후 물품구입
○ 구매절차
- 물품구매시 : ① 예산집행품의 ⇒ ② 인터넷검색 ⇒ ③ 물품구매요청(카드번호입력) ⇒ ④ 물품납품 ⇒ ⑤ 검사·검수 ⇒ ⑥ 카드대금지출(1개월 후)

● 급량비 지급 기준

○ 지급기준은 지방자치단체 예산 편성 운영기준을 적용한다.
○ 급여하는 경비 : 주식대, 부식대, 주식 및 부식 취사에 필요한 연료대 등 기타 급식에 소요되는 부대경비
○ 1인당 1식 급식단가는 8천원 이내에서 집행한다.
○ 급식비의 집행은 불가피한 경우를 제외하고는 신용카드를 제외한 지방자치단체 구매카드를 선택하여 사용하는 것을 원칙으로 한다.
○ 정규근무시간(09:00~18:00) 중에는 급식제공대상에서 제외한다.
○ 시간외근무수당을 지급하고 있는 자 중에서 교대근무자, 야간근무수당, 휴일근무수당, 여비규정에 따라 식비를 지급대상자는 제외한다.

출처 : 2020 지방자치단체세출예산 집행기준(행정안전부)

● 공공요금과 제세공과금 구분

○ 공공요금

우편료, 전화료, 전기료, 상하수도료, 가스료 및 오물수거수수료

○ 제세공과금

법령에 의하여 지급하는 세금(자동차세 등), 협회 가입비, 보험

료
　- 과태료는 법령위반행위에 따라 예산에서 지출할 수 없음(원인행위자 부담)
출처 사회복지법인.시설 재무회계규칙(별표)

3. 계약

● 계약의 원칙

　○ 계약에 관한 사항은 지방계약법을 준용한다. 다만 국가나 지자체, 법인 외의 자가 설치.운영하는 시설은 그러하지 아니한다

　○ 지방계약법의 준수는 일반적인 계약의 원칙이며, 의무사항이므로 ,이를 위반 시에는 부당한 행위에 따른 행정처분 대상이 될 수 있다

● 관련 규정

　○ 지방계약법, 시행령,시행규칙, 지방자치단체 입찰 및 계약집행기준(행안부 예규),지방자치단체 입찰 시 낙찰자 결정기준(행안부 예규),

● 계약의 종류

　○ 경쟁입찰(입찰의 경우 법령에서 정하는 입찰절차에 의해서 진행, 낙찰자 결정하면 된다)

　○ 수의계약(아래 기준에 의해서)

● 수의계약의 기준(지방자치단체 입찰 및 계약집행기준 제5장제2절)

◆ 지방계약법 시행령에서 정하는 사유에 해당하는 경우

　○ (2인이상 견적제출) (지정정보처리정치에 의한 계약)

　- 종합공사(추정가격 4억원이하), 전문공사(2억원이하), 전기.소

방, 기타공사(1억6천만원 이하), 용역.물품 기타(1억원이하)

○ **(1인 견적제출가능) (예외: 제6절)**

다만, 추정가격 2천만원이하으로 가능하나, 다른 비교 견적을 1 인이상 받는게 바람직하다

 - 추정가격 1천5백만원이상의 공사를 수의계약하는 경우, 건 설산업기본법에 의한 건설업 등록을 한 자와 계약을 하여야 한 다

 - 전기, 소방, 정보, 통신공사는 수의계약이 가능하더라도 반드시 해당 분야 면허업체와 계약을 하여야 한다

○ 수의계약시에는 청렴서약서 징구하여야 한다

◆ 지정정보처리장치를 이용하지 않고 견적서를 받을 수 있는 계약(지방자치단체 입찰 및 계약집행기준 제5장 제6절)

 - 품질 확인 등이 필요한 추정가격 5천만원이하 물품.용역계약

 - 전문적인 지식을 활용한 학술연구용역을 수의계약으로 발주 하는 경우

● **계약서 작성**

 - 표준계약서(입찰시), 수의계약시(약식계약서) 사용(구입과 지 출결의서, 공사집행결의서)

● **사회복지시설 정보시스템(재무회계규칙 제6조의2)**

○ 사회복지사업법 제42조에 따라 보조금을 지원받는 법인 및 시 설은 컴퓨터 회계프로그램 따른 정보시스템을 사용하여 재무 회계 처리하여야 한다.

○ 컴퓨터 회계프로그램 시스템에 의하여 전자장부를 사용하는 경 우에는 재무회계규칙 제24조에 따른 회계장부를 둔 것으로 본 다.

4. 지출의 요령

● 지출의 개념

○ 지출원인행위로 확정된 채무를 이행하기 위하여 지출원이 지급을 명하고 채권자에게 입금할 때까지의 일체의 행위를 말한다.

○ 출납기한(재무회계규칙 제5조)

- 1회계연도에 속하는 법인 및 시설의 세입, 세출의 출납은 회계연도가 끝나는 날까지 완결하여야 한다.

● 지출의 절차

○ 지출결의서 작성

- 지출결의서 작성은 지출원이 법인이나 시설의 채무를 조사, 결정하여 지급명령을 발행하기 위해 의사 결정하는 서류이다.
- 지출결의서에 첨부되는 서류는 집행품의서, 계약서 등이다.

◆ 지출증거 서류

○ 수입 또는 지출결의서에 붙이는 증빙 서류는 원본에 한함.

○ 증빙서에는 재사용 방지를 위하여 지출증빙서에 '지급필'(또는 출납필) 인(印)을 간인

○ 증거서류가 사본일 경우 기관장(증명책임자가 장일 때에는 다른 직원)이 원본과 틀림없다고 원본 대조자가 도장 날인

○ 지출 증거서류
  - 지출에 관한 결의서
  - 세금계산서, 계산서, 신용카드의 매출전표
  - 견적서 및 청구서, 계약서
  - 검사조서
  - 세출금액에의 반납 또는 과목경정의 관계 서류
  - 계약의 변경, 해제 또는 위약처분을 한 것이 있을 때에는 그 관계 서류

- 기타 지출의 내용을 증명하는데 필요한 서류
○ 실제적인 수입과 지출없이 단지 현금과 예금간의 이동(동일한 금액)이 있을 경우는 그 내부결재 서류를 당일의 결의서들과 함께 편철
○ 지출원은 거래 상대방이 어떤 증빙서 발급대상자인지를 사업자등록증에 의거하여 먼저 확인해야 하며, 제출한 증빙서가 세제관련 법령에 의하여 적법하게 발급한 세금계산서 등을 첨부
  - 일반과세업자 : 세금계산서, 신용카드 매출전표 또는 현금영수증
○ 간이과세업자, 면세자 등 : 계산서, 신용카드 매출전표 또는 현금영수증
  ※ 증빙서류 종류
    ➡ 각종 사업관련 계획서, 내부품의서, 각종 견적서·납품서·단가산출표·원가계산서, 검사확인서, 각종 영수증(입금표, 기계식 영수증, 체크카드전표, 수령증 등), 지출결의서, 회계장부, 통장 사본, 사업자등록증 사본
○ 지출결의서에 붙이는 증빙서류는 원본에 한함. 다만, 부득이한 경우에는 "원본과 같음" 확인 후 사본 첨부(지방자치단체 회계관리에 관한 훈령제98조, 행정안전부)

출처 : 복지법인시설 실무카페

○ 지급명령
 - 지출원이 지급대상인 채권자에게 현금을 직접 교부하는 대신 거래은행에 계좌입금 의뢰하는 행위

● **과년도 수입과 반납금 여입**(재무회계규칙 제26조)
○ 출납이 완결한 연도에 속하는 수입 기타 예산외의 수입은 모두 현년도의 세입에 편입하여야 한다.
○ 과년도 수입과 지출은 모두 현년도 세출예산에서 지출한다.

○ 당해연도 반납금은 해당 세출예산 과목에 반납하고 마이너스 지출결의하며, 과년도분은 현년도에 과년도 수입으로 여입한다.

◆ **과년도 수입, 반납금 여입 <재무회계규칙 제26조·제27조>**

1) 과년도 수입
  ○ 출납이 완결한 연도에 속하는 수입 기타 예산외의 수입은 모두 현년도의 세입에 편입
  ○ 지출된 세출의 반납금은 반납(여입) 결의를 하고 각각 지출한 세출의 당해과목에 반납시켜야 한다. 반납금을 반납할 때에는 해당 계정과목의 '지출액'란에 적색 또는 △ 표시 후에 금액을 표시한다. 지출부 등 관련 장부에서 적색으로 기재를 하고 월계 등 누계 시에는 감(-)한다.

2) 반납금 여입
  ○ 당해연도 지출된 세출의 반납금은 마이너스(여입)결의를 하고, 세출한 당해과목에 반납
  ○ 출장이 취소되거나 출장여비 집행 잔액 반납시 관련서류 등과 함께 반납금을 회계 담당자에게 인계
  ○ 회계담당자는 관련서류에 근거하여 여입결의서를 적색으로 반납금액 및 사유(적요란)등을 명확히 기재 (전자장부를 사용하는 경우 △ 또는 − 표시)
  ○ 회계 담당자는 반납금을 지출계좌에 입금하고, 지출부 등에 작성
  ○ 회계 담당자는 처음 지급된 지출결의서 비고란 또는 여백에 여입일자와 여입금액을 기재하여 상호 비교가 되도록 한다.

3) 과오납 반환
  ○ 과오납된 수입금은 수입한 세입에서 직접 반환(규칙 제27조)

○ 과납금은 실수나 착오로 정당한 채무액을 초과하여 납입하는 것이고, 오납금은 실수나 착오로 납부의무가 없는 자가 납입한 것

○ 회계직원 또는 담당자는 [과오납 반환] 내부결재 서류를 작성

○ 담당자는 결재 받은 내부결재 서류를 회계담당자에게 인계

○ 회계담당자는 내부결재서류에 근거하여 마이너스(반납)결의서 금액란에 적색으로 반환하고자 하는 금액을 기재하고 마이너스(반납)결의서 적요란에 반환사유를 요약, 회계직원은 과오납 부분을 장부와 증빙서 등에 의거하여 반드시 확인

출처 : 복지법인시설실무카페

● 급여관련 회계처리 방법

○ 급여 지급 시에는 우선 개인별 급여명세서를 작성하여야 합니다.

○ 명세서 내에 급여내역(제수당 포함)에서 원천징수대상인 소득세, 지방특별소득세,4대보험 등을 세전과 세후로 계산하여 지급 또는 납부하시면 됩니다.

○ 급여명세서(서식)은 고용노동부 홈페이지에 다운 받으시면 됩니다.

○ 그리고 퇴직적립금은 거래은행에서 요구하는 퇴직적립금 명세서가 따로 있으며, 그 서식에 의해 매월 총 급여액의 1/12이상을 납부하시면 됩니다.

5. 세출예산(물품구매. 공사계약)의 집행 요령

● 물품구매 계약 절차(수의계약인 경우)(지방계약법시행

령 제25조)

○ **해당 물품에 대한 시장가격조사 실시**

   - 견적서나 시장거래가격 인터넷검색, 물가정보지 등을 참고

○ **물품구입 내부 품의**

   - 시장거래가격 조사결과를 참고하여 적정한 물품을 선정, 가격, 수량을 결재라인을 통해서 구매 건의, 이를 구입 품의라 한다.

○ **해당 물품 업체와 계약 체결**

   - 동종 다른 견적서를 제출받는데 2인 이상 견적서 징구하여 물품의 단가와 수량을 결정. 계약체결

   - 계약서 서식은 표준계약서가 원칙이나 수의계약인 경우 약식 계약서 서식을 사용할 수 있음. 계약서에는 계약자와 상대방, 물품 납품기한, 검수자 등이 기재되어 있어야 함.

○ **물품 납품 및 검수**

   - 물품이 당초 계약서대로 납품되었는지 검수한다.

○ **세금계산서 발행과 대가 청구**

   - 물품 납품과 검수가 완료 되면 세금계산서 발행과 대금 입금 조치

● **인터넷을 통한 물품구매**

○ 인터넷 등을 이용한 전자상거래는 물품구입시 〞전자상거래 등에서의 소비자보호에 관한 법〞제12조에 의거 등록된 통신판매업자가 동법 제19조(사이머몰의 운영)의 규정에 의해 운영되는 업체를 이용하여 2천만원 이하의 물품구매 가능

   - 이 경우에는 인터넷상 다른 사이버몰과 가격을 충분히 비교 검토한 후 물품구입

○ 신용카드를 사용하여 현장에서 여러 업체의 가격비교를 한 후 거래처에서 직접 구매하는 경우, 가격이 표시된 상품 소개서

및 카다로그를 견적서로 간주한다

○ 신용카드를 사용하여 200만원이하 물품을 구매하는 경우 등에서는 지출결의서를 사용, 200만원을 초과하는 물품을 구매하는 경우에는 "구입과 지출결의서"를 사용하되, 지자체별로 달리 정할 수 있다

○ "여신전문금융업법'에 의한 신용카드가맹점의 경우 물품구매 또는 소규모 용역 제공 등에 대한 계약이행을 완료한후 구매지급 방법으로 신용카드를 사용할 수 있다

○ 물품구매시 검수조서 생략할 수 있는 경우는 지방계약법 제17조 및 동법 시행령 제65조 규정에 의해 계약금액 3천만원이하의 계약이 해당됩니다.

○ 신용카드로 물품을 구입한 경우 지출결의서 좌측 검수란에 검수인을 날인하면 됨.

○ 100만원미만 물품을 신용카드로 구매한 경우 카드전표를 견적서로 갈음 가능함

● 공사계약시 처리 절차(수의계약시)(지방계약법시행령 제25조)

◆ 공사계약 처리 절차(핵심)

(1) 품의 : 공사 시행 의사결정, 시방서, 산출기초조사서, 수의계약 사유 검토,
(2) 계약(원인행위) : 계약에 필요한 구비서류(시설과 공사업체에서 준비할 사항), 공사표준계약서, 계약보증금, 사업자등록증, 건설업 등록증 등
(3) 착공 : 공사감독임면, 착공계 등
(4) 검사 · 검수 : 준공검사자 임면, 준공검사조서 등
(5) 대가지급 : 세금계산서, 하자보증증권(각서) 등
 ○ 품 의

- 사업 시작 전 어떤 공사를 어떻게 하겠다는 내용의 내부결재

※ 첨부서류

　① 시방서

　② 산출기초조사서(1천만원 이상 원가계산서 형태로 작성)(2곳이상 견적서 첨부)

　③ 수의계약사유서(1인 견적 수의대상이므로 사유 불필요함)

　　　- 추정가격 2천만원을 초과하는 계약을 1인 소액수의계약으로 처리하는 경우만 작성

　④ 청렴계약이행서약서

◆ 물품구매 가격산정 기준

○ 예정가격 결정을 위한 기초자료로서의 가격조사 방법은 다음 제1항 또는 제2항의 2가지 이상 방법을 적용하여 산정하여야 한다. 다만, 물품구매 청구부서의 예산산정을 위한 가격조사는 다음 제1항 또는 제2항의 1가지 방법을 적용할 수 있으며, 생산자의 시장생산 방법에 의하여 제조·판매되는 규격 물품인 경우에는 생략할 수 있다.

　① 실례가격으로 예정가격을 결정함에 있어서는 다음 각호의 어느 하나에 해당하는 가격을 적용하여 산출하여야 한다.

　(1) 조달청장이 조사하여 공표한 가격

　(2) 기획재정부장관이 정하는 기준에 적합한 전문가격조사기관으로서 기획재정부장관에게 등록한 기관이 조사하여 공표한 가격

　(3) 각 중앙관서의 장 또는 계약담당자가 2인 이상의 사업자에 대하여 당해 물품의 거래실례를 직접 조사하여 확인한 가격으로 3년간 실례가를 현가화한 각 단가의 평균치를 적용하여 산출하여야 한다.

(가) 구매실례가격 : 구매하고자 하는 물품과 동일한 규격의 물품을 구매하는 해당 사업소에서 적정하게 구매한 사례가 있는 경우 그 거래가격

(나) 거래실례가격 : 구매하고자 하는 물품과 동일한 규격의 물품을 구매하는 해당 사업소 이외의 사업소 등에서 적정하게 구매한 사례가 있는 경우 그 거래가격

(다) 유사구매실례가격 : 구매하고자 하는 물품과 기능, 규격이 유사한 물품을 구매하는 해당 사업소에서 적정하게 구매한 사례가 있는 경우 그 거래가격

(라) 유사거래실례가격 : 구매하고자 하는 물품과 기능, 규격이 유사한 물품을 구매하는 해당 사업소 이외의 사업소 등에서 적정하게 구매한 사례가 있는 경우 그 거래가격

② 제1항에 의하여 예정가격을 결정할 수 없는 경우에는 원가계산 또는 실례가격 이외의 방법으로 예정가격을 결정할 수 있으며 다음 각호의 순서에 따라 1가지 방법을 적용하여야 한다.

(1) 원가계산에 의한 가격 : 주문 제작구매, 현장설치 조건 구매 등 구매규격 및 구매조건이 특수한 경우 원가계산에 의해 산출한 가격

(2) 견적가격 : 계약상대자 또는 제3자로부터 직접 제출받은 가격

(3) IT가격 : Internet 등에서 조사되는 거래가격

(4) 감정가격 : 법률에 의한 감정평가법인 또는 감정평가사가 평가한 가격

(5) 관련규정
○ 국가를당사자로하는계약에관한법률시행령 제9조
○ 국가를당사자로하는계약에관한법률시행규칙 제5조
○ 계약규정 제51조, 제52조, 제53조
○ 시설공사 원가계산기준

출처 : 예산회계실무

○ 계 약 (원인행위)

- 공사업체와 어떤 공사를 얼마에 하겠다는 등의 내용을 약속하는 것

※ 시설에서 준비할 서류

① 공사도급표준계약서
- 5천만원 미만의 경우 생략가능
- 계약서 생략시 "공사집행과 지출결의서" 작성하고 반드시 공사업체가 날인(약식계약)

② 계약일반조건
- 붙임<지방자치단체 입찰 및 계약 집행기준> 제13장 공사계약 일반조건 참고

③ 계약특수조건(필요시)

⑤ 과업이행요청서(필요시)

⑥ 설계서(시방서, 설계도면, 현장설명서 등)

※ 공사업체에서 준비할 서류

① 계약보증금납부서
- 보증금(보증서) : 계약금액의 15%(이행보증서는 40%)
- 보증각서 : 5천만원 이하, 대부분 여기 해당하므로 계약금액의 15%의 금액을 계약보증금으로 하는 각서 받으면 됩니다.

② 각서(수의계약시 꼭 받기)

③ 사업자등록증 사본

④ 건설업등록증 사본
- 건설산업기본법 제9조(건설업 등록 등) 및 같은 법 시행령 제8조(경미한 건설공사 등)에 따라 1천5백만원의 경미한 건설공사를 제외하고는 꼭 업종 등록업체와 계약을 체결해야 합니다. 따라서 이때 건설업등록증 사본은

필수!!

⑤ 계약당사자가 법인사업자인 경우

  - 법인등기부등본

 - 사용인감계 : 법인 인감도장 대신 사용할 도장 확인하기 위해

  - 도장

  - 법인인감증명서

⑥ 계약당사자가 개인사업자인 경우

  - 인감증명서

  - 도장(대표자)

⑦ 청렴서약서

 - 사회복지시설 기능보강사업 업무매뉴얼 91p 참고

⑧ 수입인지

 - 1천만원 이상 공사 시에만 해당

    > 1천만원 ~ 3천만원 : 2만원

    > 3천만원 ~ 5천만원 : 4만원

⑨ 신분증

  - 작은 규모의 경우 대표자가 보통 계약하는데 규모가 큰 회사(법인)라서 직원이 대리로 계약체결하는 경우에는 인감증명서 첨부된 위임장, 재직증명서도 같이 받아야 함.

◆ 주의사항

① 1인으로부터 제출된 견적가격이 거래실례가격, 통계 작성 승인을 받은 기관이 조사·공표한 가격, 감정가격, 유사 거래실례가격 등과 비교 검토하여 가장 경제적인 가격으로 최종계약금액을 결정

② 예정가격 조사

- 관련법규 : 지방자치단체를당사자로하는계약에관한법률시행령 제7조 내지 제9조
  - 주요내용
    - 예정가격 : 계약금액 결정의 기준이 되는 가격
    - 예정가격 결정 및 사용
  ▶ 결정 기준(시행령 제9조)에 따라 가격 조사 → 예정가격 결정(예정가격조서)
    - 예정가격결정(조서작성) 생략 가능(시행령 제8조 제2항)
  ▶ 국가기관 또는 지방자치단체와의 계약시
  ▶ 금액기준에 의한 1인 견적제출대상 수의계약시
  (g2b견적입찰의 경우 예외)=>2천만원 미만은 여기에 해당하므로 작성 생략 가능!!!
  ▶ 협상에 의한 계약시

◆ 「예정가격결정(조서작성)생략」이 가능하다하더라도 추정가격 조사는 철저히 하여 회계 집행이 투명하고 적정하게
                이루어지도록 하여야 합니다.
· 예정가격 생략이 가능한 수의계약공사는 예정가격 대신 추정금액(추정가격+ 부가세)을 기준으로 계약금액을 결정.
                예정가격 단위가 1원미만일 경우는 절상함.
※ 추정가격(공사예정금액) = 순 공사원가(재료비+노무비+경비)+일반관리비 이윤
  ③ 수의계약을 하면 내역을 꼭 공개해야 함.
    - 해당자치단체 인터넷 홈페이지에 공개(계약완료일로부터 5년)
    - 사회복지시설 기능보강사업 업무매뉴얼 94p참고
◆ 주의사항

- 최종 계약금액으로 계약시 최종계약 금액에 따른 견적서 (산출내역서)를 받아야 합니다.

○ 착 공

※ 시설에서 준비할 서류

① 공사감독 임명조서 사본

- "공사감독관"이란 공사계약 일반조건 제16조의 업무를 수행하기 위하여 발주청이 임명한 기술직원 또는 그의 대리인으로 해당 공사 전반에 관한 감독업무를 수행하고 건설사업관리업무를 총괄하는 사람을 말한다. ⇒ 기능보강사업 담당자가 공사감독이 되겠죠

- 관련근거 : 지방계약법 제16조(감독) ① 지방자치단체의 장 또는 계약담당자는 공사·물품·용역 등의 계약을 체결한 경우에 그 계약을 적절하게 이행하도록 하기 위하여 필요하다고 인정하면 계약서·설계서 및 그 밖의 관계 서류에 따라 감독하거나 소속 공무원 등에게 그 사무를 위임하여 감독하게 하여야 한다. 다만, 대통령으로 정하는 계약의 경우에는 전문기관을 따로 지정하여 감독하게 할 수 있다.

② 제1항과 제2항에 따라 감독을 하는 자는 감독조서(監督調書)를 작성하여야 한다.

경미한 공사계약 정도는 감독의 지정없이 계약담당자가 감독 및 검사업무를 직접 수행할 수 있습니다.

※ 공사업체에서 준비할 서류

① 산출내역서

※ 1천만원 이상이나 경미한 공사 이상의 계약서는 가급적 산출내역서 위에 원가계산서 작성

② 착공신고서

③ 공사공정예정표

④ 현장대리인 지정서

　　- ②~④까지 묶어서 한장으로 사용(사회복지시설 기능보강사업 업무매뉴얼 103p참고)

⑤ 현장대리인 경력증명서 : 경미한 공사(1500만원 미만 등)일 경우 해당없음.

⑥ 현장대리인 재직증명서 : 사업자등록증상의 대표자가 아닌 직원이 현장대리인인 경우

⑦ 현장대리인 자격증사본 : 경미한 공사(1500만원 미만 등)일 경우 해당없음.

　　- ④~⑦까지는 경미한 공사(1500만원 미만)의 경우 현장대리인을 사업자등록증상의 대표자가 할 수 있음.

◆ **지방자치단체 세출예산 집행기준(요약)(행안부. 2020.)**

○ 보수
 - 반드시 법령상 지급 근거, 지급대상, 지급액이 명시되어 있어야 함.
○ 무기계약직 보수
 - 최근 공포된 정부 노임 단가기준, 전년도 집행단가를 참고하여 예산사정을 고려하여야 함.
○ 기간제 근로자 보수
 - 최저임금 기준
 - 국민연금 사용자 부담금, 퇴직적립금 등은 기간제 보수 예산에서 반영
○ 일반수용비
 - 인쇄비, 소모성 물품구입
 - 무인경비, 방역수수료, 정밀검사수수료
 - 학술행사, 세미나, 워크숍 참석 등록비

○ 화상회의
  - 위원회 참석 수당 지급, 교통비는 지급하지 아니함
○ 단순 이메일로 심사하는 경우
  - 심사수당만 지급
○ 자문료 지급
  - 변호사, 회계사, 감정평가사, 건축사, 변리사 등 관련 분야 전문가에 대한 사무 관련 자문 수수료 지급
○ 급량비
  - 1인당 1식 급식단가 8천원 이내로 지급
  - 근무 종료, 근무 개시 전 1시간 이상 근무 시
○ 감사 업무수수료
  - 공공감사에 관한 법률 제28조에 따라 감사를 위한 사전 자료 수집
○ 공공요금
  - 전화요금, 전기료, 우편요금, 자동차세
○ 시설장비유지비
  - 건물, 건축설비(구축물, 기계장비), 공구 비품 기타 시설물의 유지
  - 장비시스템 부속 교체
○ 자산취득비
  - 성능이나 내구연수 향상시키기 위한 핵심부품의 교체
○ 여비
  - 공무원 여비규정
  - 여비 출장자에게 현금이나 계좌이체
○ 관외 여비
  - 숙박비 : 세금계산서, 신용카드 매출전표, 현금영수증
  - 운임 : 열차, 버스 등 승차권
○ 업무추진비
  - 간담회 1회당 4만원 이내
  - 공무원 접대 3만원 이내, 기념품, 특산품은 5만원 이내,
  - 50만원 이상 집행 시 집행목적, 일시, 장소 집행대상과 증빙서류 첨부

- 상품권이나 기념품 지급 시 : 지급 대장을 비치하여 기록 유지
○ 경조비
- 기관운영 업무추진비로 집행하되, 경조비 5만원 이내, 화분. 화환은 10만원 이내

    출처 : 지방자치단체 세출예산 집행기준(행정안전부.예규. 2020.1.1.일 시행)

◆ 시설비와 시설부대비

시설비(401-01)

○ 기본조사설계비, 실시설계비 및 공모설계비, 토지매입비, 시설비(401-01-4), 문화재 발굴경비로 구분하여 집행한 시설비(401-01-4)의 낙찰차액은 다음 방법에 따라 집행한다.
- 동일 편성목 내의 낙찰차액을 토지매입비(보상비), 실시설계비, 부대공사비, 감리비로 사용 할 수 있음.

    예) 건축공사 낙찰차액으로 건축물의 조경·안전시설공사 등 실시
- 낙찰차액을 이외의 신규사업으로 사용하는 경우 반드시 추가경정예산을 편성하여 사용하여야 하므로, 낙찰차액 사용 전에 신규사업에 해당되는지 여부를 예산부서와 협의하여야 한다.
- 시설비의 낙찰차액을 시설부대비로 변경하여 국내 및 국외여비로 집행할 수 없다.

14-2. 시설부대비(401-03)

○ 현장감독공무원의 여비 및 체재비, 피복비 등으로 집행하며 지급대상은 「지방자치단체 입찰 및 계약 집행기준」에 따라 감독공무원으로 명을 받은 자에 한한다. 다만, 자치단체장의 명을 받아 일시적으로 현장감독 또는 점검에 참여하는 자와 기성·준공 검사자 및 입회자, 당해 시설공사에 따른 재산취득담당자에게도 여비를 지급할 수 있다.

- 지방자치단체의 장은 현장감독공무원을 위한 피복비를 집행하는 경우, 다음 사항을 감안하여 합리적으로 집행하여야 한다.
  * 공사기간(동일기간 다수현장 감독자에 대한 중복지급 제한), 구매대상 물품의 내용연수, 구매의 타당성(공사현장 감독용 안전모, 안전화 등 실제 필요성), 가격의 적정성 등
- 현장감독공무원의 피복비를 집행하는 경우 조달청을 통해 우선 구매하도록 한다.
  ※ 고가의 등산용품 등 구입 금지
○ 시설부대비를 여비로 집행하는 경우 해당 시설공사와 직접적으로 관련이 있는 여비로만 사용하여야 하며, 국외여행 경비로 집행할 수 없다.
- 선진지 견학, 계약체결 전 업무협의 등을 위한 경비는 국내여비(202-01)로 집행한다.
○ 시설비가 별도로 계상되어 있지 않은 민간투자사업(BTO, BTL BOT사업 등)에 대한 시설부대비는 사무관리비(201-01)에 예산을 편성하여 집행한다.
출처 : 2018년도 지방자치단체 세출예산 집행기준(행안부 예규)

6. 기능보강사업(공사) 추진

● 관련 법령 사전 검토

○ 사회복지사업법, 지방계약법, 건설산업기본법, 건축법, 국토법, 조달사업법, 소방법, 전기공사업법, 정보통신공사업법 , 사회복지법인.시설 재무회계규칙 등

● 대상선정 추진 절차

○ **기능보강사업 계획수립** : 사업의 필요성, 시급성, 적정성을 고려하여 사업신청서류(사업계획서 등) 제출, 개략 설계도서 및

공사비 첨부(사업비 산출근거, 비교견적(2개 업체 이상)

○ **시군구 검토(1차)** : 사업대상 현장 방문, 사업별 지원 대상 기준 적합여부 조사, 시군구 우선순위 선정, 기술부서 의견 취합 후 검토의견서 첨부하여 제출

○ **시 주관부서 검토(2차)** : 사업 신청 요건, 필요성, 시급성 적정성 등 신청내용 적정여부, 사업종류별 해당 분야 검토

○ **기능보강사업 취합부서 종합 검토 (3차)**: 서류 검토 및 현장실사, 보조사업 적정여부 및 신청예산의 적정성 검토, 사업내용 타당성 검토

○ **사회보장심의 위원회 심의** : 타당성 검토 결과에 대한 검토 및 심의

○ **주관부서 : 시군구 통보**

※ 해당사업 관련 인. 허가부서의 가능 여부 사전 협의(주무관청에서 일괄협의 가능)

● **기능보강사업 진행 절차 및 방법**

○ **설계용역(감리용역)**

과업지시서 작성(사업내용. 범위를 고려하여 시설의 기능보강사업 책임자와 해당 시군구 담당자 협의 시행(건축사 등)

○ **설계자 선정**

용역 설계서 작성(건축사 업무범위와 대가기준 등) 용역 입찰 및 낙찰자 결정 계약, 용역 착수

○ **시군구에서 기술부서 및 계약부서의** 설계서 검토 및 계약 절차 협의

○ **최종 성과품 납품 용역 완료**

▷ 견적에 의한 계약. 공사 진행시 견적서상 상세 품목, 재료의 규격, 단가, 노무일수 등 상세내역을 표기하여 견적제출 받도록 할 것(추정사업비는 가급적 여유있게 산정)

● 공사 시행

○ 공사계약

- 지방계약법에 의거 계약방법 선택(수의계약, 일반공개경쟁입찰대상 여부)

- 입찰. 시공사 선정(입찰공고 : 지정정보처리장치(g2b)이용,

▷ 법인 자체 수의계약 체결하는 등 위법행위 시 보조금 교부 불가

○ 무등록 건설업자와 도급 계약금지(건설산업기본법 제8조, 제95조의2, 건축법제21조제5항)

- 공사예정금액이 1천5백만원이상인 공사는 해당분야 건설업등록을 한 자에게 도급하여야 함

○ 공사시행 - 공사완료 - 준공정산 - 정산보고.

. 공사감독 또는 감리 선정

. 공사 진행 중 설계변경, 공사기간 변경, 공사비 변경 등 사업계획이 변경이 될 경우 사전에 주무관청에 승인을 받을 것.

. 공사 중 안전사고 방지

○ 정산보고 증빙서류 징구

- 객관적으로 인정받을 수 있는 지출증빙서류 준비(간이세금 세금계산서는 불가)

● 재원 부담 비율

○ 시설 소유현황에 따라 시설 담당부서에서 정하는 기능보강 사업 교부기준에 의함(보조금과 자부담 비율 집행 내역)

▷최근 3년간 예산 지원 신청 사업은 우선 배제

○ 설계비, 감리비 등 부대비는 자부담

● 비지정후원금을 기능보강사업 자부담으로 편성한 경우

○ 모든 예산은 총계주의원칙이 적용되므로

세입 및 세출 예산에 편성하고 그 예산범위내에서 집행해야 하는 것입니다

○ 다른 보조금세입 통장으로 함께 관리해도 됩니다.

○ 자금원천에서 비자정 후원금을 자부담으로 편성한 경우는 자부담으로 옮겨서 처리하면 자금원천계산이 명확해 질것으로 판단됩니다. 직접 비지정 후원금에서 보조사업비 매칭으로 사용해도 문제는 없습니다

○ 자금을 집행할 경우는 자금운영방식에 따라 2가지로 운영이 가능합니다

우선은 보조금, 후원금, 자부담 등 세입계좌에서 바로 이체하는 방식과 세입계좌에서 세출모계좌(금고)에 모아서 일괄지출하는 방식이 있습니다. 전자는 소규모시설 및 법인 방식이고, 후자는 지자체 방식입니다. 복지법인도 금고 방식으로 운영하는 사례가 많습니다

* 금고모델 http://cafe.naver.com/gangseogu/28988

[출처] 기능보강사업 (예산회계실무) | 작성자 홈지기

● 보조금 지원 중요재산 관리(지방보조금법 제21조)

○ 보조사업자는 보조금으로 취득하거나 그 효용이 증가된 재산은 당해 사업을 완료후 지방자치단체장의 승인없이 임의로 처분할 수 없다.

 - 지방자치단체에서는 중요재산에 대해 부기등기를 해야 한다

○ 부기등기 대상

 - 부동산과 그 종물, 선박, 항공기, 그 밖의 중앙관서장이 보조금의 교부 목적을 달성하기 위하여 특히 필요하다고 인정하는 재산.

○ 부기등기는 소유권 보존등기, 이전등기, 또는 변경등기시 동시에 하여야 함

- 위반하여 중요재산을 양도.교환. 대여하거나 담보물로 제공
하는 경우는 무효로 함

7. 회계의 방법

● 회계의 구분(재무회계규칙 제23조)

○ 회계방법으로는 단식회계와 복식회계로 구분함.
○ 법인(시설 포함)과 수익사업 회계의 경우, 단식부기와 복식부
  기로 함께 작성하여야 함.
  - 복식부기는 공익법인 회계기준에 따른 재무제표로 작성
○ 개인시설은 단식부기로 가능함.

● 공익법인회계기준에 의해 재무제표 작성(공익법인회계 기준 제3조)

○ 법인은 통합재무제표 작성
  - 법인, 시설, 수익사업을 포함(재무제표로 작성)
○ 보조사업의 경우에도 재무제표작성
  - 실적보고서에 대한 검증이나 특정 외부회계감사 대비
○ 공익법인 결산서 홈택스 공시(상증법 제50조의3)

● 법인 및 시설의 회계장부 정리

○ 사회복지법인시설 재무회계규칙에 의한 단식부기와 공익법인
  회계기준에 따른 복식부기의 재무제표를 함께 작성하여야 함.

8. 보조금의 관리

● 보조금의 용도외 사용금지 (지방보조금법 제13조)

○ 보조사업자는 법령, 보조금 교부결정의 내용 또는 지방자치단체
  장의 처분에 따라 선량한 관리자의 주의로 성실히 보조사업을 수

행하여야 하며, 그 보조금을 다른 용도에 사용하여서는 아니됨.

● 보조사업의 내용 변경 (지방보조금법 제14조)

○ 보조사업자는 사정의 변경으로 보조사업의 내용 또는 보조금과 자부담간 소요되는 경비의 배분을 변경하려면 당해 지방자치단체장의 승인을 받아야 함.

- 다만, 사업계획에 포함된 항목 간 변경사용 등 지방자치단체장이 정하는 경미한 사항의 경우에는 목적사업 범위 내에서 승인 없이 변경 가능

○ 사정의 변경으로 그 보조사업을 다른 사업자에게 인계, 중단 또는 폐지하고자 할 때에는 미리 지방자치단체장의 승인을 받아야 함.

● 보조금의 출납기한

○ 「지방보조금법」 제17조 규정에서는 보조사업비는 특별한 사유가 없는 한 그 회계연도내에 완료토록 하고, 회계연도말까지 (12. 31.) 집행하도록 하고 있으며,

○ 보조사업의 특성상 불가피하게 회계연도를 넘어 사업이 완료가 예상되는 경우 보조금 교부시 집행 및 정산 등에 관한 사항을 구체적으로 명시하도록 규정하고 있으므로,

- 보조금 교부시 학교회계의 특수성을 감안하여 교부조건에 2월말까지 정산보고를 하도록 명시하여 추진하는 것은 가능할 것으로 판단됩니다.

관련법령 : 지방보조금법 제17조

작성부서 : 행정안전부 지방재정경제실 지방재정정책관 재정정책과

● 보조사업자의 보고(지방보조금법 제17조)

○ 보조사업자는 지방자치단체장이 정하는 바에 따라 보조사업의

수행상황을 지방자치단체장에게 보고하여야 함.

● 지방보조금의 정산 검증(감사) 요령

○ 지방보조금법 제18조에 의한 보조금 총액 10억원 이상인 경우

- "주식회사의 외부감사에 관한 법률" 제2조7에 따른 감사인이 해당 회계연도를 기준으로 작성한 감사보고서를 보조금 또는 간접보조금을 교부한 지방자치단체의 장에게 제출하여야 한다.

○ 지방보조금법 시행령 제10조에 의해 보조금 3억원(국비1억원 이상) 이상인 경우

- "주식회사의 외부감사에 관한 법률" 제2조제7호에 따른 감사인으로부터 정산보고서의 적정성에 대하여 검증을 받아야 한다.

○ 공익법인 세무신고

- "상속세 및 증여세법" 제50조의4 및 같은 법 시행령 제43조의4에 따라 같은 법 제16조제1항에 따른 공익법인 등은 "공익법인회계기준"(기획재정부. 2018.1.1.시행)에 따라 회계처리 및 재무제표를 작성할 때에는 발생주의 회계원칙에 따라 복식부기 방식으로 하여야 함.

출처 : 2019 사회복지법인.시설 업무가이드(p55)

9. 보조금의 회계관리 (지방보조금법 제24조)

○ 보조금 계정의 설정 등

- 보조사업자는 교부받은 보조금에 대하여 따로 계정을 설정하고 수입 및 지출을 명백히 구분하여 계리
- 보조사업자는 보조금으로 취득한 중요한 재산에 대해 장부를 비치하고 증감액과 현재액을 명백히 하여야 함.
  * 부동산과 그 종물(從物), 선박, 부표(浮標), 부잔교(浮棧橋) 및 부선거(浮船渠)와 그 종물, 항공기, 그 밖에 자치단체장이

보조금의 교부 목적을 달성하기 위하여 특히 필요하다고 인정하는 재산

○ 보조사업자의 보조금 집행은 보조금 결제용 전용카드(체크카드 등) 사용을 원칙으로 하며, 보조금 정산시에는 증빙서를 제출하되, 부득이한 경우에는 세금계산서 등을 관련 증빙자료로 첨부
  ※ 다만, 지방자치단체장은 보조사업자의 정산을 위해 개인보조사업자의 기존 통장 사용, 단체보조사업자의 2개 통장 사용 등에 따른 입금서류 보관 등에 대해 교육 등의 조치를 하고

○ 보조사업 시행완료후 반환받은 부가가치세는 해당 보조금을 교부한 자치단체에 반환는 것이 타당하며, 세부사항은 해당 자치단체 관련부서와 협의하여 처리하면 됨

◆ 사회복지시설의 보조금 수입계정 구분(질의응답)

○ 사회복지시설의 보조금 수입(04-41) 처리 시 세입예산 과목구분을 교부기관으로 할 것인지 자금원천별로 할 것인지 여부

○ 보조금의 수입처리 시 세입예산과목구분은 교부기관별로 구분하는 것이 타당할 것으로 판단됨. (단순히 보조금을 교부받은 입장에서는 보조금의 자금원천 : 국비, 시비, 구군비)을 확인하기 어려운 점을 감안

출처 : 보건복지부 사회서비스자원과 -5862, (2014.10.15.)

◆ 보조금 전용카드 시설운영비 지출 원칙

○ 지출은 지출사무를 관리하는 자(대표이사, 시설장) 및 그 위임을 받아 지출명령이 있는 것에 한하여 지출원이 행함. 지출은 예금통장 또는 「전자거래기본법」에 의한 전자거래로 집행하며, 특히 보조금의 경우 2011년 7월부터 시·도별로 도입한 보조금 전용카드로 집행할 것.
  - 상용경비 또는 소액의 경비 지출이라도 1만원 이상 지출

시 카드를 사용하거나 현금영수증을 발급받아 지출하도록 지도요망

* 국세청에서 변경된 현금영수증 발급제도에 따라 '08.7.1. 이후부터 현금영수증 발급이 가능한 곳(가맹점)에서는 1원 이상 집행 시 현금영수증 발급 가능
* 지역특성상 신용카드 사용이나 현금영수증 발급 등이 현실적으로 어렵다고 시·군·구청장이 인정하는 경우 간이영수증 또는 현금지출이 가능하며, 이 경우에도 그 확인이 가능한 증빙서류 구비
* 농어촌지역이나 카드 미가맹점에 대해서는 5만원 이상 집행 시 온라인(on-line)입금 활용

○ 국세청 '사업자용 현금영수증카드' 사용 안내

'사업자용 현금영수증카드' : 사업자가 사업과 관련 있는 물품 등을 현금으로 구입할 때 신속·편리하게 현금영수증을 발급받을 수 있도록 제작·보급하는 카드

* 신청문의 : 현금영수증홈페이지(www.hometax.go.kr) 또는 현금영수증상담센터(☎ 126)

○ 각 시·도는 자체적으로 마련한 「사회복지시설 보조금 전용카드 사용지침」 등에 따라 보조금 전용카드에 클린카드 기능을 추가하여 관리할 것[관련안내 : 보건복지부 사회서비스자원과 -5071(2011.11.9)호 및 사회서비스자원과 -1535(2012.3.29.)호]

○ 또한 각 지자체는 보조금 집행의 투명성이 제고될 수 있도록 주기적인 모니터링 방안 등 그 밖의 필요한 사항을 수립하여 지도·감독하기 바람.

 - 모니터링을 통해 위법·부당 사용사례가 적발된 경우, 감사 등을 실시하여 환수 및 징계조치 등을 엄정하게 처분할 것.

○ 보조금 전용카드란?

 ① 시설 보조금을 지출하기 위해 보조금 전용계좌와 연결된 체크카드

 ② 사회복지시설정보시스템에 발급 및 거래내역 전송

③ 클린카드 기능 탑재
  * 보조금 전용계좌 및 전용카드는 광역자치단체별로 계약한 금융사를 통해 발급받아야 함
  참고 사회복지시설 보조금 전용카드 사용제한 업종(클린카드 기능)

클린카드 기능 부여를 통한 사용제한 업종(시설관리 p.30)
○ 유흥업종 : 룸싸롱, 유흥주점, 단란주점, 나이트클럽, 주점으로 등록된 호프집, 맥주홀, 칵테일바, 주류판매점, 카페, 카바레
○ 위생업종 : 이·미용실, 피부미용실, 사우나, 안마시술소, 발마사지 등 대인서비스, 스포츠 마사지, 네일아트, 지압원
○ 레저업종 : 실내·외 골프장, 노래방, 사교춤, 전화방, 비디오방, 골프연습장, 골프용품, 스크린골프, 당구장, PC방, 기원
○ 사행업종 : 카지노, 복권방, 오락실
○ 기타업종 : 성인용품점, 총포류판매
○ 보조금 전용카드 발생 포인트는 시설운영에 해당 보조금의 용도에 부합하게 사용할 수 있다(2020년 사회복지시설관리 안내, 보건복지부.p33)

- 보조사업자는 보조금으로 취득한 중요한 재산에 대해 장부를 비치하고 증감액과 현재액을 명백히 하여야 함.
  * 부동산과 그 종물(從物), 선박, 부표(浮標), 부잔교(浮棧橋) 및 부선거(浮船渠)와 그 종물, 항공기, 그 밖에 자치단체장이 보조금의 교부 목적을 달성하기 위하여 특히 필요하다고 인정하는 재산
○ 보조사업자의 보조금 집행은 보조금 결제용 전용카드(체크카드 등) 사용을 원칙으로 하며, 보조금 정산시에는 증빙서를 제출하되, 부득이한 경우에는 세금계산서 등을 관련 증빙자료로 첨부

※ 다만, 지방자치단체장은 보조사업자의 정산을 위해 개인보조
　사업자의 기존통장 사용, 단체보조사업자의 2개 통장 사용
　등에 따른 입금서류 보관 등에 대해 교육 등의 조치를 하고

◆ 보조금전용카드 발생 포인트 사용

○ 2020 ″사회복지시설 관리안내″(보건복지부, p33) 지침 변경으로
－ 시설 운영비 지출을 보조금 전용카드 등으로 집행함에 따라 발생
　하는 포인트 또는 마일리지 등은 다시 시설운영에 사용하도
　록 조치(개인적으로 사용 금지)

○ 보조금 전용카드에서 발생한 포인트 등은 보조금에서 파생된 수
　익이므로 해당 보조금의 용도와 부합되는 용도로만 사용해야
　함

● 지출결의서 작성 및 일괄 인출 금지

○ 보조금 지출 시에는 지출결의서를 작성, 대표자의 결재를 득한
　후 지출하게 하는 등 집행 관리를 철저히 하여야 함.
－ 보조금 전용카드 등에 따른 지출결의서 및 집행일자, 상호명
　일치
－ 보조사업자가 개인인 경우에는 지출결의서 작성을 생략할 수
　있음.

○ 사업비를 일괄 인출하여 사후 정산하는 형태의 회계처리 금지
－ 보조금 통장, 회계장부, 지출결의서, 영수증, 채주 등 사용내
　역이 일치

● 보조금 교부결정 이전에 집행한 사업비는 보조금
으로 보전 불가

○ 지방자치단체장의 사전 사용승인을 받은 사업 외에는 보조결정
　통지일(사업개시일) 이전에 집행한 사업비는 보조금으로 보전
　할 수 없음.

○ 지방자치단체장은 보조사업의 시급성·타당성 등을 종합 검토하여 제한적으로 사전 사용승인 제도 운용

　※ 교부결정전 집행액은 당초 보조사업계획에 포함된 자부담 외 별도의 추가 자부담으로 처리해야 하며, 보조금 교부 후에 사전승인을 위반한 집행액 발견 시에는 해당 금액만큼 환수

● 보조금 집행 시 사업계획서 준수

○ 사업계획서에 따라 집행토록 하고, 사업계획의 변경이 불가피한 경우에는 사전에 승인을 받도록 조치

　※ 사업계획에 포함된 항목간 변경사용 등 지방자치단체장이 정하는 경미한 사항의 경우에는 목적사업 범위 내에서 승인 없이 변경 가능

● 각종 수당관련 세법에 따라 원천징수 및 납부

○ 강사료, 인건비, 원고료 등의 각종 수당은 관련세법에 따라 원천(특별) 징수한 후 법인 또는 단체의 관할세무서 등에 납부

○ 사업소득, 기타소득 등 원천징수 납부

● 보조사업비 당해 회계연도 내 완료 및 집행

○ 보조사업은 특별한 사유가 없는 한 그 회계연도 내에 완료토록 하고, 회계연도 말까지(12.31.) 집행

○ 보조사업의 특성상 불가피하게 회계연도를 넘어 사업의 완료가 예상되는 경우 보조금 교부시 집행 및 정산 등에 관한 사항을 구체적으로 명시

○ 정산결과, 미 집행액 및 집행잔액, 예금 결산이자는 반환토록 조치

　※ 보조금에 따른 예금이자는 보조금과 자부담 비율, 보조사업비의 통장 예치기간 등을 계산하여 그 발생된 금액만큼

반환토록 조치

● 보조사업과 직접 관련이 없는 보조 법인·단체 운영경비 지출 불가

○ '민간단체 법정운영비 보조'와 '사회복지시설 법정운영비 보조' 이외의 보조금 예산과목에서 보조 법인 또는 단체의 기본적인 업무 수행에 필요한 인건비, 사무실 임차료 및 공과금 등 운영비 명목으로 지출할 수 없음.

● 보조금의 특수관계인 거래금지(보건복지부소관 국고보조금 관리규정 제12조제3항)

○ 보조사업자등이 보조금집행시 보조사업자의 임직원(직계존비속포함) 등이이 운영하는 업체 또는 단체(계열 관계에 있는 업체 또는 단체를 포함한다)와는 거래할 수 없다. 다만, 보조사업부서의 승인을 받은 경우에는 그리하지 아니한다

○ 관할 세무서장은 법인의 행위 또는 소득금액의 계산이 특수관계인과의 거래로 인하여 그 법인의 소득에 대한 조세의 부담을 부당하게 감소시긴 것으로 인정되는 경우에는 그 법인의 행위 또는 소득금액의 계산(이하 "부당행위계산"이라 한다)과 관계없이 그 법인의 각 사업연도의 소득금액을 계산한다(법인세법 제52조, 시행령 제88조, 제90조: 부당행위계산의 부인)

● 보조사업비에 포함된 자부담 비용의 집행 관리

○ 자부담 예산에 대한 집행을 전제로 하여 보조금 지급이 결정된 것이므로 보조금의 집행기준과 동일하게 집행

○ 자부담 사업비도 반드시 집행하여야 하며, 집행 비율이 낮을 경우 총 집행액을 기준으로 보조금과 자부담 비율로 나누어 정산 후 반환토록 조치

○ 기능보강 보조사업의 재원 부담 비율(보조금, 자부담)은 시설

소유현황(시립, 구립, 민간), 재정 형편 등에 따라 시설 담당 부서에서 정하는 기준에 따라 정해짐.

● **사정변경에 의한 교부결정의 내용 변경**(지방보조금법 제11조, 보조금법 제21조)

○ 교부결정 후 사정의 변경으로 인해 자치단체장이 필요하다고 인정하는 경우, 그 교부결정 내용과 조건을 변경할 수 있음.

10. 보조사업의 정산 및 중요재산의 관리

● **보조사업의 정산** (지방보조금법 제17조)

○ 보조사업자는 사업을 완료하거나 폐지 승인을 받은 때, 회계연도가 끝났을 때에는 그 보조사업의 실적보고서를 작성하여 자치단체장에게 제출

○ 보조사업자가 보조금 정산시 세금계산서가 청구서류에 첨부하여 제출하는 경우에는 지방계약법에 따른 용역인 경우로 교부한 보조금에 대한 세금계산서를 제출할 필요가 없고 지방보조금관리기준 및 교부조건에 따라 사후정산만 하면 된다 (출처 : 예산회계실무)

○ 자치단체장은 제출받은 실적보고서를 토대로 보조사업이 법령 등에 적합하게 수행되었는지에 대해 심사하고 필요시 현지조사 실시

○ 자치단체장은 실적보고서 심사 결과 적합하다고 판단된 때에는 보조금액에 대한 정산결과를 확정하여 보조사업자에게 통지하고, 적합하지 않은 경우에는 보조사업자에게 시정, 반환 등 필요한 조치를 취해야 함.

○ 사업비 정산액이 보조금 산출의 기초가 되는 사업량 보다 감소되었을 때에는 그 감소율에 의해 보조금을 감액 조치

● 보조금 사용 잔액정리 유의사항

일부 시설에서는 보조사업비가 불용액으로 남을 가능성에 대비하 여 재무회계규칙에서 정하는 전용절차에 의해 시설장의 승인으로 잔액을 사용하고자 하는 경우

○ 지방보조금(보조금 포함)은 지방보조금법제2조에 의해 지방자치단체이외의 자가 수행하는 사무 또는 사업에 대하여 법률에 따라 이를 조성하거나 재정적인 원조를 하기 위해 교부하는 보조금을 말한다고 되어 있음

○ 보조금은 법령에서 정하는 원칙과 조건, 절차에 따라 사용되어야 함

○ 보조사업비를 사용하는데는 지켜야 할 법령상 원칙과 조건이 많이 있음

- 그중에 교부된 사업내용과 사업내용을 변경하고자 하는 경우, 교부기관의 승인을 받아야 한다는 절차 등이 있음

○ 사회복지법인.시설 재무회계규칙제2조의2(다른 법령과의 관계)에는 다른 법령에 특별한 규정이 있는 경우에는 재무회계규칙보다 다른 법령이 우선 적용된다고 되어 있음

○ 보조금 사용잔액에 대해서는 다른 법령인 지방보조금법이 우선 적용됨(재무회계규칙보다 상위법령))을 숙지하여야 함

- 지방보조금을 사용하고자 하는 경우 준수하여야 할 원칙과 조건, 절차를 따로 준수하여야 함

- 교부기관에 보조사업 내용변경 승인이 있어야 재무회계규칙에 의한 예산의 전용이 가능함

○ 사회복지 보조금은 거의 대부분 지방보조사업으로 무리하게 사용잔액을 전용등 절차를 활용하여 사용하는 경우에는 나중에 법령위반으로 환수조치 또는 행정처분을 당할 수 있음

- 반드시 사전에 주무관청 담당 주무관과 협의를 하시기 바라

며, 만약 협의가 안되면 반납하시기바람

출처 복지법인시설실무카페

● 보조금의 반환 또는 상계

(지방보조금법 제31조, 보조금법 제31조)

○ 기 교부된 보조금과 이에 따라 발생한 이자를 포함한 금액이 보조사업을 확정한 금액을 초과한 경우 그 초과액에 대해 반환 조치

○ 반환받아야 할 금액에 대해서는 지방세 징수의 예에 따라 징수할 수 있으며, 이 경우 국세와 지방세를 제외하고 다른 공과금에 우선

○ 반환 명령을 받은 보조사업자가 반환하지 않는 경우, 해당 자치단체의 동종(同種)의 보조금이 있으면, 이를 일시 정지하거나 그 보조금과 반환하지 아니한 금액을 상계

○ 반환받는 보조금에 대한 이자의 계산

  - 보조금으로 인해 금융기관의 통장계좌에서 발생한 이자

  - 그 보조금을 최초 교부받은 때부터 정산 후 집행 잔액을 반환할 때까지 실제 발생한 모든 이자를 포함

  - 반환이자 산정을 위한 금리는 금융기관의 해당 보조금의 지정계좌의 약정 금리를 적용하여 산정

※ 금리 약정이 없는 등 발생이자 산정이 곤란한 경우에는 「민법」 제379조의 법정이율인 연 5%를 적용하여 산정

  - 보조금 최종 정산반환이 완료된 이후 보조금 교부결정 취소에 따른 보조금 반환일까지 이자

  - 해당 보조금 통장에서 실제로 발생하지 않은 이자에 대해서는 원칙적으로 반환을 요구할 수는 없으나, 이에 대해 자치단체와 지방보조사업자간 별도의 협약이 있는 경우는 그 협

약한 기준을 적용하여 산정할 수 있음.

- 보조금 반환 기한을 경과한 기간의 이자

- 반환 기한을 경과한 날부터 실제 반환일까지의 이자는 해당 자치단체와 지방보조사업자 간 별도의 협약에 따르되, 별도의 협약이 없는 경우 「민법」에 따른 지연이자를 적용하여 산정

◆ **사회복지시설 보조금 정산 반납**

○ 보조사업비는 자부담을 포함한 개념으로 정산시 보조사업비 전액을 정산하고 집행잔액 정산 보조금과 자부담 분담비율로 계산하여 반납을 받는 것입니다.

○ 보조사업비는 총액개념이므로 한 통장에 자부담까지 입금되어야 합니다.

○ 보조금 교부시기는 월별 또는 분기별 적용할 경우 비용정산은 교부신청시 예산정산을 실시하고 실제 최종정산은 보조사업 종료후나 연간사업은 출납폐쇄 후 즉시(교부조건참조) 실시해야 합니다.

○ 착오로 지출금을 반납하는 경우는 반납결의서를 사용하여 금고에 여입조치하고, 착오로 수입금을 반납해야 하는 경우는 과오납반환결의서를 사용해야 합니다.

* 지방보조금관리기준

http://cafe.naver.com/gangseogu/109363

* 과오납.반납 결의서

http://cafe.naver.com/gangseogu/130237

출처 : 복지시설 보조금 정산관련 문의드립니다. (예산회계실무)

● **보조금 발생이자 세입세출 과목 구분**

사회복지시설 재무회계규칙(별표) 시설회계세입세출 예산과목 구분에 따르면,

○ 보조금 통장에서 발생한 이자는 세입은 잡수입/ 기타예금이 자수입

○ 세출은 예비비 및 기타/ 반환금으로 구분됩니다

◆ "법인 보조금, 대표 상대 환수조치 할 수 없어"(판례)

○ 지방자치단체가 제공한 보조금을 법인 대표가 횡령했더라도 법인이 아닌 대표에게 보조금 환수조치를 할 수 없다는 판결이 나왔다. 대구지법 행정부(정용달 부장판사)는 대구 서문시장 모 상인회의 대표 A씨가 대구 중구청장을 상대로 낸 보조금환수처분취소 청구소송에서 원고승소 판결을 했다고 27일 밝혔다.

○ 재판부는 판결문에서 "A씨가 보조금을 착복했지만 중구청이 환수를 명령할 수 있는 대상자는 보조금을 받은 상인회"라면서 "대표인 A씨에게 환수를 명령한 처분은 위법"이라고 판시했다. 중구청은 서문시장 2지구의 상가건물 화재로 인해 대체상가를 원하는 상인 147명이 결성한 사단법인 B상인회에 2006년 환경개선사업 보조금 7억원을 제공했으나 A씨 등 2명이 1억6천여만원을 횡령했다가 1억원만 변제하자 보조금 6천여만원의 반납을 명령했다.

● **중요재산 관리 및 처분**(지방보조금법 제21조, 보조금법 제35조의2)

○ 중요재산의 관리

- 보조사업자는 장부를 갖추어 두고 중요재산에 대하여 지방자치단체장이 정하는 바에 따라 현재액과 수량의 증감을 기록하고, 해당 보조사업 관련 서류를 첨부하여 반기별로 해당 지방자치단체장에게 보고하여야 함.

- 지방자치단체장은 영 제37조의5에 따른 중요재산의 현황을 해당 지방자치단체의 인터넷 홈페이지 등을 통하여 항상 공시하여야 함.

○ 중요재산의 처분

- 보조사업자는 보조금으로 취득하거나 그 효용이 증가된 중요

재산은 당해 사업을 완료한 후에 자치단체장의 승인 없이 임의로 처분할 수 없음.

- 부동산과 그 종물(從物), 항공기, 선박, 부표(浮漂), 부잔교(浮棧橋) 및 부선거(浮船渠)와 그 종물, 그 밖에 자치단체장이 보조금의 교부 목적을 달성하기 위하여 특히 필요하다고 인정하는 재산
- 보조금의 교부 목적에 위배되는 용도에 사용, 양도, 교환 또는 임대하거나 담보의 제공
- 다만, 보조금의 전부에 상당하는 금액을 반환하거나 보조금의 교부 목적과 해당 재산의 내용연수(「물품관리법」 제16조의2에 따라 조달청장이 고시하는 내용연수 참고)를 감안하여 자치단체장이 정하는 기간을 경과한 경우, 자치단체가 다른 자치단체의 보조금으로 취득한 재산의 경우로서 사전에 해당 자치단체장과 협의한 경우에는 승인 없이 처분 가능

● **보조사업 내역의 공시**(지방보조금법 제30조, 지방재정법 제60조, 같은 법 제60조의2)

○ 지방자치단체장은 법 제30조에 따라 보조금의 교부현황, 성과평가 결과, 보조금으로 취득한 중요재산의 변동현황, 교부결정의 취소 등 중요 처분 내용에 대하여 주민에게 공시

○ 보조사업의 공시에 관한 세부적인 사항은 행정안전부 장관이 별도로 정하는 재정공시에 관한 기준에 따름.

◆ **보조사업 수행시 유의사항**

○ 보조금의 용도외 사용금지
○ 보조사업의 내용 변경은 교부기관의 사전 승인을 받아야 함.
○ 보조금 계정의 수입, 지출은 구분 관리
○ 지출결의서 작성 및 일괄 인출 금지

◆ 보조금 정산서류 정보공개청구

○청구자의 의사에 따라 정보공개법의 적용대상인 해당 보조금
단체 혹은 정산서류 사본을 갖고 있는 지방자치단체에 정보공개
청구할 수 있습니다.

정보공개청구를 받은 해당 지방자치단체에서 공개여부를 결정할
수 있으며, 제3자(해당 사회복지시설)의 비공개 요청에도 불구하
고 공개결정을 할 경우 공개 결정일과 공개 실시일 사이에 최소
한 30일의 간격을 주어야 합니다.

○참고로 서울행법 2007 구합31478(2008.4,16.선고)에 의하면 정
보공개청구의 대상인 문서는 반드시 원본일 것을 요하지는 않으
며, 회의록 작성의 주무부서가 재정경제부라 하더라도 외교통상
부장관이 그 회의록을 받아 직무상 소지하고 있으므로

그 회의록은 외교통상부장관이 직무상 보유 관리하고 있는 문서
로서 정보공개법 제2조제1호에서 정하는 정보에 해당하나고 판
시하고 있습니다.

개별적 정보공개 청구 건에 대해 정보공개여부 및 그 내용과 범
위 등의 판단과 결정은 국민의 알 권리와 대상 정보의 보호법익
을 비교 형량하고, 개별법에서 정하고 있는 입법취지 등을 고려
하여 공공기관의 정보공개에 관한 법률 제11조에 의거 해당 공
공기관이 하도록 되어 있음을 알려드립니다.

○시설에서 정보를 가지고 있는 경우에만 공개대상입니다. 법령
규정에 따라 지출결의서를 해당기관이 가지고 있어야 한다면 받
을 수 있으나 규정이 없는 경우에는 비대상입니다.

출처 예산회계실무 카페

○ 보조금 교부 결정 이전에 집행한 사업비는 보조금으로 보전
불가

○ 보조금 집행 시 사업계획서 준수

○ 보조사업비는 당해 회계연도 내 완료 및 집행

○ 보조사업과 직접 관련이 없는 보조 법인·단체 운영경비 지출 불가

○ 보조사업비에 포함된 자부담 비용의 집행 관리

○ 보조사업의 정산 및 중요재산의 관리 및 처분

11. 보조사업 외부회계감사 요령(지방보조금법 제18조)

◆ 지방보조금법에 따른 외부회계감사 시행(질의응답)

○ 보조사업자는 「주식회사의 외부감사에 관한 법률」 제2조7에 따른 감사인이 해당 회계연도를 기준으로 작성한 감사보고서를 보조금 또는 간접보조금을 지방자치단체의 장에게 제출하여야 한다.

○ 보조금 1억원 이상, 「지방보조금법」 제17조제2항, 시행령 제10조에 의해 3억원 이상

　- 「주식회사의 외부감사에 관한 법률」 제2조제7호에 따른 감사인으로부터 정산보고서의 적정성에 대하여 각각 검증을 받아야 한다.

　　※ 정산보고서 형식과 작성방법, 항목, 제출방법은 지방보조금법 시행규칙에서 정하는 대로 따른다

○ 매칭사업의 (국고)보조금 총액 계상방법

　- 보조금법 제27조의2에 의해 보조금총액이 10억원이상인

　　　보조사업자는

공인회계사의 특정감사를 받게 되어 있고

　- 여기서 보조금 총액10억원은 지방보조금을 제외한 순수

　　　국고보조금만을 의미합니다

출처 : 기획재정부 예산기준과(1AA-1908-487595)(국민신문고)

● 지방보조금 실적보고서 검증(회계감사) 절차

근거법령 : 지방보조금법과 시행령, 시행규칙(이하"법"이라 한다.)

○ 정의 (법 제2조)

○ 지방보조금(이하 "보조금"이라 한다) : 지방자치단체가 법

령 또는 조례에 따라 법인, 단체 또는 개인 등이 수행하는 사무 또는 사업 등을 조성하거나 이를 지원하기 위하여 교부하는 보조금을 말함.

○ 보조사업 : 보조금이 지출되거나 교부되는 사업 또는 사무를 말한다.

○ 보조사업자 : 보조사업을 수행하는 자를 말한다.

○ 보조금 수령자 : 지자체 및 보조사업자로부터 보조금을 지급받은 자를 말한다.

● **보조금 결산 절차**

○ 보조사업의 실적보고(법 제17조)(시행령 제9조)(시행규칙 제4조)

  - 사유 발생한 날로부터 2개월이내 제출 ▷ 시행규칙 별지 제2호서식에 따른다.

  - 보조사업을 완료하였을 때

  - 보조사업 폐지의 승인을 받았을 때

  - 회계연도가 끝났을 때

● **실적보고서 검증(법 제17조 제2항)(시행령 제10조)(시행규칙 제4조)**

○ 보조사업에 대한 보조금 총액이 3억원 이상인 보조사업자(국비는 1억원이상)는 "주식회사 등의 외부감사에 관한 법률"(이하 "외감법"이라 한다)제2조제7호 및 제9조에 따른 감사인으로부터 실적보고서의 적정성에 대한 검증을 받아야 한다. ▷ 시행규칙 별지 제4호서식에 따른다.

● **보조사업자의 특정회계감사(지방보조금법 제18조)**

○ 보조사업자의 보조금 총액 합이 10억원이상인 경우 외감법에 의한 공인회계사의 특정회계감사를 받아야 한다.

● **법령별 외부 회계감사 의무를 개별적으로 이행하여야만 하는지 여부**

○ 「상속세 및 증여세법」 제50조 제3항에 따른 외부감사 대상 공익법인에 대하여, 우리 시에서는 「공익법인의 설립·운영에

관한 법률 시행령」 제27조 제3항에 따라 외부회계 감사를 받도록 하고 있음.

○ 보조사업자는 지방보조금법에 따라 보조금 총액 10억원 이상인 경우 감사인이 해당 회계연도를 기준으로 작성한 감사보고서를 보조금 또는 간접보조금을 교부한 지방자치단체의 장에게 제출하여야 함.

○ 해당 회계연도를 기준으로 한 감사보고서를 작성한다는 면에서 동일하므로 각각 별개의 감사보고서를 작성할 필요는 없음.

◆ **지방보조금 실적보고서 검증과 외부회계감사관련**
행정안전부 질의답변

(질의1)
○ 실적보고서 검증 비용과 회계감사 보고서 작성 비용 부담과 관련하여 국고보조금 집행지침을 준용하여 지방보조금에서 지출 가능한지?

(답변)
- 보조사업자가 자체 재원으로 부담하는 것이 타당하나, 보조사업자의 재정부담능력, 타 보조사업자와의 형평성 등을 종합적으로 고려하여 지방보조금에서 지출하는 것을 승인 가능

(질의2)
○ 지방보조금법 제17조제2항의 실적보고서 검증에 대한 예외 가능 여부?

(답변)
- 현행법상 실적보고서 검증에 대한 예외를 규정하고 있지 않음.
- 지방보조금법 제17조제2항에서 실적보고 검증에 대하여 예외를 규정하고 있지 않으므로 지방보조금 사업별 지방보

조금 총액이 3억원 이상인 경우에는 감사인으로 부터 지방보조사업별 실적보고서의 적정성 검증을 사업별로 각각 받아야 함.

출처 : 행정안전부 재정협력과-458,(2022.2.14.)호와 관련임

● 공인회계사의 직무(공인회계사법)

○ 공인회계사의 직무범위

- 공인회계사는 타인의 위촉에 의하여 다음 각호의 직무를 행한다.

· 회계에 관한 감사 · 감정 · 증명 · 계산 · 정리 · 입안 또는 법인설립 등에 관한 회계

· 세무대리

· 이외 부대되는 업무

○ 회계처리 등

- 회계법인은 이 법에서 특별히 규정하지 아니한 사항에 대하여는 「주식회사 등의 외부감사에 관한 법률」 제5조에 따른 회계처리 기준에 따라 회계처리를 하여야 한다.

○ 재무제표

- 재무상태표(대차대조표)와 손익계산서 등 그 밖에 대통령령으로 정하는 서류

○ 감사인

- 공인회계사법」 제23조에 따른 회계법인

- 「공인회계사법」 제41조에 따라 설립된 한국공인회계사회에 총리령으로 정하는 바에 따라 등록을 한 감사반

○ 감사보고서

- 감사인이 회사가 법 제5조제3항에 따라 작성한 재무제표를

제16조의 회계감사기준에 따라 감사하고 그에 따른 감사의견을 표명(表明)한 보고서를 말한다.

※ **법령별 외부회계 감사의무 이행**

○ 상속세 및 증여세법 제50조 제3항에 따른 외부감사 대상 공익법인과 지방보조금법에 따른 보조금액 총액 10억원 이상인 보조사업자는 감사인(공인회계사)의 특정회계감사를 받고 지방보조금법 시행규칙에서 정하는 감사보고서를 지방자치단체의 장에게 제출하여야 함. 다만 보조금액 3억원 이하인 경우에는 검증보고서를 제출하여야 함.

○ 해당 회계연도를 기준으로 한 감사보고서를 작성한다는 면에서 동일하므로 각각 별개의 감사보고서를 작성할 필요는 없음.

○ 재무제표는 공익법인회계기준에 따른 복식회계로 작성되어야 한다.

● **세무사의 직무**(세무사법 제2조)

○ 세무사는 납세자 등의 위임을 받아 세무대리를 수행하는 것.
  - 조세에 관한 신고 · 신청 · 청구(과세전적부심사청구, 이의신청, 심사청구 및 심판청구를 포함한다) 등의 대리
  - 세무조정계산서와 그 밖의 세무 관련 서류의 작성
  - 조세에 관한 신고를 위한 장부 작성의 대행
  - 조세에 관한 상담 또는 자문
  - 해당 세무사가 작성한 조세에 관한 신고서류의 확인
  - 「소득세법」 또는 「법인세법」에 따른 성실신고에 관한 확인

◆ **지방보조금 검증보고서 및 회계감사보고서 제출대상 범위** (질의응답)

○ 지방자치단체 보조금 관리에 관한 법률 제17조 및 제18조 관련 질의

지방보조사업자가 A군에서 7억, B군에서 7억의 지방 보조금을 교부 받았을 때 정산시 제17조 2항(3억원 이상인 지방보조사업자)에 해당 되는 지, 제18조 1항(정산 지방보조사업자)에 해당되는 지 답변부탁 드립니다.

○ 답변(2022. 1. 6.)

- 검증보고서는 보조사업별로, 감사보고서는 보조사업자를 기준으로 제출 대상 판단

○ 「지방보조금법」제17조제1항에서는 지방보조사업자는 지방보조사 업을 완료하였을 때, 지방보조사업 폐지의 승인을 받았을 때 또는 회 계연도가 끝났을 때에는 그 사업의 실적보고서를 작성하여 지방자치 단체의 장에게 제출하여야 한다고 규정하고 있으며,

- 같은 조 제2항에서는 '지방보조사업에 대한 지방보조금의 총액이 3억원 이상인 지방보조사업자'는 외부감사인으로부터 실적보고의 적 정성에 대하여 검증을 받아야 한다고 규정하고 있습니다.

○ 따라서, 귀하께서 질의하신 사안과 관련하여 「지방보조금법」제17 조제2항에 따른 '실적보고서의 검증 관련 보고서'의 작성 여부는 보 조사업자가 아닌 '보조사업별'로 판단하여야 하며,

- 지방보조사업자가 'A군의 ○○사업(7억)'과 'B군의 △△사업(7 억)'을 각각 수행하였다면, '○○사업'과 '△△사업' 각각 실적보고서 를 작성·제출하여야 하고,

- 이때, 각 보조사업에 대한 지방보조금의 총액이 7억인바 '실적보 고서의 검증 관련 보고서' 또한 지방보조사업 완료일(또는 회계연도 종료일)부터 2개월 이내에 보조사업별로 작성하여 보조사업의 시행 주체인 지방자치단체의 장에게 제출하여야함을 알려드립니다.

○ 아울러, 「지방보조금법」제18조제1항에서는 같은 회계연도 중 지 방자치단체의 장으로부터 교부받은 지방보조금의 총액이 10억원 이상 인 지방보조사업자는 외부감사인이 해당 회계연도를 기준으로 작성한

◆ **보조사업자의 감사비용부담(질의응답)**

○ 마지막으로, 특정지방보조사업자가 감사 비용을 부담하기 어려운 경우 지방자치단체에서 별도로 예산을 편성하여 감사 비용을 지원하는 것이 가능한지에 관하여는 지방보조금법령에 별도의 규정을 두고 있지 않습니다.

- 다만, 지방보조금은 지방자치단체가 자치단체의 재원(財源)으로 법령 또는 조례에 따라 법인·단체 또는 개인 등이 수행하는 사무 또는 사업 등을 조성하거나 이를 지원하기 위하여 교부하는 보조금이므로

- 지방보조사업의 수행에 따라 발생하는 회계감사 비용에 관한 처리는 자치단체별로 공통기준을 마련하거나, 보조사업자의 성격 및 재정부담능력 등을 고려하여 자치단체에서 지방보조금으로 비용을 지출하는 것을 인정할지를 판단하면 될 것입니다.

소관부처   행정안전부   재정협력과   박*연   주무관(☎ 044-205-3735)

감사보고서를 지방보조금을 교부한 지방자치단체의 장에게 제출하여야 한다고 규정하여

- 광역·기초 등 자치단체의 구분없이 같은 회계연도 중에 '지방자치단체의 장'으로 부터 교부받은 지방보조금 총액이 10억원 이상이면 감사인이 작성한 감사보고서를 해당 지방자치단체의 장에게 제출하도록 하고 있습니다.

○ 아울러, 「지방보조금법」제18조제1항에서는 같은 회계연도 중 지방자치단체의 장으로부터 교부받은 지방보조금의 총액이 10억원 이상인 지방보조사업자는 외부감사인이 해당 회계연도를 기준으로 작성한 감사보고서를 지방보조금을 교부한 지방자치단체의 장에게 제출하여야 한다고 규정하여

- 광역·기초 등 자치단체의 구분없이 같은 회계연도 중에 '지방자치

단체의 장'으로 부터 교부받은 지방보조금 총액이 10억원 이상이면 감사인이 작성한 감사보고서를 해당 지방자치단체의 장에게 제출하도록 하고 있습니다.

○ 이와 관련하여, 국고보조금에 대해 같은 의무를 부과하고 있는「보조금법」제27조의2도 국가보조금의 교부 주체가 C 중앙관서인지 D 중앙관서인지 상관없이 교부받은 국가보조금 총액이 10억원 이상이기만 하면 보조금법 제27조의2의 적용 대상으로 해석하고 있고,

- 지방보조금의 경우에도 그 교부 주체가 A 자치단체인지 B 자치단체인지에 상관없이 교부받은 지방보조금 총액이 10억원 이상이기만 하면 지방보조금법 제18조제1항의 적용 대상에 해당한다고 보는 것이 균형에 맞고, 해당 규정의 입법취지(보조금 집행에 대한 회계정보의 신뢰성·투명성 확보 및 보조사업자에 대한 관리·감독 강화)에도 부합하는 것으로 판단됩니다.

○ 따라서, 「지방보조금법」제18조제1항에 따른 '특정지방보조사업자의 감사보고서'의 작성은 '보조사업자'를 기준으로 판단하여야 하며, 지방보조사업자가 A군의00사업(7억)과 B군의 00사업(7억)을 각각 수행하였다면, 같은 회계연도중 교부받은 지방보조금 총액이 14억원인바 특정보조사업자로서 해당 회계연도 종료일로부터 4개월 이내에 감사보고서를 작성하여 지방보조금을 교부한 지방자치단체에 제출하여야 함을 알려드립니다

출처 국민신문고 소관부처 행정안전부 재정협력과 박*연 주무관
(☎ 044-205-3735)

※ 지방보조금 검증 및 감사보고서는 국고보조재원 제외, 또한, 「지방보조금법」제18조의 적용에 관하여 지방보조금법령에서 별도의 적용례나 경과조치를 두고 있지 않은바 법 시행일 전에 개시된 지방보조사업에 대해서도 그 보조사업이 해당 규정의 시행일 이후 계속되고 있는 경우라면 해당 규정을 적용하여야 합니다.

- 따라서, 법 시행일 이전에 지방보조금을 교부하여 사업을 수행하였으나 법 시행일 이후에 정산 등의 절차를 이행하는 경우, 2021년 회계연도 정산부터 해당 규정이 적용됩니다.

◆ 지방보조금법 제18조 (특정지방보조사업자에 대한 회계감사) 시행에 대한 문의(질의응답)

○ 지방보조금법 18조 (특정지방보조사업자에 대한 회계감사) 시행에 대한 문의

21년 7월 13일부터 시행된 지방보조금법에서, 18조에 의해, 지방보조금을 10억이상 교부받은 사회복지시설은 외부회계감사 수행후 감사보고서를 지방자치단체에 제출하여야 하는 것으로 알고 있습니다. 외부회계감사에 대한 시행시기에 대해 문의하고자 합니다.

○ 지방보조금 10억이상 교부 받은 사회복지시설 에서 10억이상 교부 기준

- 법 시행전인 2021년 1월 1일 이후부터 교부받은 지방보조금까지 모두 10억이상이라는 기준의 누적 금액에 포함시켜야 하는지. 아니면 법 시행된 2021년 7월 13일 이후부터 교부받은 지방보조금 부터 누적금액이 10억이상인 것인지?

○ 외부회계감사 대상 회계년도 시작 기준이 2021년도인지 2022년도인지?

- 2021년도 회계 정산부터 외부회계감사를 수행 후 감사보고서 제출인지? 2022년도 회계 정산부터 외부회계감사 수행후 감사보고서 제출인지?

- 법 제정시 2021년부터 적용이라는 조항이 없으므로 소급적용시기가 명확하지 않은 문제점이 있음.

○ 외부회계감사 비용 부담

- 외부회계감사 비용 의뢰 결과 매년 500만원이상의 비용이 발생하는데, 비영리법인으로 수익사업을 하지 않는 사회복지시설의 경우 자

부담으로 하기에는 비용이 매우 부담스럽습니다. 이에 대해 지자체에서 예산을 편성하여 교부할 수 있는지? 시설에서 알아서 비용을 책임져야 하는 것인지? (국고보조금은 보조금에서 예산 편성하여 집행 가능하도록 조항이 있으나 지방보조금에는 없는 것 같아 질의 함.)

2022-01-25

○ 답변 2022-02-17

1. 안녕하십니까, 귀하께서 국민신문고를 통해 신청하신

민원(신청번호 1AA-2201-078

2752)에 대한 검토 결과를 다음과 같이 알려드립니다.

2. 귀하의 민원내용은 "지방보조금법 제18조제1항의 특정지방보조사업자의 회계감사와 관련하여 ① 10억의 판단기준, ② 회계감사 대상 회계연도, ③ 회계감사 비용부담에 관한 문의"로 판단됩니다.

3. 귀하의 질의 사항에 대해 검토한 의견은 다음과 같습니다.

○ 「지방보조금법」제18조제1항에 따라 같은 회계연도 중 지방자치단체의 장으로부터 교부받은 지방보조금의 총액이 10억원 이상인 특정지방보조사업자는 외부감사인이 작성한 감사보고서를 지방보조금을 교부한 지방자치단체의 장에게 제출하여야 합니다.

- 이때, 법률에서 "같은 회계연도 중 교부받은 지방보조금의 총액"을 기준으로 특정지방보조사업자를 판단하고 있으므로, 「지방보조금법」의 시행일과 상관없이 "2021년 회계연도 중 받은 지방보조금의 총액"이 10억원 이상인 경우, 외부감사인이 작성한 감사보고서를 지방자치단체의 장에게 제출하여야 합니다.

◆ 수익금 범위에 정부의 보조금 수입이 포함되는지
여부(질의응답)

1. 안녕하십니까? 귀하께서 국민신문고를 통해 질의하신 민원
(신청번호 :1AA-2010-0561284)에 대해 안내드립니다.

2. 먼저, 정부 정책에 관심을 가지시고 소중한 질의를 주신데 대하여

감사드립니다.

3. 귀하의 질의는 "'수익금 범위에 정부의 보조금 수입이 포함되는지 여부"에 관한 것으로 이해됩니다.

4. 귀하의 질의사항에 대해서 검토한 의견은 다음과 같습니다.

ㅇ 상속세 및 증여세법 제50조 제3항에 따라 공익법인등은 과세기간별 또는 사업연도별로 「주식회사 등의 외부감사에 관한 법률」 제2조 제7호에 따른 감사인에게 회계감사를 받아야 하지만 자산 규모 및 수입금액이 대통령령으로 정하는 규모 미만인 공익법인등의 경우에는 그러하지 아니합니다.

ㅇ 한편, 상속세 및 증여세법 시행령 제43조 제3항에 따르면 법 제50조제3항제1호에서 "대통령령으로 정하는 규모 미만인 공익법인등"이란 회계감사를 받아야 하는 과세기간 또는 사업연도의 직전 과세기간 또는 직전 사업연도의 총자산가액 등이 다음 각 호를 모두 충족하는 공익법인등을 말합니다.

1. 과세기간 또는 사업연도 종료일의 재무상태표상 총자산가액(부동산인 경우 법 제60조·제61조 및 제66조에 따라 평가한 가액이 재무상태표상의 가액보다 크면 그 평가한 가액을 말한다)의 합계액이 100억원 미만일 것

2. 해당 과세기간 또는 사업연도의 수입금액과 그 과세기간 또는 사업연도에 출연받은 재산가액의 합계액이 50억원 미만일 것

3. 해당 과세기간 또는 사업연도에 출연받은 재산가액이 20억원 미만일 것

ㅇ **이때의 수입금액은 해당 공익사업과 관련된 「소득세법」에 따른 수입금액 또는 「법인세법」에 따라 법인세 과세대상이 되는 수익사업과 관련된 수입금액을 말하므로 보조금이 당 공익사업과 관련된 「소득세법」에 따른 수입금액 또는 「법인세법」에 따라 법인세 과세대상이 되는 수익사업과 관련된 수입금액에 포함되는지 여부에 따라 판단할 사항이며, 그에 대한 판단은 국세청에서 수행하고 있음을 알려드립니다.**

5. 귀하의 질문에 만족스러운 답변이 되었기를 바라며, 답변 내용에 대한 추가 설명이 필요한 경우 기획재정부 재산세제과 강*훈 주무관

(전화 : 044-215-4316)에게 연락주시면 친절히 안내해 드리도록 하겠습니다. 끝.

◆ 노인일자리사업 수행 발생한 수익금 법인세 과세대상 여부(질의응답)

○ 질문요지

- 위탁받은 노인일자리사업을 수행하고 해당 사업에서 발생한 손익을 실질적으로 지방자치단체에 귀속되는 경우 "법인세법"제3조제2항에 따라 법인세 과세대상에 해당하지 아니함

○ 답변요지

- 비영리법인이 "노인복지법'제23조의2에 따라 지방자치단체로부터 위탁받은 노인일자리사업을 수행하고

- 해당사업에서 발생한 손익이 실질적으로 지방자치단체에 귀속되는 경우 해당 사업에서 발생한 소득은 "법인세법' 제3조제2항에 따라 법인세 과세대상이 해당하지 아니하는 것임

○ 출처 : (법인, 사전-2020-법령해석법인-0377
[법령해석과-3713] , 2020.11.16.

● 보조금지원 중단처분 취소청구(행심)

○ 보조금의 지원 여부, 지원대상의 선정, 지원중단 등 보조금 지원에 관련된 일련의 행위는 행정청이 예산상황 등 여러 사정을 고려하여 행하는 재량행위이므로,

「영유아보육법」상어린이집 원장은 전임이어야 함에도 청구 외 ○○○가 이 사건 센터 대표를 겸직하면서인건비를 이중으로 지급받은 것은 법령을 위배한 것으로 보조금 편취에 해당한다 할 것이고,

○ 설령 검찰에서 내사종결 처리되었다 하더라도 행정처분과 형벌은 각기 그 권력적 기초, 대상, 목적을 달리하고 있으므로 동일한 행위에 관하여 독립적으로 행정처분을 부과할 수 있다 할

것이다. (국민권익위원회 경남행심 2013-212, 2013. 9. 26.)

출처 2019 사회복지법인.시설 업무가이드(p268)

◆ 지자체 보조금 지급 중지관련(질의응답)

○ 노인요양원에 불법증축이 있으나 이행강제금만 내고 철거하지 않는 시설이 있습니다.

철거하지 않을 경우 화재의 우려가 있고 화재발생 시 피해를 확산할 가능성이 있다는 이유로,

○ 노인요양원에 지급되는 종사자수당(전액시비)를 교부하지 않을 예정이라는 통보가 나갔는데, 이게 법적으로 가능한걸까요? (불법건축과 종사자수당은 직접적인 관계가 없고 이행강제금을 내고 있음에도 시설 보조금까지 중단하는것이 법적으로 문제가 없는지 **[출처]**지자체 보조금 지급중지 가능여부 문의 (예산회계실무)|**작성자**bluebirdsson

○ 복지법인과 시설에서는 주무관청의 정당한 행정처분(시정명령)을 이행하여야 하는 의무가 있습니다.

○ 불법행위에 대한 이행강제금 납부는 행정처분의 미이행에 대한 강제조치일 뿐 행정처분 이행은 아니라고 생각됩니다. 나아가 주무관청에서 불법행위에 대한 보조금 지원 중단뿐 만 아니라 이사 해임요구도 가능할 수 있음을 아시고 이행하시는게 바람직합니다.(더 자세한 사항은 복지법인시설 실무카페에 관련자료를 참고바람)

◆ **보조금 제한 처분 취소 청구 판결(판례)**

○ 사회복지사업법에 관련된 비용을 국가 또는 지방자치단체에서 지원하여 사회복지사업의 공정.투명.적정을 도모하려는 사회복지사업법의 취지에 비추어 볼 때 위 보조금 인건비 집행제한기준중 법인.시설 운영 관련 위법행위자 보조금 인건비 집행 제한기준(부산광역시)은 비례의 원칙 등을 위반한 것이 아님 (부산지방법원 2022구합21215, 2022.11.24.)

12. 지출의 특례(재무회계규칙 제30조)

○ 지출 특례의 내용
 - 선금을 지급할 수 있는 경비의 범위는 보조금, 사례금, 계약금액 1천만원 이상인 공사나 제조 또는 물건의 매입을 하는 경우 계약금액의 100분의 50을 초과하지 아니하는 금액,
 - 추산 지급할 수 있는 경비의 범위는 여비 및 판공비, 보조

금, 소송비용

13. 세입세출 외 현금 (지방재정법 제34조제3항, 시행령 제40조)

● 세입세출 외 현금

○ 예산에 계상할 확정 세입은 아니고 법령, 계약 등 기타의 사유로 반환할 것을 전제로 일시 보관하는 현금을 말한다.

○ 세입세출외 현금의 종류

　- 보증금(계약보증금, 이행보증금, 하자보증금 등), 보관금(퇴직적립금, 부가가치세 등) 잡종금 등 사무 관리를 위한 필요경비(4대 보험, 기타 세금 등)

● 세입세출 외 현금 관리요령

○ 법인이나 시설에서의 세입세출외현금 관리는 대표이사 또는 시설장이 관리하되, 회계담당자에게 위임할 수 있다.

○ 수납 절차

　- 세입세출외현금 전용 통장 개설

　- 수입원이 세입세출 외 현금을 수납하였을 때에는 수입 결의후 별도 계좌에 입금 조치

　- 세입세출 외 현금출납부 정리

○ 반납 절차

　- 지출원이 세입세출 외 현금을 반환할 경우 지출결의 후 반환청구 시 은행계좌에 입금

　- 세입세출 외 현금출납부 정리

○ 연도말 결산 시 별도 관리 현황을 법인에 보고

● 장기간 보관 세입세출 외 현금에 대한 소멸시효

○ 장기간 보관 세입세출외현금에 대해서는 반납 가능 여부를 검토하여 불가 시에는 세입 조치(소멸시효 5년을 참고)

14. 비치해야 할 장부 및 통장

● 법인이나 시설에서 비치해야 할 장부로는 총계정원장, 현금출납부, 재산대장, 비품 관리대장

 - 현금출납부 : 현금의 수입과 지출을 기록하는 장부로, 연월일은 실제 출납일을, 계정과목은 예산과목 단위로 기록하며, 적요란에는 수입 및 지출 내역의 요지를 구체적으로 기재한다.
그리고 수입금액은 수입란에, 지출금액은 지출란에 각각 기록하며, 누계액에서 지출누계액을 차감한 잔액을 차인 잔액란에 기재한다.
 - 총계정원장 : 자산이나 부채, 자본의 사태를 표시하는 모든 계정과목을 설정하여 기록하는 장부중의 장부로서, 법인 및 시설의 재산 상태와 운영 성과를 일목요연하게 나타내는 대표적인 장부이다.
 - 계정과목은 "목" 단위로 기재하며, 사업바-운영비-생계비-식으로 관, 항, 목을 모두 기재해도 된다.
 - 총계정원장은 세입세출 계정과목의 전기이월액과 일자별 내역, 월계, 누계, 차인잔액의 구성으로 이루어진다.
 - 재산대장 : 법인 및 시설의 재산에 대한 취득, 대규모 수선, 처분 등의 변동사항을 반영하여 일정한 재산상태를 기록하는 회계장부이다. 토지, 건물, 유가증권, 무형고정자산, 기계류, 부채 상황 등이 있다.
 - 비품관리대장 : 비교적 장기간 사용할 수 있는 물품울 말하며, 이러한 비품의 취득. 처분. 폐기 등의 변동상황을 기록한

회계장부이다.

　　※ 컴퓨터 회계프로그램 시스템에 의하여 전자장부를 사용하는

경우에는 재무회계규칙 제24조에 따른 회계장부를 둔 것으로 본다.

　○ 회계장부의 보관은 재정시효 5년을 감안하여 최소한 5년 이상 적어도 10년까지는 보관하여야 한다.

● **예금계좌 통장의 경우 법인은 "법인명의"로만, 시설은 "법인명의" 또는 "시설명의"로 개설하여야 하며**

　- 재원별로 구분하여 통장을 개설하여야 한다(보조금, 입소비용 수입, 후원금 등으로 구분)

③ 민간위탁사무

1. 민간위탁

● 민간위탁의 개념

　○ 지방자치단체의 사무를 사회복지법인.비영리법인. 단체에게 맡겨 그의 명의와 책임하에 행사하여 민간을 통해 서비스를 제공하는 것을 말함

　○ 각종 법령이나 조례.규칙에서 정하는 지방자치단체장의 권한에 속하는 사무중 주민 권리의무와 직접 관련되지 않는 사무로서, 특수한 전문지식이나 기술이 요구되거나 능률성이 요청되는 사무를 사회복지법인.비영리법인. 단체에게 맡겨 그의 명의와 책임하에 행사하도록 하는 것

● 민간위탁의 필요성

○ 현대 행정의 복잡.다양성으로 인하여 지방자치단체가 직접 업무를 수행하기 보다는 전문기술이 풍부한 민간에 맡겨 이를 수행하도록 하는 추세

○ 행정 조직의 비대화를 억제하고,

○ 민간의 특수 전문기술을 활용함으로써 행정사무의 능률성을 높이고 비용을 절감하며

○ 국민생활과 직결되는 단순 행정업무를 신속하게 처리하는데 있음

● 민간위탁기관

○ 사회복지시설의 민간위탁기관

- 지방자치단체의 법령 또는 조례에 규정된 권한에 속하는 사무중 일부를 사회복지법인, 비영리법인단체에게 맡겨 그의 명의와 그의 책임아래 행사하도록 하는 기관을 말함

- 사회복지시설을 설치운영하는 국가나 지방자치단체 또는 다른 기관이나단체가 해당됨(이하'위탁기관"이라 한다)

○ 사회복지시설 수탁기관

- 위탁기관의 권한에 속하는 사무중 일부를 위탁받은 사회복지법인.비영리법인을 말한다

- 수탁기관에는 사회복지법인, 비영리법인을 말한다(이하"수탁기관"이라 한다)

● 민간위탁의 법적 근거

○ 기본법령

- 지방자치법 제117조에 의해 지방자치단체 조례.규칙에서 정하는 사무중 주민의 권리.의무와 직접 관련되지 않는 사무를 법인.단체 또는 개인에게 위탁할 수 있음

○ 개별법령(사회복지시설의 경우)

- 개별법령인 사회복지사업법, 노인복지법, 아동복지법, 장애

인복지법, 영유아보육법 등에서 위탁근거를 두고 있음

　○ **개별 지방자치단체 조례 및 일반조례**

　- 민간위탁에 관한 규정을 두고 있는 조례

　- 지방자치단체 민간위탁 기본조례

　-지방자치단체 행정사무의 민간위탁에 관한 조례

▷위탁방법은 민간위탁계약(위수탁계약을포함한다)(이하"위탁계약"이라 한다)을 체결함

● 보조사업과 민간위탁사무

　○ **보조사업**

　- 보조금법 및 지방보조금법(이하"보조금법"이라한다)와 개별법령 및 조

례에 따라 지방자치단체 소관 사무와 관련하여 보조금을 지출하지 아니하면 개인 또는 단체가 사업을 수행할 수 없는 경우로서 지방자치단체가 권장하는 사업을 위하여 필요하다고 인정되는 경우에 보조하는 사업

- 상기 법령에 따른 보조사업완료시 실적보고에 따른 전문감사인(공인회계사)의 검증 및 특정회계감사 대상이 됨

　○ **민간위탁사업**

　- "민간위탁"이란 법령 또는 조례에 규정된 지방자치단체의 장권한에 속하는 사무 중 일부를 법인·단체 또는 그 기관이나 개인에게 맡겨 그의 명의와 그의 책임 아래 행사하도록 하는 것을 말한다.

　- 위탁계약서 및 관계법령.지침에 따라 정산보고후 지방자치단체의 회계감사실시(지방보조금법은 해당되지 않음)

　○ **예산의 구분 편성**

　- 보조금 : 민간경상보조금 또는 보조금 과목 등

　- 민간위탁 : 민간위탁금 또는 민간위탁사업비실시(지방보조금

법은 해당되지 않음

● 보조금과 민간위탁금 비교

구분	보조금	민간위탁금	비고
법령	-보조금법과 지방보조금법 제2조	- 지방자치법 제117조제3항 -지자체민간위탁조례 (위탁계약서 체결)	근거 법령이 다름
내용	-지자체가 법률이나 조례에 따라 법인, 단체,개인등이 수행하는 사무나 사업을 조성하거나 지원하기 위한 교부하는 보조금	- 지자체의 사무(사업)의 일부를 민간에게 맡겨 일을 할 수 있도록 교부하는위탁금 (대행)	-민간위탁은사 회복지시설,청 소년수련시설, 노인일자리사 업등 -(제외) 주민의 권리의무, 직접적인 영향을 끼치는 사무)
용도	용도지정(일부부담)	용도지정 (민간위탁비용전체 부담)	
정산	사후정산 (사업종결시)	사후 정산(위탁종료시)	
결산보고	매년	매년	
경비산출	주사업자의 보조사업자 (계약서 없음)	위탁 계약서 작성	
예산과목	-민간경상보조사업 등 보조금 과목	민간위탁금, 민간위탁사업비	-예산서 편성지침 (내역)에 따라구분(보조 금.민간위탁금)

수익금	반환 또는 사용용도 별도 명시	- 계약시 초과수입액은 납부 -계약금액보다절감되는 부분은 수탁기관에 귀속	
계약행위	사업이행과정의 계약행위는 지방계약법 적용	좌동	
자금원천	공공재정지급금	제외	-공공재정부정 청구금지법제2 조
실적보고서 (검증,감사)	(공인회계사) -보조사업3억원이상검증과 총합 10억원이상인 경우 -특정외부회계감사 (재무제표 작성)	(주무관청) -위수탁사무지도점검, -매년 1회 감사,성과평가	

2. 민간위탁 사무

● 민간위탁 대상사무

○ 주민의 권리.의무와 직접 관련되지 않는 사무를

○ 법인.단체 또는 개인에게 위탁할 수 있는 사무의 기준으로

　- 단순 사실행위인 행정작용

　- 공익성보다 능률성이 현저히 요청되는 사무

　- 특수 전문지식이 기술을 요하는 사무

　- 기타 국민생활과 직결된 단순행정사무

○ **비영리법인에 재정보조 등을 통해서 효율적인 위탁관리**

　- 각종 사회복지시설, 도서관, 청소년수련시설 등이 해당됨

○ 비권력적 시설관리등 민간참여로 전문성을 높일수 있는 기능

- 자원회수시설등
○ 민간이 운영할 경우 보다 활성화 되는 기능
 - 문화예술회관, 체육시설 등
○ 민간이 더 우수한 전문기술을 갖춘 검사.조사기능
 - 각종 시설 안전점검, 공사 감리 등

● **민간위탁 유형**

○ **예산지원형**
 - 행정재산의 관리나 해당 시설을 활용한 사무를 법인.단체. 또는 그 기관이나 개인에게 맡겨 그 명의와 책임하에 행사하도록 하는 것
(예시) 청소년수련관, 각종 복지시설 등

○ **자립형**
 -지방자치단체의 예산지원없이 수탁기관이 운영하는 위탁사무로서, 수익이 발생 되는시설을 일정한 공익적 복적 달성을 위해 법인.단체 등에게 맡겨 그 명의와 책임하에 운영하도록 하는 것
(예시) 병원, 야구장, 유스호스텔 등

● **민간위탁 시설의 선택 유형**

 - **민간위탁사무 원가분석 및 유형 선택**

○ 민간위탁사무를 위탁하기 전에 원가분석을 전문기관에 의뢰하여 실시할 수 있음
○ 원가계산 비목
 - 지출항목 : 인건비, 경상경비(수선유지비 포함), 제세공과금
수입항목 : 이용료, 사용료, 기타수입
○ **위탁유형의 선택**
 - 원가분석결과 수입이 지출보다 많은 경우
자립형 선택

```
┌──────────────────────────────────────────────────┐
│                ◆ 유사개념과의 비교                 │
│  ○ 보조사업                                        │
│  - 지방자치단체 소관 사무와 관련, 보조금을 지출하지 아니하면 │
│  개인 또는 단체가 사업을 수행할수 없는 경우로서    │
│  지방자치단체가 권장하는 사업을 위하여 필요하다고 인정되는 │
│  경우에 보조하는 사업                              │
│  ○ 용 역                                           │
│  - 용역계약은 지방자치단체가 당사자가 되어 계약상대방인 │
│  사인(私人)과 용역계약을 체결하여                  │
│  행정수요를 충족함과 동시에 사법상 법률효과를 발생하게 할 │
│  목적으로 하는 법률행위                            │
│  - 용역은 주로 단순 지원사무를 대상으로 민간부문의 역량을 │
│  활용하는 것이라면,                                │
│  민간위탁은 민간의 전문성이 필요한 공공서비스 공급에 │
│  민간부문의 역량을 활용하는 것                     │
│  ○ 사용수익허가                                    │
│  - 행정재산의 사용수익허가는 허가를 받은 자가 수익을 낼 수 │
│  있을 것을 기대하여                                │
│  행정재산의 사용료를 납부하고 행정재산을 이용하여 수익활동을 │
│  수행하는 것                                       │
│  ○ 대 행                                           │
│  - 대행은 행정기관이 법령상 권한을 그의 명의와 책임 하에 │
│  행사하되 권한 행사에 따른 실무를 대행기관으로 하여금 행하게 │
│  하는 경우와 대행기관이 그의 명의로 권한을 행사하되 │
│  그 법률적 효과가 행정기관이 행한 것으로 간주되는 경우가 │
│  있음                                              │
│                                                    │
│  작성부서 : 부산광역시 수영구 기획감사실 | 051-610-4032 │
└──────────────────────────────────────────────────┘
```

  - 원가분석결과 지출이 수입보다 많은 경우

  - 시설형 선택

 ○ **위탁계약서 내용에 위탁료 징수 및 지급에 관한 사항**

  - 위탁료 징수 및 납부방법에 관한 사항을 반영하여야 함

  - 위탁기관의 승인을 받은경우 수탁기관의 이용료 수입의 직
접 사용 및 상계처리 가능

● **민간위탁의 추진절차 및 사후관리**(지방자치단체)

- 민간위탁의 추진 절차

○ 민간위탁사무 대상 사무 확정

 - 대상사무(시설)의 위탁 가능성 검토

○ 위탁사무의 확정

 - 민간위탁조례나 개별조례를 제(개)정 작성

 - 위탁기관은 법령과 조례에 의해 5년간으로 정함

 ▷ 사회복지시설의 위탁기간은 사회복지사업법 시행규칙 제21조 의하여 5년으로 함(갱신계약기간도 5년으로 함)

● 위탁사무 모집공고 및 기준(지방자치단체 조례에 따라)

 - 수탁업자 선정 방법은 특별한 규정을 제외하고는 공개모집을 원칙으로 함

 - 최적의 수탁자 선정을 위해 심사위원회를 구성 운용

 - 위탁심사 세부기준을 조례등 자치법규에 규정하여야 하며, 위탁계약 체결시 사회복지사업법 시행규칙 제21조의2에서 정하는 내용을 포함하여야 함

 - 수탁자 선정 심의 및 배점기준은 조례 또는 공고문을 통해 선정 전에 공개하여야 함

 - 수탁공모시 " 법인전입금 분담 규모"를 제안하여 선정된 경우, 해당 분담금 규모를 위탁계약서에 명시하여야 함

 - 수탁 선정 공모시 종전의 시설장을 고용승계하기로 한 경우 재위탁일 전까지 시설장 고용승계에 대한 계약 체결

○ 지방의회 심의 의결

○ 수탁자 선정

 - 민간위탁심사위원회를 구성.운영

 - 심사기준과 평가방법(서류평가, 면접평가, 방문평가 등)

- 인력과 기구, 재정부담능력, 시설과 장비, 기술보유정도, 재정능력과 공신력을 종합적으로 판단하여 결정

○ **민간위탁 공개모집의 예외**

- 국가나 지방자치단체가 사회복지사업을 할 목적으로 직접 설립한 비영리법인에 위탁하려는 경우에는 공개모집을 하지 않을 수 있도록 하여 시설 운영에 공공성을 높이려고 함

● **민간위탁(위수탁)계약체결**

위탁계약서 내용에 포함되어야 하는 주요 내용으로는
- 위탁사무의 범위 명확화
- 업무처리기준 살정
- 연간 비용 지급단가 결정
- 예산집행의 절차와 투명성 확보
- 협약이나 계약의 일반적인 준수사항
- 계약기간, 계약금액, 위탁내용, 위탁조건
- 계약내용 위반시 의무이행 방법
- 사고발생시 배상문제 등
- 지휘감독사항
- 위법부당한 처분에 대한 행정조치사항
- 연1회이상 일반 감사
- 기타 고용승계관련 규정
- 성과배분방식

○ **사무.시설의 운영 인계인수**
- 인계인수서 작성
- 대상 시설물 인계
- 기존의 관리 인력 고용승계

◆ **사회복지시설 민간위탁금 집행방법(질의응답)**
- 지방자치단체가 세출예산을 집행함에 있어서 민간위탁금은 "지방

자치단체 세출예산 집행기준에 의하여 민간수탁자 선정 및 민간위탁 이행 등에 관한 사항은 지방계약법령에서 정하는 바에 따라야 한다

○ 다른 법령에서 구체적인 절차를 규정하고 있는 사항은 그 법령에 정하는 바에 따르도록 규정하고 있으며

○ 사회복지사업법 제34조에 민간위탁 근거, 동법 시행규칙 제21조에 공모에 의한 수탁자 선정방법 및 평가항목에 대하여 규정하고 있으나

○ 지방계약법 제4조 및 동법시행령 제3조에서 지자체에 관한 계약은 다른 법령에 특별한 규정이 있는 경우를 제외하고는 이 법령에서 정하는 바에 따른다고 규정하고 있음

○ 사회복지사업법 시행규칙 제21조에 따라 입찰 및 계약방법으로 공개모집에 입찰 및 계약에 관한 서류 등은 지방계약법령에 따라야 할 것으로 보임

○ 따라서 공개모집에 따른 계약보증금은 계약이행의 담보로 부실이행 미이행에 따른 위험부담율을 최소화하기 위한 조치이므로, 보조금의 면제는 지방계약법시행령 제53조제1항에 따라 동 시행령 제37조제3항제1호부터 제5호까지 해당하거나, 계약금액 5천만원 이하인 계약의 경우에 가능하므로 이에 해당하거나 다른 법령에 면제규정이있어야 할것으로 보입니다

출처 행정안전부 재정관리과(기*종)

◆ 민간위탁금으로 자산취득한 경우

○ 민간위탁금이란 지자체의 사무를 민간(수탁자)이 위탁받아 대신하는 것에 대한 운영비를 말한다

○ 운영과정에서 취득한 재산과 더불어 발생하는 수익금도 모두 지자체에 귀속됩니다

○ 만약 시설운영에 발생한 수익금을 예산이나 사업계획에 편성하여 지자체 승인을 받는 경우는 시설에서 자체 재원으로 사용할 수 있습니다.

◆ **민간위탁시설 종사자의 신분은?**

- 민간위탁은 기간이 정해져 있으므로 모두 기간제, 즉 비정규직으로 보아야 함
- 만약 위탁법인이 바뀌더라도 고용승계는 가능함

◆ **민간위탁 근로자의 근로계약 체결 당사자는?**

- 수탁법인 산하 00센터의 근로자 채용시 계약 당사자는 수탁기관이 되어야 한다 - 출처 2022 서울시 행정사무의 민간위탁지

◆ **민간위탁계약의 이행보증**

- 수탁기관은 계약의 이행보증을 위하여 지방계약법을 준용하여 총예산의 10%이상에 해당하는 이행보증보험 가입. 보증보험증서 원본 제출
- 이행보증 가입비용은 수탁기관 자부담으로 함
- 출처 : 서울특별시 행정사무의 민간위탁관리지침
(51-6110000-002754-14)

● 민간위탁사무의 지도감독

○ 사전 지도감독 및 사무처리지침 시달

- 수탁자는 사무편람 작성비치

○ 위탁계약서에 기재된 내용의 사후관리 지속 추진

○ 일반적인 지도 .감독기능수행

○ 민간위탁사무 처리결과에 대한 매년 1회이상 감사 실시

○ 위탁으로 인한 주민불편 해소

○ 운영성과 분석

● 민간위탁사업 수행에 발생한 수익금 처리

○ 민간위탁계약에 의해 수행한 사업에서 발생한 수익금은 위탁기관의 별도 위탁계약서에 근거규정이 없는 경우 정산시 지방자치단체에 반납하여야 한다.

○ 이때 반납하지 않고 임의로 수탁기관에서 사용하면 행정처

분과 함께 반납하여야 한다.

3. 민간위탁 사무관리와 시설의 민간위탁

● 기본 원칙

○ 수탁기관의 예산.회계관리는 위탁계약서에서 정하는 바에 따르되

○ 복지시설의 경우 사회복지시설재무회계규칙과 지방계약법을 준용한다

● 수탁기관 인사고용관계

○ 수탁기관의 종사자에 대한 인사고용관계는 위탁계약서 정한 대로 적용하되,

○ 근로기준법이나 최저임금법, 취업규칙, 자체 내부예규에 따른다

○ 상근의무. 겸직 제한

 - 수탁기관의 사업자가 위탁사업을 수행하는데 있어 다른 사업을 중복함으로써 위탁업무에 전념하지 못하는 사례를 방지하기 위함

 - 사회복지시설의 경우 사회복지사업법 및 보건복지부 지침에 따라 수탁기관장에 대한 상근의무 및 겸직의 제한 규정을 두고 있음

○ 수탁기관의 임금보수

 - 사회복지시설 종사자의 경우 매년 보건복지부에서 고시하는 사회복지시설 종사자 보수 가이드를 준수하여야 함

 - 근로기준법과 최저임금법, 취업규칙을 준수해야 함

○ 퇴직급여의 적립

 - 사회복지시설에 1년이상 계속 근무한 자는 퇴직금 지급의무가 발생하므로

- 매달 일정액의 퇴직적립금을 적립하여야 함

○ 시설 종사자에 대한 부당노동행위 금지

- 시설 종사자에 대한 채용, 인사이동 및 승진시 부당노동행위를 하여서는아니 됨

○ 직장내 성희롱 금지 및 예방

- 민간위탁계약 지침에 따라 성희롱 및 성폭력을 비롯한 인권침해와 사회적 물의를 야기하였을 때에는 위탁계약을 해지 또는 해제할 수 있음

● 수탁기관의 외부감사

- 지자체 민간위탁조례에 의거

○ 연간 10억원이상인 수탁기관은 사업연도마다 사업별로 결산서를 작성하여 시도지사가 지정한 외부 회계감사인의 회계감사를 받고, 해당 사업연도 종료후 3개월이내에 결산서와 회계감사 결과를 시도지사에게 제출하여야 함

- 법령 또는 다른 조례에 따라 별도 외부감사를 받는 경우에는 이 조례에 따른 회계감사를 실시한 것으로 봄

● 사회복지시설의 민간위탁

○ 위탁대상시설

- 국가 또는 지방자치단체가 설치한 시설

(국가. 지자체외의 자가 설치한 시설은 위.수탁 불가)

- 수탁자 자격

- 사회복지법인 또는 비영리법인(사회적협동조합 포함)

▷ 개별법령에 기타 단체 및 개인에게 위탁할 수 있는 근거 규정이 있는 경우(영유아보육법제24조) 등 법인이외 개인도 위탁 가능

◆ **사회복지시설 민간위탁금 집행시 민간위탁계약 체결**

○ 지방자치단체가 세출예산을 집행함에 있어서 민간위탁금은 "지방자치단체 세출예산 집행기준에 의하여 민간수탁자 선정 및 민간위탁이행 등에 관한 사항은 지방계약법령에서 정하는 바에 따라야 한다

○ 다른 법령에서 구체적인 절차를 규정하고 있는 사항은 그 법령에 정하는 바에 따르도록 규정하고 있으며

○ 사회복지사업법 제34조에 민간위탁 근거, 동법 시행규칙 제21조에 공모에 의한 수탁자 선정방법 및 평가항목에 대하여 규정하고 있으나

○ 지방계약법 제4조 및 동법시행령 제3조에서 지자체에 관한 계약은 다른 법령에 특별한 규정이 있는 경우를 제외하고는 이 법령에서 정하는 바에 따른다고 규정하고 있음

○ 사회복지사업법 시행규칙 제21조에 따라 입찰 및 계약방법으로 공개모집에 입찰 및 계약에 관한 서류 등은 지방계약법령에 따라야 할 것으로 보임

○ 따라서 공개모집에 따른 계약보증금은 계약이행의 담보로 부실이행 미이행에 따른 위험부담율을 최소화하기 위한 조치이므로, 보조금의 면제는 지방계약법시행령 제53조제1항에 따라 동 시행령 제37조제3항제1호부터 제5호까지 해당하거나, 계약금액 5천만원 이하인 계약의 경우에 가능하므로 이에 해당하거나 다른 법령에 면제규정이있어야 할것으로 보입니다

출처 행정안전부 재정관리과(기*종)

● **위탁방법 및 선정기준**

- **위탁방법** : 법령상 특별한 규정이 있는 경우를 제외하고는

◆ **민간위탁사무의 처리결과에 대한 감사**

○ 행정위임위탁규정 제14조에서는 위탁기관의 장이 지휘감독 권한에 대하여 규정하면서, 필요한 지시나 조치를 명하고 보고하게 할 수 있고

○ 위법부당한 사무처리에 대해서는 취소나 정지시킬수 있다고 규정하면서, 같은 규정 제16조에서는 민간위탁사무의 처리결과에 대하여 매년 1회이상 감사를 하여야 하며, 감사결과 민간위탁 사무의 처리가 위법하거나 부당하다고 인정될 때에는 수탁기관에 대하여 적절한 시정조치를 할 수 있고 관계 임원과 직원에 대하여 문책을 요구할 수 있다고 규정하고 있습니다

○ 위 규정 제16조에서는 위탁기관의 자의 감사의무와 결과조치 권한을 규정할 뿐 별도로 감사부서만 감사할 수 있다고 해석할 만한 제한사항은 규정하고 있지 않으므로 위탁기관의 감사부서 외에 사업부서도 넓은 의미의 지휘감독권 행사의 하나로 감사할 수 있다고 보며

○ 관련 조항에 따라 수탁사무의 처리결과에 대하여 적절한 조치를 선택할 수 있는 것으로 사료됩니다

○ 출처 : 행정안전부 정부혁신조직실 조직정책관 사회조직과 (2022.5.30.)

반드시 공개모집에 의해 수탁자 선정

 - 선정 기준 : 수탁자 선정기준 및 배점기준은 조례 또는 공고 문을 통해 사전 공개하여야 함

○ 선정주체 : 위탁기관의 장

 ▷ 선정기준은 수탁자선정심의위원회의 의결을 받을 것

○ 선정기준에 포함되어야 할 사항

 - 필수사항 : 수탁자의 재정능력, 공신력, 사업수행능력, 지역 간 균형분포, 시설에 대한 대한 평가, 법인의 정관(사업내용 포함 여부)

- 기타 : 위탁기관의 장이 필요하다고 인정하는 사항
○ 수탁자선정위원회의 구성
 - 공개모집위탁자는 반드시 수탁자선정위원회를 구성하여 선정할 것
○ 위탁계약의 체결 및 갱신 등
 - 계약의 체결 : 시행규칙 제21조의2제1항1호부터 제7호까지의 사항을 포함한 계약서를 체결해야 함
 - 계약기간 : 5년으로 함

4. 사회복지시설의 민간위탁 공개모집 예외

○ 국가나 지방자치단체가 사회복지사업을 할 목적으로 직접 설립한 비영리법인에 위탁하려는 경우에는 공개모집을 하지 않을 수 있음

● **공개 모집 예외사유**
 - 신규 국공립 사회복지시설
 - 사회복지사업법 제43조의2에 따른 시설평가 및 관계법령에 따른 시설평가 결과 2회 연속 최하위 등급을 받은 시설
 - 시설 거주자에 대한 인권침해 및 성폭력범죄 등 중대한 불법행위가 발생하여 기존 수탁자와 위탁계약유지가 어렵다고 판단되는 시설
 - 취약지 소재 시설 등 공익적 이유로 우선 위탁이 필요하다고 판단되는 시설
○ 공개모집예외 절차
 - 사전에 수탁법인을 설립한 지자체 및 수탁법인과 협의를 거쳐야 함

- 공개모집 예외의 경우에도 시설의 수탁자 선정은 사회복지사업법 시행규칙 제21조제2항에 따라 수탁자선정심의위원회 심의를 거쳐야 함

◆ **노인맞춤돌봄서비스 사업이 민간위탁 해당하는지 여부(질의응답)**

○ 노인맞춤돌봄서비스사업이란 지방자치단체의 사무를 민간에 위탁하여 지자체 책임하에 운영하는 경우라면 민간위탁으로 볼 수 있으며

○ 공공부문 자치단체는 적용 제외 가능한 경우가 아닌 한 "민간위탁 노동자 근로조건보호 가이드라인"을 준수하여야 할 것임

출처 고용노동부 노동정책실 공공노사정책관 공공기관노사관계과

5. 수탁기관의 예산회계사무의 처리 기준

● 예산회계사무 처리기준

- 원칙적으로 계약서 내용대로 하되, 사회복지법인 및 시설 재무회계규칙, 지방계약법을 준용하여 사무처리

● 민간위탁 시설 운영경비의 구분

○ 사회복지사업법 시행규칙 제21조 및 같은 법 시행규칙 제21조의2와 조례를 근거로 사회복지관을 설치한 국가나 지방자치단체에서 사회복지법인이나 비영리법인 등에 민간위탁을 하는 경우

○ 지방자치단체에서 사회복지관의 운영경비를 지방교부세법 및 지방재정법에 따라 자치단체경상보조로 예산 편성하면 보조금에 해당함

○ 사회복지관의 운영 경비를 민간위탁경비로 예산 편성하면 민간위탁금에 해당함

출처: 2022 사회복지시설 관리안내(보건복지부)

◆ 민간위탁 계약 관련 문의합니다.

보통 행정기관이법인,단체,개인들에게 사무를 위탁할시 위탁계약서를 작성합니다.그 내용 중 일부가 궁금해서 질의합니다.

먼저 보통 수탁자의 의무라고 해서 보험(화재, 배상책임보험 등)을 가입하고 그 증서를 시장에게 제출하라고 합니다. 근데 여기 뒤에 "보험가입 등 필요한 조치를 하지 않음으로 인한 모든 손실 피해 등에 대하여는 수탁자가 시장을 비롯한 피해 당사자에게 배상하여한다"라는 문구가 적시되어 있다면 시장에게는 전혀 배상을 청구할 수 없는지...할 수 있다면 어떤 법리에 의하여 청구할 수 있는 지가 궁금합니다.그리고 위탁관계시에 민형사상의 모든 책임은 수탁자에게 있다고 규정한다면 귀책사유의 유무와 관련없이 수탁자에게 있어 민사,형사소송을 할 수 없는 것인지 궁금합니다.

안녕하세요. 서울지방변호사회-네이버 지식iN 상담변호사 문정구 입니다. 행정기관의 그러한 계약내용은 (다수의 당사자를 대상으로 하는) 약관에 해당할 수 있습니다.

신의성실의 원칙에 반하여 공정성을 잃은 약관조항은 무효이며 (약관의 규제에 관한 법률 제6조), 상당한 이유없이 사업자의 손해배상범위를 제한하거나 사업자가 부담하여야 할 위험을 고객에게 떠넘기는 조항도 무효입니다. (제7조)

판례도 '고객에 대하여 부당하게 과도한 손해배상의무나 위약벌 등을 부담시키는 약관조항은 .... 신의성실의 원칙에 반하는 것으로서 무효'라고 합니다. (대법원 2009.8.20. 선고 2009다 20475,20482 판결)

따라서 사례의 그러한 계약내용에 대하여는 공정거래위원회에 불공정약관의 심사를 요청할 수 있고, (소송이 제기되면) 법원에 무효를 주장할 수 있을 것입니다.

(특히 형사책임을 면제한다는 것은 불합리하다고 할 것입니다)

이상과 같이 답변드리오니 참고하시기 바랍니다.

출처 : 네이버 지식in

● 민간위탁 수입금 처리방법

○ 민간위탁 수탁자의 수입금은 위탁계약서에서 정한대로 수입 정리하여야 하나

○ 수익금에 대해 별도 정한 규정이 없는 경우 위탁기관의 수입으로 처리해야 한다

○ 수탁기관은 출납폐쇄후 결산하고 결산이후 잔여액은 반납하여야 하며, 잔여액은 기타수입으로 세입조치하여야 한다 출처 예산회계실무

● 민간위탁 적정 예산과목

○ 위탁비용은 민간위탁금 및 민간위탁사업비로 편성

○ 민간위탁금

- 국가나 지방자치단체가 법령이나 조례에 의해 위탁관리하는 사업 성격이 사업이 종료되거나 위탁이 폐지될 때에는 전액 국고 또는 지방비로 회수가 가능한 사업

○ 민간위탁 사업비

- 자치단체가 직접 추진하여야 할 사업으로서 법령의 규정에 의해 민간에 위임 또는 위탁대행시키는 사업의 사업비

○ 출처 : 서울특별시 행정사무의 민간위탁관리지침 (51-6110000-002754-14)

◆ 시니어클럽의 노인일자리사업 수익사업이 법인세 과세대상 (질의응답)

○ 비영리법인이 노인복지법 제23조의2에 따라 지방자치단체로부터 위탁받은 노인일자리사업을 수행하고 해당사업에서 발생하는 손익이 실질적으로 지방자치단체에 귀속되는 경우

○ 해당 사업에서 발생한 소득은 법인세법 제3조의2항에 따라 법인세 과세대상에 해당하지 아니하는 것임

출처 : 법인. 사전-2020-법령해석법령-0377(2020.11.16.)

○ 시니어클럽이 노인일자리지원기관에 해당하고, 비영리법인이 설

치운영하는 시설에 해당한다면 시니어클럽에서 발생한 수익금은 법인의 전체 회계에 포함되어 수익회계로 별도 관리하여야 할 것임

출처 : 국민신문고(1AA-2304-0213030)(2023.4.17.) (보건복지부 노인지원과)

◆ **노인일자리지원기관인 시니어클럽 예산의 구분**

○ 사회복지법인 산하 시니어클럽은 노인복지법 제23조의2에 의한 지방자치단체의 노인일자리사업 수탁기관으로서

○ 시니어클럽 운영비 예산은 법정경상비보조로 지방보조금으로 편성되어 지방보조금법에서 정한 실적보고서 검증 및 특정회계 감사대상이 되나

○ 시니어클럽의 노인일자리사업 경우는 민간위탁금으로 지방보조금법 적용에 해당하지 아니함

○ 출처: 보건복지부 노인지원과-159(2023.1.10.)호와 관련임

◆ 민간보조사업을 위탁금으로 예산편성금지(질의응답)

지방자치단체 예산편성 운영기준(별표11)에 따른 민간위탁금은

○ 국가 또는 지방자치단체가 법령 및 조례에 의하여 민간인에게 위탁관리시키는 사업중 기금의 성격의 사업비로서 사업이 종료되거나 위탁이 폐지될 때에는 전액 국고 또는지방비로 회수가 가능한 사업

○ 지방자치단체가 지방자치법 제117조에 의한 위임 또는 위탁 대행사무에 수반되는 경비로서 위임 또는 위탁 대행하는 자에게 지급하는 자본형성적 경비 이외의 부담경비 로 규정하고 있습니다

○ 민간위탁금은 자치단체 소관 사무를 법령 및 조례에 근거하여 민간에 위임 또는 위탁할 경우 지급하는 사업비에 해당하며, 보조금 관계 법령 보조금관리조례 등에 따라 집행되어야 할 민간보조사업을 위탁금으로 예산편성금지 규정은 민간이 행하는 사업에 대해 자치단체가 지원하는 보조금의 경우 보조금관계 법령 등에 따라 지방보조금 심의 및 집행절차를 거쳐야 하며, 이를 회피하기 위해 민간위탁금으로 편성하지 않도록 함이 그 목적입니다

○ 출처 : 행정안전부 지방재정경제실 지방재정정책과
재정정책과(2022.12.26.) 국민신문고

● **노인일자리사업 민간위탁금 세입예산 편성방법(질의응답)**

○ 지방자치단체에서 노인일자리사업 예산 편성시 세입예산을 민간위탁금으로 편성 및 교부하고 있으나

○ 노인일자리 수행기관에서는 세입예산편성시 민간위탁금으로 편성이 불가하므로 예산편성 방법에 대한 문의사항으로

○ 지자체예산편성기준과 노인일자리 수행기관의 예산편성 기준은 다른 기준에 의해 편성되므로, 지자체에서 노인일자리사업 예산을 민간위탁금으로 편성하여 교부하더라도 노인일자리기관에서는 사회복지법인.시설 재무회계규칙 등에 따라 "보조금수입' 세입예산과목으로 예산편성하여 세입조치하도록 되어 있음

출처 국민신문고(1AA-2305-0001751), 보건복지상담센터(129), 보건복지부 노인지원과(044-202-3482)

● **사회복지시설 민간위탁금 집행시 민간위탁계약 체결(질의응답)**

○ 지방자치단체가 세출예산을 집행함에 있어서 민간위탁금은 "지방자치단체 세출예산 집행기준에 의하여 민간수탁자 선정 및 민간위탁 이행 등에 관한 사항은 지방계약법령에서 정하는 바에 따라야 한다

○ 다른 법령에서 구체적인 절차를 규정하고 있는 사항은 그 법령에 정하는 바에 따르도록 규정하고 있으며

○ 사회복지사업법 제34조에 민간위탁 근거, 동법 시행규칙 제21조에 공모에 의한 수탁자 선정방법 및 평가항목에 대하여 규정하고 있으나

○ 지방계약법 제4조 및 동법시행령 제3조에서 지자체에 관한 계약은 다른 법령에 특별한 규정이 있는 경우를 제외하고는 이 법령에서 정하는 바에 따른다고 규정하고 있음

○ 사회복지사업법 시행규칙 제21조에 따라 입찰 및 계약방법으로 공개모집에 입찰 및 계약에 관한 서류 등은 지방계약법령에 따라야 할 것으로 보임

○ 따라서 공개모집에 따른 계약보증금은 계약이행의 담보로 부실이행 미이행에 따른 위험부담율을 최소화하기 위한 조치이므로, 보조금의 면제는 지방계약법시행령 제53조제1항에 따라 동 시행령 제37조제3항제1호부터 제5호까지 해당하거나, 계약금액 5천만원 이하인 계약의 경우에 가능하므로 이에 해당하거나 다른 법령에 면제규정이 있어야 할것으로 보입니다 출처 행정안전부 재정관리과(기*종)

● 위탁기관 물품관리

○ 민간위탁금으로 자산취득한 경우

- 민간위탁금으로 산취득비로 취득한 경우 수탁자가 위탁받아 대신하는 것이므로 민간위탁금 운영과정에서 취득한 재산과 더불어 발생한 수익금도 모두 지자체에 귀속됨

- 출처 예산회계실무

○ 불용품 폐기시 계정 과목
- 폐기물 처리비용으로 수용비 및 수수료로 사용함

④ 수입분야

● 수입원과 지출원 임면(재무회계규칙 제22조)

○ 법인의 대표이사나 시설장은 수입과 지출의 현금출납업무를 담당하게 위하여 각각 수입원과 지출원을 둔다.

- 다만, 시설의 예산 규모가 소규모인 경우에는 수입원과 지출원을 동일인으로 할 수 있다.

○ 수입원과 지출원은 법인의 대표이사나 시설장이 임면한다.

● 회계직원과 시설장 특수관계인은 재무회계 직무 수행금지

○ 2021년 사회복지시설 관리안내(보건복지부, p54)에 따르면, 시설 재무회계 담당자는 법인임원이나 시설장과 독립적인 자로 공개모집 선발하도록 하고 있습니다

○ 여기에서 특별한 관계에 있는 사람의 범위로는 법인의 임원, 운영자 개인, 시설장과의 관계, 기타 생계유지 등 다음 어느 하나에 해당하는 사람으로 해석할 수 있습니다.

○ 2021 사회복지법인시설 업무가이드(부산시)에 특수관계자는 재무회계 직무를 수행할 수 없다고 구체적으로 명시하고 있습니다. 참고하세요.

출처 : 복지법인시설실무카페

● 회계관계 직원의 재정보증(회계직원책임법)

○ 수입원과 지출원 등 회계 관계 직원은 재정보증 없이는 그 직무를 담당할 수 없다.
- 임면된 날로부터 20일 이내
- 보증기간 : 1년(사회복지공제회)
- 보험료 재원 : 당해연도 세출예산에서 지급

● 통장관리

○ 통장보관 및 관리기간

사회복지시설의 모든 수입 및 지출관리는 통장을 통해 관리해야 한다
- 통장개설(또는 폐기)시에는 내부결재로 시설장의 승인을 얻도록 하고, 예금통장 관리대장을 비치하여 변경내역을 기록하여야 한다.
- 통장상의 예입액과 인출액은 당일의 수입액 및 지출액과 일치하도록 한다.
- 보조금 전용통장과 후원금 관리통장은 구분하여 관리한다.
- 보조금의 경우 소멸시효가 5년이지만, 형사시효를 감안하여 적

어도 10년이상 보관하여야 한다.

● **수입금(재무회계규칙 제25조)**

○ 수납원칙

　- 모든 수입금의 수납은 금융기관에 취급시키는 경우를 제외하고는 수입원이 아니면 수납하지 못한다.

○ 수입원이 수납한 수입금은 당일 예입이 원칙이다.

○ 보조금, 사업수입금, 후원금, 잡수입, 기타 잡수입 등 모든 수입은 수입 결의서를 작성한다.

○ 수입금에 대한 금융기관의 거래통장은 수입원별(보조금, 사업수입금, 후원금, 잡수입, 기타 잡수입 등)로 구분한다.

● **지난 연도(과년도) 수입 및 반납금의 처리 절차**
(재무회계규칙 제26조, 제27조)

○ 지난 연도(과년도) 수입은 모두 현년도 세입에 편입시켜야 한다.

○ 지출된 반납금은 반납(여입)결의서를 작성하고 각각 지출한 세출의 당해 과목에 반납시켜야 한다.

　- 이때 여입결의서를 적색으로 반납금액 및 사유를 명확히 기재한다.

　- 당해연도 여입은 해당 세출과목에 반납하고 마이너스 지출결의한다.

　- 과년도수입은 현년도의 과년도 수입과목에 반납하고 수입결의한다.

○ 과오납된 수입금은 수입한 세입에서 직접 반환한다.

5 계약실무

1. 계약의 의의

○ 일반적으로 계약이란 사법상의 일정 효과를 발생시킬 목적으로 2인 이상의 당사자가 서로 청약과 승낙이라는 의사를 표시하여 합치로써 성립하는 법률행위를 말한다.

○ 시설에서 체결하는 계약은 국가나 지방자치단체가 주체가 되는 계약과 공통적인 기본원리가 적용된다.

2. 계약의 방법 및 절차

● 수의계약(지방계약법시행령 제25조)

○ 1인 견적에 의한 계약
  - 추정가격 2천만원 이하의 공사
  - 단일 견적

○ 2인 이상 견적에 의한 계약
  - 추정가격 2천만원 초과 2억원 이하의 공사

◆ 수의계약 매뉴얼

수의계약기준 (지방자치단체입찰 및 계약기준 제5장)(지방계약법 시행령제25조)

○ 수의계약 유형별 기준 (추정가격 : 부가가치세 제외)

1) 2인이상 견적제출(나라장터에 의한 계약)
   종합공사(2억원 이하) 전문공사(1억원 이하) 전기, 정보, 소방, 기타공사(8천만원 이하), 용역, 물품, 기타(5천만원 이하)

2) 1인 견적 제출 가능(나라장터에 의하지 않고 수의계약 가능)
   추정가격 2천만원 이하, 하자곤란 등, 천재지변 등, 계약을 해제·해지한 경우, 재공고입찰결과 입찰이 성립하지

아니함. 나라장터 견적서 제출자가 1인뿐인 경우, 제출받더라도 견적서 제출자가 1인뿐일 것으로 명백히 예상되는 경우

※ 현재 지정정보처리장치는 국가종합전자조달시스템(www.g2b.go.kr)
나라장터를 이용하지 않고 견적서를 받을 수 있는 계약(지방자치단체 입찰 및 계약기준 제5장)

3) 나라장터를 이용하여 견적서를 제출받았으나 견적서 제출자가 1인 뿐인 경우로서 다시 견적서를 제출 받더라도 견적서 제출자가 명백히 1인뿐 일것으로 예상되는 경우

4) 품질 확인 및 예산 절감의 필요성이 큰 추정가격
5천만원 이하인 물품·용역계약(음식물, 농축산물 등)

○ 지방계약법시행령 제30조(수의계약대상자의 선정절차 등)
① 지방자치단체의 장 또는 계약담당자는 수의계약을 체결하려는 경우에는 2인 이상으로부터 견적서를 받아야 한다. 다만, 다음 각 호의 어느 하나에 해당하는 경우에는 1인으로부터 받은 견적서에 의할 수 있다.

1. 제25조 제1항 각 호(제5호는 제외한다), 제26조 제1항 및 제27조에 따른 계약의 경우

2. 추정가격이 2천만원 이하인 공사, 물품의 제조·구매 및 용역의 경우. 다만, 다음 각 목의 어느 하나에 해당하는 기업 또는 조합과 계약을 체결하는 경우에는 추정가격이 5천만원 이하인 경우로 한다.

　　가.「여성기업지원에 관한 법률」제2조제1호에 따른 여성기업 또는 「장애인기업활동 촉진법」제2조제2호에 따른 장애인기업

　　나.「사회적기업 육성법」제2조 제1호에 따른 사회적기업,「협동조합 기본법」제2조 제3호에 따른 사회적협동조합,「국민기초생활 보장법」제18조에 따른 자활기업

또는 「도시재생 활성화 및 지원에 관한 특별법」 제2조 제1항 제9호에 따른 마을기업으로서 행정안전부 장관이 정하는 기준에 적합한 기업. 이 경우에는 행정안전부 장관이 정하여 고시하는 취약계층 고용비율을 충족하여야 한다.

3. 제2항에 따라 지정정보처리장치를 이용하여 견적서를 제출받았으나 견적서 제출자가 1인뿐인 경우로서 다시 견적서를 제출받더라도 견적서 제출자가 1인뿐일 것으로 명백히 예상되는 경우

② 제1항 본문에 따라 2인 이상으로부터 견적서를 제출받는 경우에는 지정정보처리장치를 이용하여야 한다. 다만, 품질확인 및 예산절감의 필요성이 큰 경우 등 행정안전부 장관이 정한경우에는 지정정보처리장치를 이용하지 아니할 수 있다.

③ 제1항과 제2항에 따라 제출받은 견적서에 적힌 견적가격이 예정가격(제8조제2항에 따라 예정가격 작성을 생략한 경우에는 추정가격에 부가가치세를 포함한 금액을 말한다)의 범위에 들지 아니하는 경우 등 계약상대자를 결정할 수 없을 때에는 다시 견적서를 제출받아 제5항에 따라 수의계약 대상자를 결정한다.

④ 제1항부터 제3항까지의 규정에도 불구하고 행정안전부령으로 정하는 경우에는 견적서 제출을 생략하게 할수 있다.

⑤ 지방자치단체의 장 또는 계약담당자는 견적제출자의 견적가격과 계약이행능력 등 행정안전부장관이 정하는 기준에 따라 수의계약대상자를 결정한다.

○ 계약서 작성 생략

계약담당자는 지방계약법에 따라 표준계약서를 작성하여야 한다. 다만, 계약금액이 2천만원 이하인 경우에는 표준계약서 작성을 생략하고 지방자치단체 재무회계규칙에서 정하는 계약서 서식(공사지출결의서, 구입과 지출결의서)에

의해 계약서를 작성할 수 있다.

※ 기타 참고사항

1) 수의계약 시에는 계약상대방으로부터 청렴서약서를 제출받아야 한다.

2) 검사조서 작성도 생략할 수 있으나, 계약서 서식에 준공검사자가 날인하여야 한다.

3) 수의계약 내역을 시설 홈페이지 등에 공개하여야 한다.

출처 : 복지법인시설 실무카페

◆ 식자재 구입시 유의사항

○ 직접 식자재를 장보듯이 현장에서 카드를 사용하여 구입하는 경우는 계약을 의무적으로 하지 않고 증빙자료를 갖춰 일반지출로 처리하여도 됩니다.

○ 다만, 식자재 업체로부터 정기적으로 납품받는 경우는 계약을 체결해야 하며 특히 연간 구매금액이 추정가격 2천만원 초과하는 경우는 나라장터를 통하여 2인이상 견적을 받아야 하며, 그 이하인 경우는 1인 수의계약을 체결해야 합니다.

○ 단가계약도 가급적 총액으로 입찰을 실시하여 매월 신청하고 월별 대가를 지급하는 방식의 연간단가계약으로 처리해야 합니다.

○ 낙찰자결정 방식을 입찰의 경우 적격심사를 실시해야하며, 협상계약의 대상이 아니라는 감사지적이 있으니 참고바랍니다.

○ 협상계약은 행안부 예규에 따르는 것으로 예규상 규정되지 않은 내용이나 제안서평가의 투명성을 위하여 평가에 영향을 미치는 행위는 제한(감점)할 필요는 있다고 봅니다.

출처 : 예산회계실무

(감사 지적사례)
○ 계약금액 5천만원을 초과하는 물품구매계약은 일반 입찰에 의한 방법으로 계약 체결하여야 하는데,
○ 사회복지시설에서는 식자재 납품업자 선정시 공개경쟁입찰 없이 품목별 수의계약을 체결하고, 일부에서는 계약서 미작성하거나 지정정보처리장치 미사용, 협상에 의한 계약을 체결하고 있는 사례가 있음.

● 법인(시설) 운영 전용카드 사용

○ 사회복지법인 및 사회복지시설은 재무회계규칙에 따르면 그 설립 목적에 따라 건전하게 운영되어야 함.
○ 지출은 지출사무를 관리하는 자 및 그 위임을 받아 지출명령이 있는 것에 한하여 지출원이 행하며, 그 지출명령은 예산의 범위 안에서 하여야 함.
○ 보조금 전용 카드나 시설운영비 카드를 사용할 때에는 반드시 지출결의 및 승인을 받은 후에 사용하기 바람(유흥업소 등 사용제한업소 참고).
○ 시설에서는 인터넷 뱅킹이나 폰뱅킹, 계좌이체 시에도 반드시 지출결의 및 승인을 받은 후에 사용하도록 하여야 함.

출처 : 복지법인시설 실무카페

● 나라장터 물품구매 방법

○ 물품을 다음과 같이 분류하여 각각 그에 맞는 방법대로 구매해야 한다.
  - 쇼핑몰 등재 제품(다수공급자계약제품, 3자 단가제품)
  - 중소기업경쟁제품
  - 일반제품
○ 쇼핑몰 등재 제품 중

- 3자 단가제품 : 쇼핑몰에서 바로 구매 → 조달사업법 제5조의2, 영 제9조의3
- 다수공급자계약 제품 : 다수공급자계약 2단계 경쟁 업무처리기준에 따라 쇼핑몰에서 구매 → 조달사업법 제5조의2, 영 제9조의3
- 1회 납품요구대상금액 기준은 세부품명(10자리)단위입니다.
- 쇼핑몰에 세부품명(동일제품, 유사제품, 동등 이상 제품 허용)으로 등재된 제품이 1개 이하인 경우 2단계 경쟁은 성립하지 않으며 일반입찰로 진행합니다.

※ 다만 다음의 경우 예외
- 쇼핑몰 다수공급자 제품이 중소기업제품이거나 경쟁제품인 경우 1억원 미만은 바로 쇼핑
- 쇼핑몰 다수공급자 제품이 비경쟁제품이며 대기업제품인 경우 5천만원 미만은 바로 쇼핑
- 중소기업자이면서 제조업체인 경우 5천만원 이상~1억원 미만 쇼핑몰에서 바로 구매
- 세부품명으로 등재된 제품이 1개 이하인 경우 조달청에 심의를 요청하여 구매업무심의회에서 2단계 경쟁 제외를 인정 받은 경우 쇼핑몰에서 바로 구매

○ 중소기업경쟁제품 및 일반제품 :
https://cafe.naver.com/gangseogu/132413
출처 : 관급자재 구매 요령 (예산회계실무)|

● 입찰

○ 2억원 이상의 공사는 공고하여 입찰에 부쳐야 하는 것이 원칙이다.

◆ 입찰 계약 매뉴얼

○ 입찰공고 : 입찰에 부치는 사항 및 입찰(개찰)의 장소 및 일시
 - 공사입찰의 경우 : 현장설명의 장소, 참가 자격, 입찰참가자의 자격에 관한 사항, 입찰보증금 납부
 - 낙찰자 결정방법 및 제출 서류, 계약조건, 입찰 무효에 관한 사항
 - 입찰서 제출 마감일의 전일부터 기산하여 7일 전까지 공고하여야 한다.
○ 예정가격 작성, 결정
○ 입찰참가 신청 및 낙찰
○ 청렴서약서, 입찰보증금, 입찰서의 제출,
○ 입찰의 성립 : 경쟁입찰은 2인 이상 유효한 입찰로 성립
○ 낙찰자 결정(최저가격 낙찰, 적격심사 낙찰, 협상에 의한 계약)

3. 추정가격과 예정가격(지방계약법시행령 제7조 및 제10조)

● 추정가격

○ 물품, 공사, 용역 등의 조달계약을 체결함에 있어서 입찰 대상 여부를 판단하는 기준 등으로 삼기 위하여 예정가격 결정되기 전에 산정된 가격을 말한다.

● 예정가격

○ 계약담당자가 계약을 체함에 있어 낙찰자, 계약상대자 또는 계약금액을 결정하는 기준 등으로 삼기 위하여 입찰이나 계약 체결 전에 미리 작성 비치해 두는 가격을 말한다.
○ 예정가격의 작성 절차는
① 추정가격 작성 → ② 설계가격 또는 조사가격 작성 → ③ 기초금액 작성 →
④ 복수예비가격 작성 → ⑤ 예정가격조서 작성 → ⑥ 예정가격 결정

◆ 예정가격 결정 우선순위

지방계약법 시행령 제10조에 따라
○ 거래실례가격 : 적정거래가 형성된 경우, 시중거래가격(세금계산
   서, 거래명세서)
○ 원가계산가격 : 계약담당자, 원가계산 전문기관, 감정가격
○ 유사한 거래실례가격 : 기능과 용도가 유사한 물품의 거래실례가
   격
○ 견적가격 : 당해물품의 업체 견적서, 계약상대자, 제3자
출처 : 복지법인시설 실무카페

4. 계약체결이행 및 대가지급

● 계약의 체결(지방계약법 제9조)

○ 공고하여 일반입찰로 부치는 것이 원칙이다.
   다만, 계약방법을 수의계약으로 할 것인지, 입찰을 할 것인지
   를 지방계약법에 따라 결정

◆물품구매 계약 절차(수의계약인 경우)

○ 해당 물품에 대한 시장가격조사 실시
   견적서나 시장거래가격 인터넷검색, 물가정보지 등을 참고
○ 물품구입 내부 품의
   시장거래가격 조사결과를 참고하여 적정한 물품을 선정,
   가격, 수량을 결재라인을 통해서 구매 건의. 이를 구입 품
   의라 한다.
○ 해당 물품 업체와 계약 체결
   동종 다른 견적서를 제출받는데 2인 이상 견적서 징구하여
   물품의 단가와 수량을 결정. 계약체결 계약서 서식은 표준
   계약서가 원칙이나 수의계약인 경우 약식 계약서 서식을
   사용할 수 있음.
   계약서에는 계약자와 상대방, 물품 납품기한, 검수자 등이

기재되어 있어야 함.
○ 물품 납품 및 검수
물품이 당초 계약서대로 납품되었는지 검수한다.
○ 세금계산서 발행과 대가 청구
물품 납품과 검수가 완료 되면 세금계산서 발행과 대금 입
금 조치   출처 : 복지법인시설 실무카페

● 계약체결(입찰)시 구비서류

○ 시설공사
- 공사도급표준계약서, 공사계약 일반조건 및 공사입찰 유의
서, 공사계약 특수조건, 공사비 산출내역서, 계약보증금, 사
업자등록증사본, 해당 면허증 및 면허수첩 사본, 사용인감
신고서, 법인등기부등본, 인감 및 사용인감 지참, 수입인지,
공채 등
○ 물품제조, 구매
- 물품표준 계약서, 규격서, 물품구매 입찰유의서, 물품구매
계약 일반조건, 물품구매 계약특수조건 및 산출내역서, 공
채 등
○ 용역
- 기술용역표준계약서, 과업지시서, 산출내역서, 사업자등록
증 등
○ 계약보증금 : 계약금액의 10%(단, 공사는 15% 또는 이행
보증 40%)
○ 계약인지세 : 1천만원이하(면제), 1천만원 초과 3천만원
이하(2만원), 3천만원 초과 5천만원 이하(4만원), 5천만원
초과 1억원 이하(7만원)
  ※ 계약금액에 따른 생략 및 면제 가능 문서
    (계약금액 3천만원)
      - 검사조서 생략 가능, 하자검사 조서 생략 가능

(계약금액 5천만원)
- 표준계약서 생략 가능, 계약보증금 납부면제 가능
○ 선금급 : 계약금액의 100분의 70을 초과하지 않는 범위
  내에서 20억원 미만 계약금액의 50%이상
출처 : 예산회계실무 기본편(p197)

● **공사계약 일반조건**

가. 계약문서의 효력

○ 계약에 필요한 서류는 상호 보완효력을 가지며 계약일반조건에
  따라 계약 당사자 간에 행한 통지문서 등은 계약문서의 효력
  을 가진다.

○ 다만, 제6절 "전항"의 규정에 정한 공사에 있어서의 설계서로
  보지 아니하는 산출내역서는 이 조건에서 규정하는 계약금액
  의 조정 및 기성부분에 대한 대가의 지급시에 적용할 기준으
  로서 계약문서의 효력을 가진다.

나. 계약문서의 종류

○ 품의서(계획서가 있는 경우 계획서 첨부)

○ 표준계약서(계약상대자와 상호날인, 간인)
  - 계약금액 5천만원 이하인 계약, 국가기관 또는 다른 지방자
    치단체와의 계약시에는 계약서 작성의 생략이 가능함.
  계약일반조건 입찰유의서, 계약특수조건(필요시)
  - 설계서(시방서, 설계도면, 현장설명서 포함), 규격서(물품)
  - 1억 이상 공사는 공종별 물량내역서
  - 과업이행요청서가 있는 경우 과업이행요청서
  - 공정예정표, 착공신고서, 산출내역서
  - 감독자를 임명한 경우 임명조서 사본

○ 계약보증서(계약기간과 보증기간 확인)
  - 면제자인 경우 계약보증금 지급 각서

- 정부수입인지(인지세법)
- 지역개발공채 매입 필증(자치단체조례)
○ 하도급계약을 한 경우 하도급 계약서
- 하도급 직불을 하는 경우 직불합의서
○ 기타 계약이행에 필요한 서류
※ 조달청에 제3자를 위한 단가계약 물품 등을 구매하거나 계약을 의뢰하는 경우에는 조달청에서 요구하는 자료만 제출하면 됨.
○ 계약담당자는 「지방자치단체를 당사자로 하는 계약에 관한 법령」, 공사관계 법령 및 이 조건에 정한 계약 일반사항 외에 해당 계약의 적정한 이행을 위하여 필요한 경우 공사계약 특수조건을 정하여 계약을 체결할 수 있다.
○ "전항"에 의하여 정한 공사계약 특수조건에 「지방자치단체를 당사자로 하는 계약에 관한 법령」, 공사 관계법령 및 이 조건에 의한 계약상대자의 계약상 이익을 제한하는 내용이 있는 경우 「지방자치단체를 당사자로 하는 계약에 관한 법률」(이하 "지방계약법"이라 한다) 제6조에 따라 특수조건의 동 내용은 효력이 인정되지 아니한다.
○ 이 조건이 정하는 바에 의하여 계약 당사자 간에 행한 통지문서 등은 계약문서로서의 효력을 가진다.

다. 착공 및 공정보고

계약상대자는 계약문서에서 정하는 바에 따라 착공하여야 하며 착공시에는 다음 각 호의 서류가 포함된 착공신고서를 발주기관에 제출하여야 한다.
○ 「건설기술관리법령」 등 관련법령의 규정에 의한 현장기술자 지정신고서
○ 공사공정예정표

- 안전·환경 및 품질관리계획서

　　- 공정별 인력 및 장비투입계획서

　　- 착공 전 현장 사진

　　- 그 밖에 계약담당자가 지정한 사항

○ 시행령 제15조제6항에 따라 다음의 경우에는 낙찰자에게 착공
　신고서를 제출할 때 산출내역서를 제출하도록 하여야 한다.

○ 추정가격이 100억원 미만인 공사 또는 시행령 제19조제1항에
　따라 재입찰에 부치는 공사

○ 시행령 제42조의3(최적가치 낙찰제) 또는 제43조(협상에 의한
　계약)에 따라 낙찰자를 결정하는 공사로서 물량 내역서를 내주
　지 않은 공사

○ 계약상대자는 계약의 이행 중에 설계변경 또는 그 밖에 계약내
　용의 변경으로 인하여 "가"의 규정에 의하여 제출한 서류의
　변경이 필요한 때에는 관련서류를 변경하여 제출하여야 한다.

○ 계약담당자는 "전항"의 규정에 의하여 제출된 서류의 내용을
　조정할 필요가 있다고 인정하는 경우에는 계약상대자에게 이
　의 조정을 요구할 수 있다.

○ 계약담당자는 계약상대자로 하여금 월별로 수행한 공사에 대하
　여 다음 각 호의 사항을 명백히 하여 익월 14일까지 발주기관
　에 제출하게 할 수 있으며 이 경우 계약상대자는 이에 응하여
　야 한다.

　　- 월별 공정률 및 수행공사금액

　　- 인력·장비 및 자재현황

　　- 계약사항의 변경 및 계약금액의 조정내용

　　- 공정상황을 나타내는 현장사진

○ 계약담당자는 공정이 지체되어 소정기한 내에 공사가 준공될 수
　없다고 인정할 경우에는 "마"의 규정에 의한 월별 현황과는

별도로 주간 공정현황의 제출 등 공사추진에 필요한 조치를 계약상대자에게 지시할 수 있다.

라. 공사 설계의 변경

○ 설계변경

- "전항"의 규정에 의한 설계변경을 함에 있어서 다음 각 호의 어느 하나의 사항은 설계서에 포함하지 아니한다.
- 수의계약으로 체결한 공사의 산출내역서. 다만, 시행령 제30조제1항 본문 및 제2항에 따라 체결된 수의계약 공사로서 견적서 제출 안내공고시 물량내역서를 교부하거나 게재하여 계약 체결시 산출내역서를 제출한 경우는 제외
- 시행령 제94조의 규정에 의한 일괄입찰 및 대안입찰에 있어 대안이 채택된 공종의 공사에 있어서의 산출내역서
- 시행령 제42조제1항제1호 및 제42조의2, 제42조의3의 규정에 의하여 계약상대자가 입찰시 새로운 기술·공법·기자재 등에 따른 공사비 절감사유를 제출하여 낙찰자로 결정된 계약에 있어 새로운 기술·공법·기자재 등이 채택된 공종의 공사에 있어서의 산출내역서

※ 지방계약법 시행령 제30조(수의계약대상자의 선정절차 등)

① 지방자치단체의 장 또는 계약담당자는 수의계약을 체결하려는 경우에는 2인 이상으로부터 견적서를 받아야 한다. 다만, 제25조제1항제1호, 제2호, 제3호, 제4호 및 제6호부터 제8호까지의 규정과 제26조제1항(2009년 7월 1일부터 2011년 6월 30일까지 체결하는 수의계약에만 해당한다) 및 제27조에 따른 계약의 경우, 추정가격이 2천만원 이하인 공사 및 물품의 제조·구매, 용역 등의 경우 또는 제2항에 따라 지정정보 처리장치를 이용하여 견적서를 제출받았으나 견적서 제출자가 1인뿐

인 경우에는 1인으로부터 견적서를 받을 수 있다.

② 제1항 본문에 따라 2인 이상으로부터 견적서를 제출받는 경우에는 품질확인 및 예산절감의 필요성이 큰 경우 등 행정안전부 장관이 정한 경우를 제외하고는 지정정보처리장치를 이용하여야 한다.

③ 제1항과 제2항에 따라 제출받은 견적서에 적힌 견적가격이 예정가격(제8조제2항에 따라 예정가격 작성을 생략한 경우에는 추정가격에 부가가치세를 포함한 금액을 말한다)의 범위에 들지 아니하는 경우 등 계약상대자를 결정할 수 없을 때에는 다시 견적서를 제출받아 제5항에 따라 수의계약대상자를 결정한다.

④ 제1항부터 제3항까지의 규정에도 불구하고 행정안전부령으로 정하는 경우에는 견적서 제출을 생략하게 할 수 있다.

⑤ 지방자치단체의 장 또는 계약담당자는 견적제출자의 견적가격과 계약이행능력 등 행정안전부 장관이 정하는 기준에 따라 수의계약대상자를 결정한다. [전문개정 2010.7.26]

* 공사계약서류단계별 정리

http://cafe.naver.com/gangseogu/20892

● 용역계약 일반조건

가. 계약문서

○ 계약문서는 계약서, 유의서, 용역계약 일반조건, 용역계약 특수조건, 과업내용서 및 산출내역서로 구성되며 상호보완의 효력을 가진다. 다만, 이 경우 산출내역서는 이 조건에서 규정하는 계약금액의 조정 및 기성부분에 대한 대가의 지급시에 적용할 기준으로서 계약문서의 효력을 가진다.

○ 계약담당자는 지방자치단체를 당사자로 하는 계약에 관한 법률, 관계법령 및 이 조건에 정한 계약일반 사항 외에 해당 계약의 적정한 이행을 위하여 필요한 경우 용역계약 특수조건을 정하여 계약을 체결할 수 있다.

○ 계약담당자는 용역계약 특수조건을 정함에 있어서는 지방자치단체를 당사자로 하는 계약에 관한 법령에서 정한 계약사항과 관련법령에 규정된 계약상대자의 계약상 이익을 부당하게 제한하지 않는 범위내에서 해당 용역계약의 특성상 필요하다고 인정되는 사항에 한하여 명시할 수 있다.

○ 이 조건에서 정하는 바에 의하여 계약 당사자 간에 행한 통지 문서 등은 계약 문서로서의 효력을 가진다.

나. 용역계약의 이행

○ 용역의 착수와 보고

계약상대자는 계약문서에서 정하는 바에 따라 용역을 착수해야 하며, 착수시에는 관련법령에서 정한 서류와 다음 각 호의 사항이 포함된 착수신고서를 발주기관에 제출해야 한다.

- 용역공정예정표
- 인력 및 장비투입계획서
- 공동계약이행계획서(공동계약의 경우)
- 그밖에 계약담당자가 지정한 사항

출처 : http://cafe.naver.com/gangseogu/18493

● 물품구매계약 일반조건

○ 계약문서

- 계약문서는 계약서, 규격서, 유의서, 물품구매계약 일반조건, 물품구매계약 특수조건, 산출내역서 등으로 구성한다. 다만, 산출내역서는 제6절의 "1" 및 "2"의 규정에 의한 수량

조절 및 물가변동으로 인한 계약금액의 조정과 제8절의 "3-라"의 규정에 의한 기납대금의 지급시에 적용할 기준으로서 계약문서의 효력을 가진다.

- 계약담당자는 지방자치단체를 당사자로 하는 계약에 관한 법률, 관계법령 및 이 조건에 정한 계약의 일반사항 외에 해당 계약의 적정한 이행을 위하여 필요한 경우 물품구매계약 특수조건을 정하여 계약을 체결할 수 있다.

- 계약담당자는 "전항"에 규정된 물품구매계약특수조건을 정함에 있어서는 지방자치단체를 당사자로 하는 계약에 관한 법령에서 정한 계약사항과 관련법령에 규정된 계약상대자의 계약상 이익을 부당하게 제한하지 않는 범위내에서 해당 물품구매계약의 특성상 필요하다고 인정되는 사항에 한하여 명시할 수 있다.

- 이 조건이 정하는 바에 의하여 계약당사자간에 행한 통지문서 등은 계약문서로서의 효력을 가진다.

출처 : 계약서류(일반조건) (예산회계실무)

● 지출결의서와 구입과 지출결의서 차이

○ 재무회계규칙 제28조에 따르면 지출원이 지급명령을 발하기 위하여 지출결의서를 작성하여야 하며

○ 그 구분 기준은 지방계약법 시행규칙 제48조에 따라 계약서의 작성을 생략하는 간이계약인 경우에는 구입과 지출결의서를 사용 지출 용도에 따라 구분하면

- 지출결의서 : 인건비, 물건비 중 업무추진비 등, 이전경비 중 보상금 등

- 구입과 지출결의서 : 물건비 중 인쇄비, 물품 구입비 등, 자본적 지출 중 자산취득비 등

따라서 상기 구분에 따라서 적정하게 작성하여야 할 것임.

출처 : 2018 공통교재(회계실무), 지방자치인재개발원

● 계약의 이행 및 대가지급

○ 계약서를 작성하되, 계약금액 5천만원 이하인 경우 계약서 작성 생략이 가능하며, 계약 성립의 증거가 될 수 있는 청구서, 각서, 협정서, 승낙서 등이 서류를 제출받아야 한다.

○ 계약서 작성하는 경우, 표준계약서(서식)를 사용하되, 계약서 작성을 생략하는 경우 약식에 의한 계약서(서식)를 작성한다.

○ 계약금액이 3천만원 이상인 공사, 제조 또는 1천만원 이상 용역인 경우 선금급 지급 가능

○ 계약서에 의한 공사의 경우 준공, 물품의 경우 납품 완료로 계약이행

○ 계약이행 완료일로부터 14일 이내 준공검사 또는 검수 후 조서 작성

  다만, 3천만원 미만의 계약 또는 전기. 가스. 수도의 공급 등의 경우 검사 조서 작성 생략 가능

○ 보험료 등 사후 정산

  - 공사, 용역 및 물품의 제조 계약에 따른 일용근로자 및 사용근로자의 보험료

  - 공사 기간 1개월 이상인 공사는 4대 보험을 반드시 정산하여야 한다. 다만 인건비가 필요 없는 물품구매계약은 정산 제외 대상이다.

○ 검사 완료 후 청구일로부터 5일 이내 지급

● 강사수당 등 기타소득공제(소득세법제21조,제84조,제127조,제129조)

○ 기타소득 수입금액 대부분 원고료, 강연료 등의 일시적인 인적

용역에 해당하므로 이에 대해서는 60%의 필요경비가 인정되며 수입금액에서 제한 기타소득금액에 대해 20%의 소득세와 소득세에 따른 지방소득세(소득세의 10%)를 납부하여야 함 (소득세법 제21조, 제84조, 제127조, 제129조).

○ 기타소득금액이 매 건마다 5만원을 초과할 경우 반드시 원천징수함.

  (예시) 강사료(기타소득)가 200,000원 경우

    - 기타소득에서 필요경비(60%)를 공제한다.

200,000원(강사료)-(200,000원×60%(필요경비)=80,000원

    - 필요경비를 공제한 금액의 20%는 소득세, 소득세의 10%는 지방소득세

원천징수세액=(80,000원×0.2(소득세율)+(12,000×0.1(지방소득세율)=17,600원

  ※ 이 경우 세금은 총금액의 8.8%(8%는 소득세, 0.8%는 지방소득세)임. 출처 : 예산회계실무 기본편(p15)

● **하자보수보증제도(지방계약법제21조)**

○ 전체 목적물을 인수한 날과 준공검사를 완료한 날 중에서 먼저 도래한 날로부터 1년 이상 10년 이하의 범위 내에서 일정기간 동안 당해 공사의 하자보수를 보증하기 위한 하자담보책임기간을 정하는 것이다.

○ 하자보수보증률 : 공사(100분의 2 ~ 100분의 5), 용역(100분의 2), 물품(100분의 2 또는 3)

 - 세부내역 : 건설산업기본법 시행령(별표4) 참조

● **계약관련 법령**

○ 재무회계규칙에서는 계약에 관한 사항에 대해 "지방자치단체를 당사자로 하는 계약에 관한 법률"(이하 "지방계약법"이라 한

다), 같은 법 시행령, 시행규칙을 준용하도록 정하고 있다.

○ 지방자치단체 입찰 및 계약 집행기준

○ 건설산업기본법, 같은 법 시행령, 시행규칙, 건축사법

○ 전기공사업법, 정보통신공사업법, 소방시설공사업법 등

○ 조달사업에 관한 법률, 같은 법 시행령, 시행규칙

○ 공유재산 및 물품관리법, 같은 법 시행령, 시행규칙

○ 지방재정법

◆ 신용카드 소액물품 구매 일반지출에 관한 정리

행정안전부 회계제도과(20.5.7.)

가. 적용안내

○ 「지방계약법 시행령」 제50조에 따라 계약금액이 5천만원
  이하인 계약을 체결하는 경우 계약서의 작성을 생략할 수
  있으며,
   - 같은 법 시행규칙 제48조에 따라 계약상대자로부터
     계약성립의 증거가 될 수 있는 서류를 제출받아 갖춰 두도록
     하고 있음.

○ 한편, 「지방자치단체 예산 및 기금의 회계관리에 관한 규칙」
  별표6에는 신용카드를 사용할 수 있는 비목별 대상을 정하고
  있으며,
   - 「여신전문금융업법」에 의한 신용카드가맹점과 물품구매 또는
     소규모 용역 제공 등에 대한 계약이행을 완료한 후 구매대금
     지급방법으로 신용카드를 사용할 수 있음.

○ 이와 관련하여, 신용카드 매출전표는 「여신전문금융업법」에
  따른 신용공여의 증거로서 지방자치단체와 계약상대자 간의
  계약성립의 증거로 볼 수 있을 것임.

○ 따라서, 「지방자치단체 예산 및 기금의 회계관리에 규칙」
  별표6에 따라 수의계약 범위 내에서 소규모 물품 등을
  구매하는 경우
   - 신용카드 매출전표를 계약성립의 증거로 보아 계약서를
     생략한 일반지출결의서 사용이 가능할 것으로 판단됨.

나. 해석

○ 해당 지방자치단체 예산 및 기금 회계관리에 관한 규칙에
신용카드 구매시 일반지출이 가능한 범위를 정하여 운영, 또는
자체 규정을 별도로 정하여 신용카드 물품 구매시 일반지출의
기준금액을 설정하여 운용함.
  - 지방자치단체 예산 및 기금 회계관리 규칙에 200백만원 이하
    물품 구매시 일반지출로 규정함.

다. 유의사항

○ 해당 지자체에서 규칙이나 규정에 일반지출이 가능한 범위를
정하여 운용함.
○ 별표6 신용카드를 사용할 수 있는 비목별 대상 범위를
벗어나면 일반지출 불가
  - 시설비(401-01): 신용카드를 사용해도 물품구매 일반지출 불가
등
  - 시설비 신용카드 사용 가능 항목: 감정료, 측량수수료, 등기등록비,
검사료 소규모 용역비
○ 물품제작 구매 일반지출 불가하며 시중판매 완제품 구매만
일반지출 가능
  - 일반지출 불가항목: 현수막 제작구매, 인쇄물 제작구매, 간판
    제작구매 등 제작하여 구매하는 경우

출처 : 신용카드 소액물품 구매 일반지출에 관한 정리
(예산회계실무)

6 물품관리 (재무회계규칙 제38조,39조,40조)

1. 물품의 분류

● 비품

○ 물품 현상이 변하지 않고 비교적 장시간 사용할 수 있는 물품
○ 내용연수가 1년 이상이고, 취득단가가 10만원 이상의 물품으
로서 소모성 물품에 속하지 아니하는 물품. 단, 1년 이상 사용
할 수 없는 물품이라도 취득단가가 10만원 이상인 물품은 비
품으로 분류할 수 있음.

● 소모품

○ 성질이 상함으로써 소모되거나 파손되기 쉬운 물품과 공작물 기타의 구성품

○ 한 번 사용하면 원래의 목적에 다시 사용할 수 없는 물품

○ 사용에 비례하여 소모되거나 파손되기 쉬운 물품

○ 1년 이상 사용할 수 있는 물품이라도 해당 지방자치단체 공유 재산 및 물품관리조례에 따라 취득단가가 10만원 미만인 물품은 소모품으로 분류할 수 있음

  - 조달청 물품분류지침에는 일반수용비로 취득한 물품중 50만원 미만인 물품

● 물품의 관리(재무회계규칙 제38조)

○ 사회복지시설정보시스템에 물품을 등록하는 것이 원칙이다.

○ 대표이사나 시설장은 물품 관리를 위해 소속 직원에게 물품 관리에 관한 사무를 위임할 수 있다.

  - 물품관리자 : 대표이사, 시설장

  - 물품출납원 : 물품을 출납, 보관하는 사람, 물품관리자가 지정

○ 물품관리자나 물품출납원이 교체된 경우 발령일로부터 5일 이내 그 사무를 인계인수하여야 한다.

○ 물품관리자의 임무

  - 선량한 관리자로서 주의의무

  - 성실의 의무

○ 물품관리자의 책임

물품관리자가 그 직무를 수행함에 있어서 선량한 관리자로서 주의와 성실의 책임을 위반한 중대한 과실로 재산에 손해를 끼친 때에는 회계 관계 직원 등의 책임에 관한 법률 등에 따

라 변상책임과 신분상의 징계책임을 지게 된다.

2. 재물조사(재무회계규칙 제40조의2)

○ 일정 시점의 보유 물품을 실제 조사하여 장부 수량보다 부족하거나 초과한 수량 및 불용품을 파악하여 조치함으로써 물품관리의 적정을 기하기 위함.

● 재물조사의 종류

○ 정기 재물조사 : 연 1회(일반적으로 조사기준일은 12월 31일 기준)

○ 수시 재물조사 : 필요하다고 인정하는 경우

● 조사대상 및 제외물품(지방자치단체 정기재물조사지침, 행정안전부, 2016)

○ 대상물품 : 모든 물품

○ 제외물품 : 물품의 특수성을 감안하여 재물조사가 곤란한 소모성 물품

● 불용결정(재무회계규칙 제41조)

○ 물품의 사용 도중에 불용사유(사용할 수 없거나, 사용할 필요가 없는 물품)가 발생한 물품에 대하여 결정한다.

○ 고가품이나 보조금으로 취득한 물품은 주무관청에 보고하여 처분 승인 절차를 이행하거나, 관련 기관에 관리전환 소요조회 등 절차를 거쳐야 한다.

○ 불용결정에 대해 시설운영위원회와 법인이사회 보고

○ 불용결정 물품에 대해서는 시설운영위원회 보고와 이사회 승인을 얻어야 한다.

● 불용품의 처분(재무회계규칙 제41조)

○ 불용품을 매각하는 방법으로는 불용품 매각처분 조서를 작성하고 매각하여야 한다.

○ 예정가격은 감정평가액으로 하되, 감정 비용이 예정가격을 초과할 것으로 예상되거나 감정이 곤란한 경우에는 견적서를 받아 예정가격 결정이 가능하다.

○ 매각처분 대금은 시설 자체 세입처리하거나, 보조금 재원으로 구입한 경우에는 교부기관에 반환하여야 한다.

○ 불용품 매각시 2개 업체이상 견적을 받아 견적금액이 매각비용보다 적은 경우에는 1인 업체와 수의계약에 의해 처분할 수 있다.

○ 불용품의 매각은 온비트에 의해 견적 매각하고 매각대금은 기타 잡수입으로 수입처리한다.

○ 불용품중 고가품이나 신품의 경우 주무관청에 관리전환 소요조회를 실시하여 매각 또는 무상으로 수요처에 관리 전환할 수 있다.

● **물품에 대한 감가상각 실시**

○ 개념
- 유형자산의 가치가 감소되는 현상을 반영한 개념으로 유형자산의 취득원가에서부터 일정기간에 걸쳐 감소되는 가치만큼 비용처리되는 것을 말함

○ 취득원가
- 해당 자산을 최초에 구입한 금액. 이 금액에는 부대비용이 포함하는 것이 일반적임

○ 내용연수
- 자산의 이용 가능한 연수를 말한다. 내용연수는 조달청 고시를 통해 공식적으로 확인할 수 있다.

○ 잔존가액
- 취득원가에서 내영연수에 해당하는 만큼 감가상각을 진행하였을 때 남아 있는 것으로 추정하는 자산의 현재 가치를 말함
○ 감가상각의 범위
- 유형자산(비품, 기구, 차량 및 운반구, 기계, 장치, 건물및구축물 등)
- 무형자산(특허권, 상품권, 디자인권, 실용신안권, 영업권등)
○ 감가상각의 방법
- 정액법 ; 자산의 취득원가를 내용연수로 나누어 매년 같은 감가상각비로 진행되는 방식
▷(내용연수가 끝나는 마지막 해에는 1,000원을 남겨두고 감가상각합니다.
- 정률법 : 자산의 미상각잔액에 정해진 상각률에 따라 매년 같은 상각률로 감가상각률로 감가상각이 진행되는 방식.
▷(내용연수가 끝나는 마지막 해에는 1,000원을 남겨두고 감가상각합니다.
◆ 시설에서는 정기재물조사 시 비품(물품 포함)에 대한 감가상각을 아래와 같이 실시하시고

- 결산서 작성할 때 : 복식부기에 의한 재무제표 작성을 준비하신 후 감가상각 실시
○ 감가상각 요령
- 당해 회계연도 정기재물조사 결과를 기준으로 하되,
- 장부 최초작성을 감안하여 법인 이사회 승인일자를 적용하지 말고 실제 조사기준일을 적용함
- 비품에 대한 정확한 전수조사와 아울러 비품의취득가격. 취득일자를 정확하게 기재한 후

- 잔존가격이 존재하지 않는 경우 :법인세법 시행령 제26조제6항 및 제7항에 따라 취득가액의 5%를 장부가액을 잔존가액으로 산정한다.
- 내용연수(조달청고시 제2018-14호, 2018.9.27.)

⑦ 후원금 관리(재무회계규칙 제4장의2)

1. 후원금
○ 아무런 대가 없이 무상으로 받은 금품 및 기타 자산을 말한다.

2. 후원금의 종류
● 지정후원금
- 후원자가 사용 용도를 지정하여 후원금으로 지정한 용도로만 사용하여야 한다.
- 지정기부금품 신청은 기부금품법 시행령 제14조(별지제2호서식)를 사용한다

● 비지정후원금
- 후원자가 사용 용도를 지정하지 않은 후원금으로 법인 및 시설의 운영을 위해 사용하되, 간접비에 사용하는 비율은 50%를 초과하지 못한다.
- 비지정후원금 사용 금지 항목으로는 자산취득비, 업무추진비, 법인전출금, 부채상환금, 잡지출, 예비비

● 후원금 전용계좌
○ 법인 대표이사와 시설장은 법인 명의나 시설 명칭이 부기된 후

원금 전용계좌를 사용하여야 한다.

○ 후원금계좌는 다른 회계와 혼용할 수 없으며, 통장은 금융기관 별로 여러 개를 발행하여 사용할 수 있으나 모든 수입과 지출이 가능한 직접 통장을 사용하여야 한다.

○ 후원을 받을 때 미리 후원금 전용계좌 등의 구분에 관한 사항을 안내하여 후원자가 법인이나 시설에 후원하는 방법을 알 수 있도록 안내하여야 한다.

● 후원물품의 수입 및 사용

○ 후원물품의 경우도 수입대장 및 사용대장을 사용하여야 하며, 사회복지시설 정보시스템을 이용하여 후원금 수입 및 사용결과를 준용하여 활용한다.

○ 후원물품의 경우에도 사회복지법인.시설 재무회계규칙에서 정하는 후원금 접수 절차를 준용하되

○ 시설에 후원된 물품에 대한 환가액 산정 방법은 세금계산서, 거래명세서, 구매영수증(카드 영수증 포함) 등을 포하하여 구체적으로 증명이 가능한 경우 후원물금 영수증 발급이 가능합니다

● 후원금의 사용

○ 법인 대표이사나 시설장은 후원금을 후원자가 지정한 사용 용도 외의 용도로 사용하지 못하며, 후원자가 사용 용도를 지정하지 않은 비지정 후원금은 보건복지부에서 정하는 기준에 따라 사용하여야 한다.

○ 비지정후원금의 간접비 사용기준은 전체 비지정후원금 지출액의 50%를 초과하지 못한다고 되어 있습니다.

◆ 비지정후원금의 사용기준(2023 사회복지시설관리안내.p142)

○ 후원자가 사용 용도를 지정하지 않은 비지정후원금은 법인 운

영비 및 시설 운영비로 사용하되, 간접비로 사용하는 비율은 50%를 초과하지 못한다.
  - (후원금 지출금액 기준)
○ 다만, 간접비 중에서도 업무추진비(기관운영비, 직책보조비, 회의비), 법인회계전출금, 부채상환금, 잡지출, 예비비등으로는 사용금지
○ 자산취득비로 사용하는 것은 원칙적으로 금지하나, 토지.건물을 제외하고 시설운영에 필요한 집기. 장비 등은 구입 가능
○ 시설비는 건물 노후화, 협소한 공간 등 이용자 불편을 해소하기 위한 시설 증개축에 필요하다고 인정되는 경우에는 관할 주무관청의 승인을 받아 사용 가능
○ 인건비로 사용가능하되, 후원금으로 직원 수당을 지급하는경우에는 근로기준법 또는 사회복지시설종사자 가이드라인에서 정하고 있는 수당(명절휴가비, 시간외수당, 가족수당), 사회복지업무수당(다만 사회복지공무원에게 지급되는 수당 이상을 초과할 수 없으며 전체 비지정후원금의 50% 한도 내에서만 수당지급 가능)과 지자체에서 별도로 정하고 있는 수당에 한하여 편성.지급해야 함을 원칙으로 한다. 다만, 개별 사회복지법인 및 사회복지시설에서는 지자체 협의하여 수당 항목을 정할 수 있음
  - 사회복지업무수당이란 종사자 처우개선을 위한 특수업무수당, 직무수당, 종사자 장려수당, 종사자 복지수당 등

● **사회복지종사자 수당 지급 사례(비지정후원금)**

○ 종사자에게 지급되는 사회복지 업무수당이 공무원에게 지급되는 사회복지 업무수당 이상의 금액으로 지급되고 있던 사례

- 기존대로 사회복지 업무수당 지급은 가능하되, 비지정 후원 금으로 추가 지급은 불가능
○ 종사자에게 지급되는 사회복지 업무수당이 공무원에게 지급 되는 사회복지 업무수당 이하의 금액으로 지급되고 있던 사 례
- 공무원 사회복지 업무수당과의 차액만큼 비지정 후원금으로 추가 지급 가능
○ 사회복지 업무수당이 지급되지 않았던 경우
- 비지정 후원금으로 공무원에게 지급되는 사회복지 업무수당 한도 내에서 지급 가
출처 2021 사회복지시설 관리안내(보건복지부, p164)

● 후원금계좌에서 발생한 이자

○ "한번 후원금은 영원한 후원금이다" 원칙에 따라 후원금계좌 에서 발생한 이자도 후원금으로 관리하여야 한다.
○ 후원금 잔액은 다음연도 전년도이월금(후원금)으로 이월할 수 있다.

● 사회복지공동모금회 등에서 후원한 후원금의 구분

○ 지정후원금으로 관리하되, 사업기간 경과시 후원기관의 지침에 따라 반납 또는 정리한다.
○ 이때 모금회 등 후원금에 대한 별도 후원금 영수증은 발급하지 아니한다.
○ 후원금 수입 및 사용내역은 국세청 홈택스에 다음해 4월 말까지 제출하여야 한다.

● 시설에서 상품권을 후원받았을 때

○ 사회복지법인 및 시설재무회계규칙 제41조의2에는 법인의 대표이사와 시설의 장은 「사회복지사업법」 제45조에 따른 후원

금의 수입·지출 내용과 관리에 명확성이 확보되도록 하여야 한다고 되어 있습니다. 또한 같은 규칙 제41조의6(별지19호 서식)에는 후원금 및 후원 물품의 수입 및 사용명세서를 보고하게 되어 있습니다.

○ 2020 사회복지법인시설 업무가이드(p191.부산시)에 따르면, 후원 물품은 받을 당시에 물품의 내용, 상태, 규모, 수량 등을 확인할 수있는 증빙자료 관리를 철저히 하고, 후원 물품을 대상자에게 배부할 경우에는 해당 배부내역을 입증할 수 있는 날인 등을 명확하게 관리할 것이라고 되어 있으며, 비품인 경우에는 물품관리대장 등 일반 비품관리에 준하여 관리할 것이라고 규정하고 있습니다.

○ 그런데 유가증권(상품권)은 후원금은 아니고 후원물품 성격으로 위의 후원금 및 후원물품 관리 규정을 준용하여 해석하면, 유가증권 관리대장을 비치, 수불 배부사항을 명확하게 관리함이 타당하다고 사료됩니다. 감사합니다.

● 후원물품의 관리요령

○ 후원물품중 비소모성 물품의 경우 비품으로 분류
○ 1년미만 소모성 후원품은 소모품에 준하여 사용수불정리함

3. 후원금의 사용정리등

● 후원금의 예산 편성 사용

○ 후원금은 예산편성하여 사용하되, 가급적 적립 이월하지 아니하고 회계연도 내에 집행하여야 함.
○ 만약 후원금의 잔액(후원금 통장 발생이자 포함)이 이월금으로 발생하는 경우, 이월금(후원금)으로 이월하여 다음연도 세입세출예산에 편성하여 사용할 수 있음.

- 법인(시설)회계 세입예산과목은 전년도이월금(후원금)
- 법인회계 세출예산과목은 시설전출금(후원금)

● 후원금의 수입 및 사용 결과 보고 공개 (재무회계규칙 제41조의6)

○ 법인 대표이사와 시설장은 결산보고서를 작성할 때 별지 제19호서식(후원금 수입 및 사용결과 보고서)를 관할 시장, 군수, 구청장에게 제출하여야 한다.

○ 시장, 군수, 구청장은 제출받은 후원금의 수입 및 사용결과 보고서를 제출받은 날로부터 20일 이내에 인터넷을 통하여 3개월 동안 공개하여야 한다. 이때 대표이사와 시설장은 해당 법인 및 시설 홈페이지. 희망이음 또는 복지로에 공개하여야 한다.

○ 지정기부금단체는 국세청 홈택스에 기부금 모금금액 및 활용실적을 다음 해 3월31일까지 공개하여야 한다.

○ 대표이사와 시설장은 연 1회이상 해당 후우너금의 수입 및 사용내용을 후원금을 낸 법인.단체 또는 개인에게 통보

- 이때 법인 정기간행물이나 홍보지를 통해 일괄 통보 가능하거나, 후원자 개별통보도 가능함.

◆ (주의)

○ 후원금 수입 및 사용 공개의 경우 재무회계규칙(별지제19호서식)의 시용란에는 구체적인 사항을 반드시 기재하고, 지원대상자의 설명 등 민감정보(주민등록번호 등)가 기입되지 않도록 개인정보보호에 유의하여야 함

● 후원금(기부금) 인터넷 홈페이지 공시

○ 대표이사와 시설장은 사회복지법인시설 재무회계규칙 제20조에 의해 관할 시장, 군수, 구청장에게 결산보고서를 제출할

때 후원금 수입 및 사용결과보고서를 함께 제출(이 경우 반드시 전자파일로 제출하여야 함.)

○ 재무회계규칙 제41조의6 제2항에 따라 시장, 구청장·군수는 제출받은 후원금의 수입 및 사용결과 보고서를 제출받은 날로부터 20일 이내에 인터넷(홈페이지), 희망이음 또는 복지로 등을 통하여 3개월간 공개
  - 같은 기간 동안 법인의 대표이사 및 시설장도 후원금 수입 및 사용결과보고서를 법인 및 시설의 게시판과 인터넷 홈페이지 또는 복지로에 공개
  - 재무회계규칙 제41조의6 제3항에 따라 후원금 수입 및 사용결과 공개는 사회복지시설 정보시스템이나 희망이음 또는 복지로에 게시하는 것으로 갈음할 수 있다고 되어 있음.

○ 상속세 및 증여세법 제50조의3 및 시행령 제43조의3에 따라 매년 4월 말까지 국세청 홈택스에 기부금 모금액 및 활용실적을 제출(공시)하여야 함.

○ 법인의 경우 법인세법 시행령 제38조제3항에 의하면 기부금 단체의 홈페이지가 개설되어 있고, 인터넷 홈페이지를 통하여 연간 기부금 모금액 및 활용실적을 공개한다는 내용이 정관에 포함되어 있어야 함.

※ 기부금영수증 발급기관은 기부금영수증 발급명세(별지 제29호의7서식(1)) 또는 발부한 기부금영수증 사본을 보관하고 있다가, 국세청에서 이 자료를 요청하는 경우 제출해야 하는 의무가 있습니다. 또한, 회계연도가 끝나고 국세청에 기부금영수증 발급 명세서를 제출해야 합니다.

출처 복지법인시설실무카페

◆ 지정기부금단체 신청

○ 법인인 경우 지정기부금단체로 지정받기 위해서는 법인세법시

행령 제39조제1항제1호 가목부터 마목까지에 열거된 단체(사회복지법인)에 해당하거나,

○ 같은 호 바목에 따라 민법 제32조에 따라 주무관청의 허가를 받아 설립된 단체가 일정 요건을 갖춘 경우 관할 세무서장의 추천을 받아 기획재정부장관이 지정·고시함으로써 지정기부금단체로 지정될 수 있습니다. 구체적인 지정기부금단체 신청 및 추천방법은 [기획재정부 홈페이지] → [국민참여] → [주요질문모음]에서 확인하실 수 있습니다.

○ 법인이 아닌 단체는 소득세법시행령 제80조에 따라 기부금대상 민간단체로 지정받을 수 있습니다. 비영리 민간단체지원법에 등록된 단체가 일정요건을 충족한 경우 관할 세무서장의 추천을 받아 기재부 장관이 지정·고시하게 되면 기부금대상 민간단체로 지정될 수 있습니다. 구체적인 기부금대상 민간단체 신청 및 추천방법은 [국세청 홈페이지]에서 확인하실 수 있습니다.

관련법령 : 소득세법 시행령

작성부서 : 기획재정부 기획조정실 정책기획관

규제개혁법무담당관 | 044-215-4228

● 사회복지시설 폐쇄시 잔여 후원금 재산 처분

◆ 사회복지시설 폐쇄시(질의응답)

○ 후원금으로 취득한 재산의 반환대상 및 시.군.구청장이 제시받은 반환조치계획서에 대한 사전 승인권한은

- 현행 사회복지사업법 시행규칙 제26조제1항제2호의3은 시설폐쇄시 보조금이나 후원금의 사용결과보고서와 이를 재원으로 조성한 잔여재산 반환조치계획서를 시.군.구청장에게 제출하도록 규정하고 있음

- 또한 같은 규칙 제26조제2항에 따르면 폐지신고를 받은 경우에는 시설 거주자의 권익보호를 하기 위하여 제2호의3의 계획에 따른 조치가 적절하게 이루지는 지를 확인하여야 하며 필요한 경우 관계 서류

의 제출을 요구 할 수 있다고 되어 있다

○ 사회복지시설이 받은 후원금은 기부될 때 시설에 귀속됨으로 시설이 폐쇄되었다면 잔여 후원금은 주무관청에 회수되어야 할 것임. 잔여재산 반환조치계획서는 승인 대상은 아니나 계획서가 부실하거나 근거가 부족한 경우 관계서류를 요구하는 등의 필요한 지도감독은 가능할 것으로 판단됨(계획서가 이행되지 않는 경우 형사처벌의 대상이 될 수 있음)

출처 : 보건복지부 사회서비스자원과-3708. 2014.7.8.)

◆ 사회복지기관도 기부금품 법령의 지정기탁서를 사용해야 하는지? (질의응답)

○기부금품법 제5조제2항에 따르면 국가나 지자체 및 그 소속 기관. 공무원과 국가 또는 지자체에서 출자.출연하여 설립된 법인.단체는 자발적으로 기탁하는 금품이라도 법령에 다른 규정이 있는 경우 외에는 이를 접수할 수 없다고 규정되어 있습니다

○ 따라서 사회복지사업법상 사회복지법인. 시설이 국가 또는 지자체에서 출자.출연하여 설립된 단체 등이 아닌 경우 적극적인 모집 행위 없이 자발적으로 기탁하는 금품을 접수할 시 기부금품법 적용 대상이 아닌 것으로 판단됩니다.

○ 모집행위; 서신,광고, 그 밖의 기부금품의 출연을 타인에게 의뢰, 권유 또는 요구하는 행위(기부금품법 제2조제2항)

○ 출처 행정안전부 민간협력과 (2023.11.17.), 시원한 복지회계(2024.1.8.)

4. 후원금 영수증 발급(재무회계규칙 제41조의4)

○ 후원자께서 후원영수증 발급 신청하면 즉시 발급해야 합니다. 그리고 후원금 전용 금융기관계좌로 입금된 경우 후원자가 영수증 발급을 원하는 경우를 제외하고는 영수증 발급 생략 가능합니다.

◆ 후원금(기부금) 신용카드 결제시 소득공제 여부

안녕하십니까? 항상 국세행정에 감사드립니다.

귀하께서 신청하신 민원에 대한 검토 결과를 다음과 같이 알려드립니다.

귀하의 민원내용은 '기부금을 신용카드로 결재 시 신용카드 소득공제 적용 여부'에 대한 것으로 이해됩니다.

○ 귀하의 질의사항에 대해 검토한 의견은 다음과 같습니다.

○ 근로소득이 있는 거주자가 지정기부금 단체에 신용카드를 이용하여 기부하는 경우 해당 신용카드결제금액은 신용카드 등 소득공제 대상금액이 아닙니다.

○ 귀하의 질문에 만족스러운 답변이 되었기를 바라며, 답변 내용에 대한 추가 설명이 필요한 경우 국세청 국세상담센터(국번없이 126)로 연락주시면 친절히 안내해 드리도록 하겠습니다.

감사합니다.

2021-06-09 / 담당부서 / 국세청 서울지방국세청 서초세무서 납세자보호담당관 / 관련법령 조세특례제한법 / 소득세법 / 출처 : 한국사회복지관협회

◆ 후원금(기부금) 신용카드 결제시 소득공제 여부

안녕하십니까? 항상 국세행정에 감사드립니다.

귀하께서 신청하신 민원에 대한 검토 결과를 다음과 같이 알려드립니다.

귀하의 민원내용은 '기부금을 신용카드로 결재 시 신용카드 소득공제 적용 여부'에 대한 것으로 이해됩니다.

○ 귀하의 질의사항에 대해 검토한 의견은 다음과 같습니다.

○ 근로소득이 있는 거주자가 지정기부금 단체에 신용카드를 이용하여 기부하는 경우 해당 신용카드결제금액은 신용카드 등 소득공제 대상금액이 아닙니다.

○ 귀하의 질문에 만족스러운 답변이 되었기를 바라며, 답변 내용에 대한 추가 설명이 필요한 경우 국세청 국세상담센터(국번없이 126)로 연락주시면 친절히 안내해 드리도록 하겠습니다.

감사합니다.

2021-06-09 / 담당부서 / 국세청 서울지방국세청 서초세무서 납세자보호담당관 / 관련법령 조세특례제한법 / 소득세법 / 출처 : 한국사회복지관협회

◆ **재능기부에 대한 기부금 영수증 발급 여부**

○ 기획재정부에서는 소득세법 시행령 제81조(기부금, 접대 등)에 대해서 특별재난구역의 재난복구를 위한 자원봉사한 경우에 한해 그 용역가액을 산정하도록 하고 있습니다.

○ 이외 일반재능기부의 경우는 기부금 영수증 발급대상이 아닙니다.

● **기부금영수증 발급명세서와 기부금영수증 발급합계의 구분**

○ 기부금영수증발급명세서는 기부금영수증 발급을 하는데 필요한 기부자의 인적사항과 기부내역을 구체적으로 기재한 서류로 기부단체에서 보관합니다

○ 기부금영수증 발급합계표는 사업연도에 기부금영수증 발급건수와 기부금액 합계액을 말하며, 이 내역을 관할 세무서에 제출합니다

○ 2021.7.1.일이후에는 전자기부금영수증발급분부터 기부금영수증 발급명세서 제출이 면제됩니다

● **기부금영수증 발급단체에서 해야 할 일**(법인세법 제112조 제2항)

○ 공익법인은 기부자별 발급명세서를를 작성하여 발급한 날로부터 5년간 보관하여야 하며,

○ 기부금영수증 총 발급건수 등이 적힌 기부금영수증 발급명세서를 제출해야 합니다

○ 해당 사업연도 종료일이 속하는 달의 말일부터 6개월 이내 관할 세무서에 제출.

- 다만 전자기부금영수증 발급시에는 불필요(21.7.1일 이후부터)

○ 제출방법 : 국세청 홈택스

○ 의무위반시 ; 가산세 부과

● 법인 전입후원금의 정리 방법

○ 사회복지법인.시설재무회계규칙(별표2) 세출예산과목 구분에 따르면, 법인에서 시설에 지원하는 후원금은 시설전출금(후원금)으로 정리하시고

○ 시설의 세입예산과목 구분(별표3)에 따라 시설에서는 지정후원금으로 정리하시면 됩니다 출처 : 예산회계실무

◆ 연말정산간소화 서비스(기부금)(질의응답)

- 연말정산 간소화서비스에 기부금 내역이 없는 경우

○ 소득세법 제59조의4에 의해 다른 거주자의 기본공제를 적용받지 아니한 기본공제대상자인 배우자가 지급한 기부금은 본인의 연말정산 시 세액공제 가능하나, 이 경우 배우자가 연말정산간소화 자료제공 동의 신청을 하여야 본인의 연말정산 간소화서비스에서 확인 가능합니다

○ 아울러 기부금 간소화 자료의 경우 해당 지정기부금단체에서 전자기부금영수증을 발급한 경우에는 기부자의 연말정산 간소화에 자동반영되지만 전자기부금영수증을 발급하지 않은 경우에는 기부자가(종이)기부금영수증을 직접 발급받아 원천징수의무자에게 제출하여야 연말정산시 세액공제 가능하므로 이 점 참고바랍니다.

출처 대구지방국세청 남대구세무서 납세자보호담당관

◆ 전자기부금 영수증제도(질의 응답)

○ 전자기부금영수증 제도는 모든 기부금단체에 적용되는지?

세법에 규정된 공익법인, 공익단체 등(종전 법정·지정기부금 단체, 기부금대상 민간단체 등)이 전자기부금영수증을 발급할 수 있으며, 이용자의 신고편의를 위하여 도입된 제도로서 의무사항은 아닙니다.

○ 기부금단체의 전자기부금영수증 발급권한 신청방법은?

기부금단체가 홈택스에 접속하여 전자기부금영수증 메인화면에서 기

부금단체 관련 메뉴를 클릭하면 발급권한 신청 메뉴로 자동연결되고, 본 화면에서 인허가증 등을 첨부하여 발급권한을 신청하면 세무서에서 승인 처리 후 발급가능합니다.

○ 전자기부금영수증은 언제 기부한 것부터 발급 가능한지?

'21.1.1. 이후 기부분부터 전자기부금영수증을 발급가능합니다.

○ 기부금단체에 전자기부금영수증 발급(수정·삭제) 요청 방법은?

기부자는 홈택스에서 기부금단체에 기부금영수증 발급(수정·삭제)을 요청할 수 있고, 기부금단체는 기부자의 입금내역 등 기부내역을 확인하여 승인(반려) 처리합니다.

○ 휴대전화번호 발급 방식으로 일괄발급이 가능한지?

일괄발급을 하는 경우 기부자의 휴대전화번호 변경 여부 개별 확인에 어려움이 있어 휴대전화번호 발급은 개별발급만 가능합니다.

관련법령 : 법인세법 제75조의4(기부금영수증 발급·작성·보관 불성실 가산세) 작성부서 : 국세청 대변인 | 044-204-2225

● 비영리법인의 분사무소 명의 기부금영수증 발급 가능여부

○ 민법에 의해 설립된 비영리법인의 경우 본점은 지정기부금단체 지정을 받았으나 분사무소(지점, 지회, 지부 등 포함)에서 분사무소 명의로 기부금영수증을 발급하고 있는 경우

○ 국세청의 답변은 분사무소 명의로 기부금영수증은 발급할 수 없으며, 만약 분사무소 명의로 발급된 경우 불성실가산세를 적용합니다

○ 분사무소가 본점으로 독립되어 있고 고유번호증과 법인등록번호를 가지고 지정기부금단체로 지정 받은 경우에는 가능합니다

5. 후원금(기부금) 관리 요령
● 개 념

○ 기부금이란 아무런 대가없이 무상으로 받은 금품이나 그 밖의 자산

☞ 사회복지사업법 제45조

○ 기부금이란 남는 돈을 좋은 일에 쓰자는 선의의 보편적인 의미로 후원금과 비슷하지만 보편적인 증여를 말함.

● 관련 법령

○ 사회복지법인 및 사회복지시설 재무. 회계규칙 제4장의 2

☞ 이하 "재무회계규칙" 이라 한다

○ 소득세법 제34조, 법인세법 제24조 및 조세제한특례제한법 제76조. 제88조의 4, 기부금품 모집 및 사용에 관한 법률

● 후원금(기부금)의 종류

☞ 법인세법 제24조, 시행령 제35조. 제36조, 시행규칙 제18조

○ 법정 기부금

. 국가나 지방자치단체에 무상을 기증하는 금품의 가액

. 이재민 구호금품의 가액

. 사회복지공동모금회법에 따른 사회복지공동모금회

. 사회복지사업법에 의해 설치된 한국사회복지협의회

. 대한적십자사 등

○ 지정기부금

. 후원자가 후원금의 사용용도를 지정하여 기부하는 경우

○ 비지정기부금

. 후원자가 후원금의 사용용도를 지정하지 않고 후원시설에서 후원목적에 맞게 사용하도록 기부하는 경우

● 비지정기부금의 사용기준(시설관리 p134-p138)

○ 후원자가 사용 용도를 지정하지 않은 비지정후원금은 법인 운영비 및 시설 운영비로 사용하되, 간접비로 50%이상 초과지출 할 수 없음.

. 다만, 간접비 중에서도 업무추진비(기관운영비, 직책보조비, 회의비), 법인회계전출금, 부채상환금, 잡지출, 시설비, 자산취득비, 이자지급금, 예비비로 사용하지 못함.

○ 시설 증개축을 위한 지출은 사전에 주무관청의 승인을 받아야 가능

○ 인건비로 사용 가능하되, 후원금으로 직원 수당 지급 시 근로기준법이나 사회복지시설종사자 가이드라인을 초과할 수 없음.

● 후원금(기부금) 관리 요령

○ 기부금의 수입과 지출은 법인의 대표이사와 시설의 장은 사회복지사업법 제45조에 따른 후원금의 수입. 지출 내용과 관리에 명확성이 확보되어야 함.

☞ 재무회계규칙 제41조의2

○ 후원금 수입. 지출 전용계좌 개설

☞재무회계규칙 제41조의4

○ 모든 기부금의 수입 및 지출은 후원금전용계좌 등을 통하여 처리하여야 한다

☞ 재무회계규칙 제41조의4 제4항

○ 기부금의 영수증 발급 등

☞ 재무회계규칙 제41조의4 제1항

○ 법인의 대표이사나 시설의 장은 후원금을 받은 때에는 "소득세법시행규칙 제101조 제20호의2" 또는 "법인세법 시행규칙 제82조 제7항 제3호의 3"에 따른 기부금 영수증 서식에 따라 후원물품의 경우 위 절차에 따르되 후원물품의 객관적인 구매 증빙자료(거래영수증, 세금계산서 등)를 근거로 환가액을 산정하여 후원금 영수증을 발급하여야 한다.

(다만, 후원금 전용계좌로 입금되었을 때는 후원자가 영수증 발

급을 원하지 않을 시에는 생략할 수 있다)

○ 기부금의 수입 및 사용내용 통보

☞ 재무회계규칙 제41조의5

. 법인의 대표이사와 시설장은 연1회 이상 해당 후원금(물품 포함)의 수입 및 사용내용을 후원금을 낸 법인. 단체 또는 개인에게 통보하여야 한다.

○ 기부금의 영수증 발급, 수입 사용결과 보고 의무 등

☞ 재무회계규칙 제41조의 4, 사회복지사업법 제45조, 제58조 및 시행령 제26조

○ 법인의 대표이사와 시설장은 제19조 및 제20조에 따른 결산 보고서를 제출할 때에 별지 제19호 서식에 따른 후원금수입 및 사용결과보고서를 구청장에게 제출하여야 한다

○ 사회복지사업법 제6조의2 제2항에 따른 시설정보시스템을 활용하여 갈음할 수 있다.

○ 법인의 대표이사와 시설장은 해당 법인 및 시설의 인터넷 홈페이지에 20일 이상 공개하여야 한다. 다만, 후원자의 성명(법인의 경우는 그 명칭)은 공개하지 아니한다.

○ 영수증 미발급 및 사용내역 미보고시에는 사회복지사업법에 의해 300만원 과태료 부과 및 행정처분 대상임

○ 기부금의 용도 외 사용금지

☞ 재무회계규칙 제41조의7

. 법인의 대표이사와 시설장은 후원금을 후원자가 지정한 사용용도외의 용도로 사용하지 못한다.다만, 후원자가 사용용도를 지정하지 아니한 후원금에 대하여 그 사용기준은 보건복지부장관이 따로 정할 수 있다.

○ 후원금의 수입 및 지출은 제10조의 규정에 의한 예산의 편성 및 확정절차에 따라 세입세출예산에 편성하여 사용하여야 한

다.

○ 이월 또는 전. 출입된 후원금 관리

. 후원금을 이월하거나 타 회계로 전출할 경우, 그 세입이 후원금이라는 것을 반드시 명시해야 하며,

. 법인 회계 세입예산과목 구분 중 이월금(08), 이월금(81), 전년도이월금(후원금)(812)로 구분 표시,

. 세출예산과목 구분 중 전출금(04), 전출금(41), 00시설 전출금(후원금)으로 구분 표시

. 법인에서는 시설의 후원금 전용계좌로 반드시 송금하고 법인에서는 후원금으로 처리할 수 있도록 통보조치

◆ **후원품 처리요령**

○ 후원품도 후원금에 준하여 접수를 받으며, 해당 후원시설에 한해 접수 및 영수증 발급이 가능합니다. 임의로 다른 시설로 후원은 불가하므로, 가급적 후원자한테 다른 시설에 직접 후원품을 전달하도록 안내하시는게 바람직합니다

 - (예시) 사회복지공동모금회나 사회복지협의회 또는 지자체로부터의 후원품은 접수(인수증)만하고 영수증은 시설에서 중복발급하지 아니합니다

○ 지역상품권이나 온누리상품권은 후원금은 아니므로 후원품에 준하여 접수를 하되 별도 수불대장을 비치하여 관리하여야 합니다.

◆ **후원금 관리 유의사항(질의응답)**

○ 후원금 모집 및 사용시 '재무회계규칙'과 별개로 "기부금품의 모집 및 사용관한 법률"에서 정하는 모집절차와 사용방법을 준수해야 함

○ 사회복지법인은 "법인세법시행령" 제39조제2항제1호가목에 따른 지정기부금단체에 해당되며,

같은 조 제6항 및 "법인세법시행규칙" 제19조제1항에 따라 의무이행

여부를 사업연도 종료일로부터 4개월이내 관할세무서에 보고하여야 함

○ 지정후원금의 경우 지정된 용도로 사용하도록 사후관리가 되어야 함에도 일부 시설에서는 형식상 지정 후원금으로 입금후 사실상 지정 용도 없이 사용하거나 지정된 용도를 "시설 운영비" 등 포괄적으로 명시하여 수납하는 위반 사례

○ 사회복지법인에 후원하는 경우 그 지정 용도가 해당 법인의 권리능력 범위 내일 것

○ 모금기관에서 받은 배분금의 회계처리기준은 지정후원금으로 관리하되, 모금기관으로부터 배분금을 받는 경우에는 기탁서를 받지 하지 아니하므로, 기탁서 대신 구체적인 용도가 지정된 공문 및 사업계획서, 계약서 등(또는 공고문, 수행기관 선정 공문)을 근거로하여 지정후원금으로 회계처리

(사회복지공동모금회, 한국사회복지협의회)

○ 특정인에 대한 직책보조비 등 공익법인의 후원취지와 맞지 않는 용도로 지정토록 유도하는 행위는 "법인세법 시행령" 제39조제1항제1호바목에 따라 직접 수혜자가 불특정 다수가 아닌 기부에 해당하여 지정요건을 충족히지 않으므로 금지

○ 고유목적사업 외의 용도로 지출하는 후원금 또는 특수관계인 간 후원의 세법상 문제점

- 후원자에게는 기부금으로 인정되지 아니하여 연말정산 등에 기부금 공제를 받지 못할 수 있음(법인세법시행령 제39, 소득세법시행령 제79조, 제80조)

- 공익법인 등이 출연받은 재산가액은 증여세 과세에 산입하지 아니하나 3년이내 직접 공익목적사업 등에 사용하지 아니하거나 , 3년 이후 직접 공익 목적사업 등에 계속하여 사용하지 아니하는 경우는 공익법인에 증여세를 부과(상증법 제48조)

○ 고유목적사업 외의 용도로 지출하는 후원금 또는 특수관계자간 후원의 관련 법령(상증법시행령)

- "법인세법 시행령" 제56조제11항에 따라 고유목적에 지출한 것으

로 보지 아니함

 - 공익법인 등이 이사장에게 지급하는 거마비, 경조사비, 판공비 등은 고유목적사업을 수행하기 위한 경비로 볼 수 없음(국세청 유권해석 상증, 서일46014-10258, 2002.02.28.)

 ○ 현금을 출연받아 금융기관에 예금하여 수입하는 이자(배당)소득으로 해당 공익법인의 정관상 고유 목적사업의 수행에 직접 사용하는 경우에는 그 현금은 직접 공익목적사업에 사용한 것으로 보는 것임(국세청 유권해석 상증, 재산세과-429, 2012.11.30.)

 ○ 사회복지업무수당 지급사례(시설관리p142)

 - 종사자에게 지급되는 사회복지업무수당이 공무원에게 지급되는 사회복지업무수당이상의 금액으로 지급되는 경우, 기존대로 사회복지업무수당지급은 가능하나, 비지정후원금으로 추가 지급은 불가능함

 - 사회복지업무수당이 지급되지 않았던 경우 비지정후원금으로 공무원에게 지급되는 사회복지업무수당 한도 내에서 지급 가능

● 당연 지정기부금단체

 ○ 사회복지법인이나 영유아보육법상 어린이집은 법인세법 시행령 제39조제1항에 따른 지정기부금 단체로 별도 신고가 필요 없음

 ○ 이외 비영리법인의 경우 「법인세법 시행령」제39조 제1항 제1호 바목의 요건을 모두 충족하는 민법상 사단·재단·사회적협동조합·비영리외국법인·공공기관(공기업 제외) 또는 법률에 따라 설립된 기관 및 아래에 해당되는 단체 등은 지정기부금단체 추천 신청 대상 법인에 해당되므로

 ○ 추천 신청 사항은 "국세청 홈페이지> 국세신고안내 - 법인 신고안내 > 공익법인 > 지정기부금단체 추천 신청"을 참고하시기 바랍니다.

 ○ 2021. 1 .1. 이후 지정기부금단체 등을 지정하는 경우부터 비영리법인 등이 국세청(소재지 관할 세무서)에 지정기부금단체

지정 신청하고, 국세청에서 기획재정부에 추천하는 것으로 지정 신청·추천기관이 주무관청에서 국세청으로 변경되었습니다.

○ "국세청 홈페이지> 국세신고안내 /법인신고안내 /공익법인 /지정기부금단체 추천 신청"

○ 법인세법 시행령 제39조 제1항 제1호

● 기부금 홈페이지 공시

○ 대표이사와 시설장은 사회복지법인.시설 재무회계규칙 제20조에 의해 관할 시장.군수.구청장에게 결산 보고서를 제출할 때 후원금 수입 및 사용결과 보고서를 함께 제출(이 경우 반드시 전자파일로 제출하여야 함)

○ 재무회계규칙 제41조의6 제2항에 따라 시장, 구청장.군수는 제출받은 후원금의 수입 및 사용결과 보고서를 제출받은 날로부터 20일 이내에 인터넷(홈페이지) 등을 통하여 3개월간 공개

- 같은 기간 동안 법인의 대표이사 및 시설장도 후원금 수입 및 사용결과보고서를 법인 및 시설의 게시판과 인터넷 홈페이지에 공개

- 재무회계규칙 제41조의6 제3항에 따라 후원금 수입 및 사용결과 공개는 사회복지시설정보시스템에 게시하는 것으로 갈음할 수 있다고 되어 있음

○ 상속세 및 증여세법 제50조의3 및 시행령 제43조의3에 따라 매년 3월 말까지 국세청 홈택스에 기부금 모금액 및 활용실적을 제출(공시)하여야 함

○ 법인의 경우 법인세법 시행령 제38조제3항에 의하면 기부금 단체의 홈페이지가 개설되어 있고, 인터넷 홈페이지를 통하여 연간 기부금 모금액 및 활용실적을 공개한다는 내용이 정관에 포함되어 있어야 함

※ 기부금영수증 발급기관은 기부금영수증 발급명세(별지 제29호의7서식(1)) 또는 발부한 기부금영수증 사본을 보관하고 있다가, 국세청에서 이 자료를 요청하는 경우 제출해야 하는 의무가 있습니다.

또한, 회계연도가 끝나고 국세청에 기부금영수증 발급 명세서를 제출해야 합니다

● 전자기부금영수증

○ 기부금단체가 '21.1.1. 이후 기부를 받는 분부터 홈택스를 통해 기부금영수증을 전자로 발급할 수 있는 제도입니다.

○ 종전에는기부자가 기부금단체에 일일이 연락하여기부금영수증을발급받아 제출하고, 기부금단체는 기부자별 발급명세 등법정서식을 제출하는 불편함이 있었으나,

○ 전자기부금영수증을 발급하면「연말정산간소화 서비스」에 자동 반영되고, 소득(법인)세 등 신고증빙자료로 즉시 활용 가능하며,법정서식 제출의무가 면제됩니다.

◆(기부금종류)

- 특례기부금 ; 국가.지자체 등에 낸 기부금(재난지역 자원봉사, 국군자명 위문금,불우이웃돕기, 대한적십자사 등)

- 일반기부금 : 비영리법인, 종교단체, 공익법인에 낸 기부금(학술단체, 유치원, 사회복지법인 등)

- 정치자금기부금 ; 후원 정당,선관위에 낸 기부금

- 우리사주조합기부금 ; 회사의 우리사주조합에 낸 기부금

● 제도의 도입효과

○ 기부자 혜택

- (신고편의 제고)전자기부금영수증 발급내역을연말정산간소화 서비스에 자동으로 반영하고,소득(법인)세 등 신고증빙자료로 활용가능함으로써, 기부자는 별도로 기부금영수증을 제출하지 아니하여도 공제가 가능하여수동으로 발급받아 제출하는 불편함

이 해소됩니다.

- (가산세 부담완화) 사실과 다른 기부금영수증 발급및 발급권한이 없는비적격단체의 영수증 발급행위가 방지되어 부당공제로 인한 가산세 부담이 완화됩니다.

○ 전자기부금영수증 발행 적용 근거법령

- 사회복지시설의 경우 대부분 법인세법시행령 제39조제1항4호

- 당연지정기부금단체로 작용하시면 됨

◆ **공제받지못한 기부금 소멸 여부(기부금세액공제)(질의응답)**

안녕하십니까?

국세 행정에 관심을 가져주셔서 감사합니다.

귀하의 민원내용은 "당해연도 공제받지 못한 기부금세액공제"에 대한 문의로 판단됩니다.

당해연도 공제받지 못한 법정, 지정 기부금은 해당 과세기간의 다음 과세기간의 개시일부터 10년(2013.1.1. 이후 기부분부터 적용) 이내에 끝나는 각 과세기간에 이월하여 기부금세액공제액을 계산하여 그 금액을 종합소득산출세액에서 공제가능합니다. 단, 조세특례제한법에 따른 정치자금기부금과 우리사주조합기부금은 이월공제가 허용되지 않습니다.

참고로 같은 유형의 기부금 중 이월된 분과 당해연도 분이 동시에 있는 경우 우선 이월된 기부금을 먼저 공제한 후 당해연도 기부금을 공제합니다.

앞으로도 국세행정에 대한 지속적인 관심과 협조를 보내주시기 바라며, 기타 이와 관련하여 궁금하신 사항은 국세상담센터(국번없이126)로 상담전화를 하시거나, 국세청 홈택스(http://hometax.go.kr) 홈페이지의 인터넷상담 바로가기를 클릭하여 상담할 수 있음을 알려드립

니다.

2023-06-12 담당부서

국세청 서울지방국세청 마포세무서 납세자보호담당관
관련법령
소득세법 / 제61조(세액감면액 및 세액공제액의 산출세액 초과 시의 적용방법 등)
첨부파일

● 기부금영수증발급합계표 제출(홈택스)

○ 홈택스에서 기부금영수증발급합계표를 신고제출하면 되며, 희망이음에서 기부금영수증발급합계표를 조회하여 그 화면 그대로 홈택스에 입력제출하면 됨

○ 희망이음/후원관리/후원영수증발행목록/ 화면 오른쪽 조회 아래보시면 기부금영수증발급합계표가 있음

● 기부금영수증 홈택스 발급

○ 국세청에서 운영하는 "연말정산간소화서비스" 이용기간에 한해서 가능하며

○ 시설의 사통암 매뉴중 후원자관리/ 연말정산간소화 서비스 등록/후원자료 생성하여 연결하면 됨

○ 비영리법인의 경우 기부금수입내역을 다음연도 4월말까지 국세청 홈택스에 공시하여야 함

◆ 재능기부에 대한 기부금 영수증 발급 여부

○ 기획재정부에서는 소득세법 시행령 제81조(기부금, 접대 등)에 대해서 특별재난구역의 재난복구를 위한 자원봉사한 경우에 한해 그 용역가액을 산정하도록하고 있습니다.
○ 이외 일반재능기부의 경우는 기부금영수증 발급대상이 아닙니다
출처 한국사회복지관협회

◆ 연말정산 간소화 서비스(기부금)(질의응답)

안녕하십니까?항상 국세행정에 대한 관심에 감사드립니다.

귀하께서 국민신문고를 통해 제출하신 민원이 우리세무서로 지정되어 답변드리겠습니다.

○ 연말정산 간소화서비스에 기부금 내역이 없어서 문의하신 걸로 이해가 됩니다

「소득세법」 제59조의4에 의거 다른 거주자의 기본공제를 적용받지 아니한 기본 공제대상자인 배우자가 지급한 기부금은 본인의 연말정산 시 세액공제 가능하나 이 경우 배우자가 연말정산간소화 ´자료제공 동의신청´을 하여야 본인의 연말정산 간소화 서비스에서 확인이 가능합니다.

○ 아울러 기부금 간소화 자료의 경우 해당 지정기부금단체에서 전자기부금영수증을 발급한 경우에는 기부자의 연말정산 간소화에 자동반영이 되지만 전자기부금영수증 을 발급하지 않은 경우는 기부자가 (종이)기부금영수증을 직접 발급받아 원천징수 의무자에게 제출하여야 연말정산 시 세액공제 가능하므로 이 점 참고하시기 바랍니다.

○ 앞으로도 국세행정에 대한 지속적인 관심과 협조를 보내주시기 바라며, 이와 관련하여 추가로 궁금하신 사항이 있으면 국세청콜센터(국번없이 126)로 문의하여 주시면 친절하게 상담해 드리겠습니다.감사합니다.

2023-06-09

담당부서 국세청 대구지방국세청 남대구세무서 납세자보호담당관
관련법령 소득세법 / 제59조의4(특별세액공제)

※ 비지정후원금 사용을 위한 시설 운영비 구분(사회복지시설관리안내.p151)

과목		직접비	간접비	비고
관	항	목		
사무비	인건비	• 급여 및 제수당 • 기타 후생경비 • 일용잡급 • 퇴직금 • 퇴직적립금 • 사회보험부담금		수당은 근로기준법 또는 지침에서 정하는 수당 기준을 초과할 수 없음 전체 비지정후원금 집행액의 50% 범위 내에서만 가능
	업무추진비		기관운영비 직책보조비 회의비	사용 불가(다만, 후원금 모집을 위한 회의비 등에는 15% 이내에서 가능)
	운영비	• 공공요금 • 차량비 • 여비 • 수용비 및 수수료 • 제세공과금	기타 운영비	
재산조성비	시설비	• 시설장비유지비	시설비 자산취득비	주무관청의 사전 승인을 받은 경우에 사용 가능 (토지. 건물은 제외)
사업비	운영비	• 생계비 • 수용기관경비 • 피복비 • 의료비 • 장의비 • 직업재활비		

과목		직접비	간접비	비고
관	항	목		
		• 자활사업비 • 특별급식비 • 연료비		
	교육비	• 수업료 • 학용품비 • 도서구입비 • 교통비 • 급식비 • 학습지원비 • 수학여행비 • 교복비 • 이미용비 • 기타교육비		
	00사업비	00사업비		
전출금	전출금		• 법인회계전출금	사용 불가
과년도지출	과년도지출		• 과년도지출	
상환금	부채상환금		• 원금상환금	사용 불가
			• 이자지불금	사용 불가
잡지출	잡지출		• 잡지출	
예비비 및 기타	예비비 및 기타		• 예비비	사용 불가
			• 반환금	
적립금	운영충당적립금		• 운영충당적립금	사용 불가
준비금	환경개선준비금		• 시설환경개선준비금	사용 불가

8 근로자퇴직급여보장법

● 목 적

○ 근로자 퇴직급여제도의 설정 및 운영에 필요한 사항을 정함으로써 근로자의 안정적인 노후생활 보장에 이바지함을 목적으로 한다.

● 퇴직금의 적립과 적립 기준

○ 이사장(시설장)은 종사자의 퇴직금 지급 사유 발생을 대비하여 근로자퇴직급여보장법에 따라 퇴직금을 퇴직연금으로 적립하여야 한다. 다만, 법 시행 이전에 적립하고 있는 퇴직금은 퇴직적립금으로 운용할 수 있다.

  - 현재 대부분 시설에서는 인건비 상승에 따른 퇴직금 적립액수의 인상에 대비하기 위하여 퇴직연금으로 적립하고 있다.

○ 퇴직금 적립 기준은 매년도 말 인건비(보수와 제수당을 합한다)의 총액 대비 1/12이상을 적립하고 결산 시 정산하여 과부족이 없도록 하여야 한다. 과부족 시에는 다음 연도 추경에 반영하여야 한다.

  - 지급률은 근속연수 1년에 대하여 1개월의 평균임금(퇴직 전 3개월간 월 평균임금 산정)을 지급하는 지급률로 한다.

  - 퇴직금의 산정은 고용노동부 홈페이지에 메뉴를 활용하면 편리하다.

○ 퇴직금은 퇴직자가 청구한 날로부터 14일 이내 지급하여야 한다. 다만 계속근로기간이 1년미만의 경우 지급하지 아니한다.

○ 퇴직금의 중간정산 사유는 법에서 정하는 사유이외는 금지된다.

● 퇴직연금의 가입

○ 모든 퇴직연금의 가입에는 해당 사업장의 퇴직연금규약이 존재
하여야 한다.

○ 퇴직연금규약에는 대부분 가입자의 선택권이 규정되어 있다.
   - 최초 은행을 통해 퇴직연금 가입하였던 절차에서 퇴직연금제
     도입의 근로자 동의서를 받아 정비된 규약을 말한다.
   - DB형은 사업장이 가입자이며, DC형은 근로자가 퇴직연금가
     입자이다.

○ 퇴직연금규약은 근로자퇴직급여보장법 시행규칙에 따라 노동조
합의 동의나 근로자 과반수 이상의 동의를 받아 관할 지방노
동청에 신고(변경 포함)하여야 한다.

● 퇴직금 등의 계산 방법

○ 퇴직자의 퇴직금 계산은 고용노동부의 사이트 "퇴직금 계산
기"를 활용하여 입력하면 된다.

   - 퇴직자 마지막 "월급" 지급 시 챙겨야 하는 사항
     으로

○ 4대보험 정산액 발생

○ 중도퇴사자 연말정산 소득세(지방소득세 포함) 정산액 발생하
며, 그 정산액은 + 일 수도, - 일 수도 있습니다.

○ 퇴직금이 있다면, 위 급여에서 뗀 것과 별도로 퇴직금에 대한
퇴직소득세(퇴직소득 지방소득세 포함)가 발생합니다.
일정액 이상이라면 퇴직소득세가 나오므로 퇴직금 실제 수령
액은 퇴직소득세를 뺀 금액입니다.

○ "4대보험 정산액"과 "소득세 연말정산"으로 인해 월 급여 실
제 수령액은 전월과 다를 수 있습니다.

● 회사에서 퇴직하는 근로자에게 퇴직금을 지급할 시에는

○ 세금을 계산하여, 소득세와 지방소득세를 원천징수(공제)한 후 나머지 금액을 지급하게 되겠습니다.

● 1년미만 종사자의 퇴직금 정리

○ 1년미만 종사자의 경우 퇴직금 지급 대상은 아닙니다. 적립된 퇴직적립금을 과년도분과 당해연도분으로 우선 구분하시고

○ 과년도분은 주무관청에 협의하여 지정계좌에 반납하시면 되고

○ 당해연도분은 시설회계의 퇴직적립금 계정에 여입하고 연말결산에 보조금 반납시 함께 반납하시면 됩니다. 기타 자세한 사항은 주무관청의 담당자와 협의하시는게 좋을 듯합니다

◆ 퇴직급여제도(질의응답)

○ 「근로자퇴직급여보장법」 제4조에 따라 사용자는 사업장에서 4주간 평균하여 1주간의 소정근로시간이 15시간 이상이고 계속근로기간 1년 이상인 근로자가 퇴직하는 경우 급여를 지급하기 위하여 퇴직급여제도를 설정하여야 합니다.

　- 퇴직급여 지급을 위한 계속근로기간이라 함은 근로계약 체결 시부터 해지할 때까지의 기간을 말하는 것으로, 동일한 사용자와 근로계약을 체결하여 사용종속관계를 유지하면서 근로를 제공한 기간은 퇴직금 산정을 위한 계속근로기간에 포함되는 것이 원칙입니다.

○ 귀 질의내용에 대한 구체적인 사실관계를 알 수 없어 정확한 답변은 곤란하나, 당사자가 자율적으로 채용한 근로계약기간의 만료로 근로관계가 유효하게 종료되었다면, 퇴직금 산정을 위한 계속근로기간에 포함되지 아니할 것입니다.

　- 그러나, 기간제 근로자로 계속 근로관계를 유지하고 있는 상태에

서 무기계약직 근로자로 전환된 경우라면, 이는 기간제에서 무기계약직으로 고용형태만 변경된 것에 불과하므로 기간제 근로자로 근무한 기간도 퇴직금 산정을 위한 계속근로기간에 포함되어야 할 것으로 사료됩니다.(임금복지과-591, 2009.6.15. 행정해석 참조) 끝.

출처 : 고용노동부 퇴직연금복지과-86, (2016.3.4.

◆ **법인 대표이사 겸 시설장에 대한 퇴직급여 적립**

법인 대표이사 겸 시설장에 대한 퇴직급여 적립 관련 보건복지부 유권해석

○ 사회복지법인 대표자 겸 시설장은 근로가가 아닌 사용자에 해당한다고 볼 수 있으므로 「근로기준법」 및 「근로자퇴직급여 보장법」에 다른 퇴직금 지급대상(근로자)에 해당하지 않음.

(보건복지부 장애인권익지원과-3710, 2018. 7. 11.)

○ 사용자는 근로자퇴직급여 보장법에 따라 퇴직하는 근로자에게 계속근로기간 1년에 대하여 30일분 이상의 평균임금을 퇴직금으로 지급할 수 있는 제도를 설정하여야 하므로 장애인직업 재활시설 설치·운영자는 종사자의 퇴직금을 지급하여야 함. 그러나 법인 대표이사 겸 장애인직업재활시설의 장인 경우에는 근로자의 지위를 인정할 수 없어 퇴직금을 지급할 수 없음.

(보건복지부 장애인자립기반과-3761, 2017. 5. 17.)

○ 최종적인 판단은 관련 법률 소관부처인 고용노동부에 문의하여 판단받는 것이 적절하나, 판단 결과 법인 대표이사 겸 장애인직업재활시설의 장이 퇴직연금 가입 의무대상이 아닌 것(「근로기준법」상 근로자가 아닌 경우)으로 확인될 경우에는 근로자를 그 적용대상으로 하는 「근로자 퇴직급여 보장법」의 제 규정을 적용받지 못함 - 마찬가지로 퇴직연금 가입 의무대상이라면 당연히 해당 분류를 근거로 법인

의 비지정후원금 사용이 가능할 것으로 보이나, 그렇지 않
다고 확인될 경우(「근로자퇴직급여 보장법」상 근로자가 아
닌 경우)에는 법인의 비지정후원금으로 지급하기에는 적절
하지 않을 것으로 사료됨.
(보건복지부 장애인자립기반과-437, 2018. 1. 16.)

⑨ 업무추진비 집행 대상 직무활동 범위(규칙)

- 지방자치단체장의 업무추진비 집행에 관한 규칙 제3조를 준용

● 시설의 장 등 업무추진비 집행대상 직무활동 범위

○ 이재민 및 불우소외계층에 대한 격려 및 지원
  - 해당 사회복지시설(이하 "시설"이라 한다) 관할에서의 재난·사고가 발생한 경우 이재민 또는 피해자에 대한 격려금품 지급 및 식사(다과·주류를 포함한다. 이하 같다) 제공
  - 해당 시설 구역에서 재난·사고가 발생한 경우 이재민, 피해자 및 그 유가족, 재난복구 종사자 등에 대한 격려금품 지급 및 식사 제공
○ 시책 또는 지역 홍보
  - 다른 기관·단체와의 협약식에 따른 기념품 증정 또는 교환, 관계자에게 식사 제공
  - 내방객에게 의례적인 수준의 다과 접대
  - 해당 시설의 시책사업 홍보를 위하여 직무관련 관계자 간담

회를 개최할 경우 식사 제공

○ 학술 · 문화예술 · 체육활동 유공자 등에 대한 격려 및 지원

　- 공연단, 악단, 영화 · 연극단, 예술단, 학술단체, 사물놀이
단, 합창단, 공공기관, 및 시범단체 등이 해당 시설에서의 공
연행사를 하는 경우 현장 종사자에게 식사 제공이나 다과 접대

　- 해당 시설 자원봉사활동을 하는 자원봉사자 · 단체 · 센터에
대한 식사 제공

○ 업무추진을 위한 각종 회의 · 간담회 · 행사

　- 해당 시설의 직무관련 시책사업을 추진하고 있거나 추진을
완료한 사람으로서 사업추진에 기여한 공로가 있거나 원활한
사업추진을 위한 격려가 필요하여 사업추진 관계자에게 식사
제공

　- 해당 시설에서 주최하는 회의 참석자에게 식사 제공. 이 경
우 회의는 해당 시설의 사무 수행을 목적으로 하며 사전에
구체적인 회의 방법과 참석 범위를 정하여야 한다.

　- 해당 시설에서 주관하는 직무와 직접 관련된 행사(「공직선거
법」 제86조제2항 제4호에 따라 제한되는 행사가 아닌 경우
를 말한다) 관계자에게 식사 제공

　- 다른 지방자치단체, 국가기관, 공공단체, 민간단체, 학회,
협회 또는 시설 등이 벤치마킹, 교육, 현지조사 · 견학 등을
위하여 해당 시설을 방문한 경우 그 방문자에게 식사 제공

○ 소속 상근직원에 대한 격려 및 지원

　- 해당 시설의 직원이 부상을 당하거나 사망한 경우 유족에게
지급하는 위로금품

　- 소속 직원 중 공로가 많은 퇴직 직원에게 격려금품 지급

　- 소속 직원이 전국 단위 또는 시 · 도 단위 평가에서 우수한
성적으로 입상한 사람 또당 부서에 대한 격려금품 지급

- 소속 직원에게 업무추진에 대한 격려를 위한 식사 제공
- 소속 직원 중 재난, 재해, 사건사고 등으로 비상 근무하는 직원에게 식사 제공
- 해당 지방자치단체의 장 또는 간부 공무원이 소속 기관 또는 하급기관) 또는 다른 기관에서 방문하는 경우 그 직원에게 업무추진에 대한 격려를 위한 의례적인 다과 지급

○ 업무추진 유관기관 협조
- 해당 시설의 직무와 관련된 기관이나 단체와의 회의, 업무협조를 위한 의례적인 다과지급 및 식사 제공
- 해당 시설 관할 구역 내 유관기관의 장이 퇴임 또는 전·출입하는 경우 의례적인 화환·화분·제공
- 각종 국경일의 기념식, 공공기관 이전 또는 공공시설의 개소에 따른 의례적인 수준의 화환·화분 제공

○ 직무수행과 관련된 통상적인 경비
- 내방객에게 제공하는 의례적인 음료·다과재료의 구입
- 해당 시설 직원의 축의·부의금품
- 지급대상 범위 : 결혼 또는 사망
- 지급 대상자 : 대상자 본인과 배우자, 본인과 배우자의 직계존비속

○ 그 밖에 법인에서 특별히 직무수행과 관련이 있다고 인정하는 경우 해당 부서에 대한 격려품 지급
- 소속 직원에게 업무추진에 대한 격려를 위한 식사 제공
- 소속 직원 중 재난, 재해, 사건사고 등으로 비상 근무하는 직원에게 식사 제공
- 해당 지방자치단체의 장 또는 간부 공무원이 소속 기관 또는 하급기관) 또는 다른 기관에서 방문하는 경우 그 직원에게 업무추진에 대한 격려를 위한 의례적인 다과 지급

○ 업무추진 유관기관 협조
  - 해당 시설의 직무와 관련된 기관이나 단체와의 회의, 업무협
    조를 위한 의례적인 다과지급 및 식사 제공
  - 해당 시설 관할 구역 내 유관기관의 장이 퇴임 또는 전·출
    입하는 경우 의례적인 화환·화분·제공
  - 각종 국경일의 기념식, 공공기관 이전 또는 공공시설의 개소
    에 따른 의례적인 수준의 화환·화분 제공
○ 직무수행과 관련된 통상적인 경비
  - 내방객에게 제공하는 의례적인 음료·다과재료의 구입
  - 해당 시설 직원의 축의·부의금품
  - 지급대상 범위 : 결혼 또는 사망
  - 지급 대상자 : 대상자 본인과 배우자, 본인과 배우자의 직계
    존비속
○ 그 밖에 법인에서 특별히 직무수행과 관련이 있다고 인정하는
  경우

1️⃣0️⃣ 사회복지와 세금(4대보험)

1. 원천징수

● 정의

 ○ 소득자에게 소득을 지급하는 자가 소득자의 세금을 미리 징
수하여 납부하는 제도로서 소득세, 지방소득세, 법인세 등이 있
다
 ○ 원천징수의무자
 - 세법에서 규정한 원천징수 대상 소득 또는 수입금액을 지급

하는 개인이나 법인

 ○ **원천징수 대상**

 - 사업소득, 근로소득, 기타소득, 퇴직소득 등

 - 법인세

 - 지방소득세 특별징수

● **원천징수제외 대상**

 ○ 소득세.법인세가 과세되지 아니하거나 면제되는 소득

 ○ 과세최저한이 적용되는 기타소득금액

 ○ **건별 5만원이하인 경우**

● **원천징수배제**

 ○ 소득세가 종합소득세에 합산되어 종합소득세에 과세된 경우

 ○ **소액부징수로 원천징수 세액이 당해 세액이 1천원 미만인 경우**

구 분	검토 내용
원천징수의무자 납부 여부	이미 소득자가 종합소득세 등 신고시 합산하여 납부한 경우 납부할 필요 없음
가산세 적용 여부	원천징수 등 납부지연가산세 부과대상임
지급명세서 제출 여부	원천징수대상 소득에 대해 원천징수 여부와 관계없이 지급명세서 제출해야 함
지급명세서 미제출시 불이익	지급명세서 미제출 가산세 적용대상임

● **원천징수의 시기**

 ○ 원천징수의무자가 소득금액 또는 수입금액을 지급한 때이다. 다만 1월부터 11월까지 근로소득을 12월 31일까지 지급하

지 아니한 경우는 12월 31일을 원천징수시기로 본다

구분	원천징수시기 특례 적용
근로 소득	1일부터 11월까지 근로소득을 12월 31일까지 지급하지 않은 경우 → 12월 31일 12월분 근로소득을 다음연도 2월 말일까지 지급하지 않은 경우 → 2월 말일
이자·배 당 소득	법인이 이익 처분 등에 따른 배당·분배금을 처분을 결정한 날부터 3개월이 되는 날까지 지급하지 아니한 경우 → 3개월이 되는 날 (다만, 11월 1일부터 12월 31일까지의 사이에 결정된 처분에 따 라 다음 연도 2월 말일까지 배당소득을 지급하지 아니한 경우 → 처분을 결정한 날이 속하는 과세기간의 다음 연도 2월 말일)
기타 소득	법인세법 제67조에 따라 처분되는 배당과 기타소득 (법인세 과세표준 결정 또는 경정) 소득금액변동통지서를 받은 날 (법인세 과세표준 신고) 그 신고일 또는 수정신고일
사업 소득	1월~11월의 연말정산 사업소득을 12월 31일까지 미지급 → 12 월 31일 12월분 연말정산 사업소득을 다음연도 2월 말일까지 미지급 → 2 월 말일
퇴직 소득	1월~11월 퇴직자의 퇴직소득을 12월 31일까지 미지급 → 12월 31일 12월 퇴직자의 퇴직소득을 다음연도 2월 말일까지 미지급 → 2월 말일

● 원천세 신고 납부

○ 원천징수이행신고서를 작성하여 홈택스 또는 우편으로 관할 세무서에 징수일이 속한 달의 다음달 10일까지 신고하여야 한다

○ 원천징수세액은 그 징수일이 속하는 달의 다음달 10일까지 원천징수세액납부서에 원천징수한 세액을 기재하여 금융기관에 납부하여야 한다

● **원천징수영수증의 발급**

○ 원천징수의무자는 소득 지급할 때에 그 소득의 금애과 그 밖의 필요한 사항을 적은 원천징수영수증을 그 소득을 받는 사람에게 발급하여야 한다

○ 중도퇴사자는 퇴직일 속하는 날까지의 근로소득에대하여 그 퇴직일이 속하는 달의 급여지급일 다음 달 말일까지 교부

○ 일용근로자는 지급일이 속하는 분기 마지막 달의 다음 달 말일

○ 퇴직소득은 그 지급일의 다음 달 말일까지 교부

● **원천징수 지급명세서의 제출**

○ 원천징수의무자는 지급명세서를 다음의 제출시기까지 관할 세무서장에게 제출하여야 한다

- 근로.퇴직.사업소득은 다음연도 3월10일까지

- 일용근로소득은 그 지급일이 속하는 분기의 마지막 달의 다음 달 말일

- 그밖의 소득은 그 지급일이 속하는 연도의 다음연도 2월말일

● **지급명세서 제출 불성실가산세**

- 기한 내에 제출하지 아니하였거나, 제출된 지급명세서가 불분명하거나 기재된 지급금액이 사실과 다른 경우 제출하지 아니한 지급금액 또는 불분명한 지급금액의 1%(일용근로소득·간이지급명세서 0.25%)을 결정세액에 가산하여 징수

다만, 제출기한이 지난 후 3개월 이내에 제출하는 경우에는 지급금액의 0.5%(간이지급명세서(근로소득) 0.125%), 일용근로소득·간이지급명세서(거주자의 사업소득)는 제출기한이 지난 후 1개월 이내에 제출하는 경우 지급금액의 0.125%를 결정세액에 가산

- 일용근로소득·간이지급명세서(거주자의 사업소득) 미제출 가

산세 유예 : 소규모사업자(상시 고용인원 20인 이하인 사업자로서 반기별 원천징수세액 납부자)가 종전 제출기한까지 제출시 미제출가산세 미부과 ('21.7.1~'22.6.30.까지 지급분)

 -일용근로소득·간이지급명세서(거주자의 사업소득) 불분명(허위)금액이 총지급액 대비 5%이하인 경우 지급사실 등 불분명(허위)가산세 미부과

(가산세 한도)과세기간 단위로 1억원(중소기업·사업자가 아닌 자는 5천만원) 다만, 고의적으로 위반한 경우 당해 한도를 적용하지 아니함

● 지급명세서 제출시기

구 분	소득지급 시기	제출기한	가산세 50% 경감 기한
근로·퇴직·사업	1월~ 12월	다음연도 3월 10일	다음연도 6월 10일
일용근로소득	1월~ 12월	지급일이 속하는 달의 다음달 말일	제출기한이 지난 후 1개월 이내
간이지급명세서 (근로소득)	1월~ 6월	7월 말일	10월 말일
	7월~ 12월	다음연도 1월 말일	다음연도 4월 말일

간이지급명세서 거주자 사업소득	1월~ 12월	지급일이 속하는 달의 다음달 말일	제출기한이 지난 후 1개월 이내
이자·배당·기타소득 등 그 밖의 소득	1월~12월	다음연도 2월말	다음연도 5월말

● **원천징수의무 불이행시**

○ **가산세부과**

● **원천징수의무자**

○ 원천징수의무자는 국내에서 거주자나 비거주자, 법인에게 세법에 따른 원천징수 대상 소득 또는 수입금액을 지급하는 개인이나 법인임

○ 이자·근로·퇴직·기타소득을 지급하는 자가 사업자등록번호 또는 고유번호가 없는 개인인 경우에도 원천징수의무자에 해당되어, 원천징수한 세금을 신고·납부 및 지급명세서 제출의무가 있음

다만, 사업소득을 지급하는 자가 사업자가 아닌 개인인 경우 원천징수의무는 없음

◆사례

사인간 금전거래시에는 이자소득 원천징수, 경품 당첨금 지급시에는 기타소득 원천징수 대상에 해당이 되며, 뇌물과 같은 경우에는 기타소득에는 해당이 되나 원천징수 대상에는 해당하지 않음

● **지방소득세 특별징수**

○ 원천징수의무자가 소득세·법인세를 원천징수한 경우 지방소득세를 소득세 등과 동시에 특별징수

○ 특별징수하는 지방소득세의 납세지

구 분	납세지
근로소득 및 퇴직소득에 대한 지방소득세	근무지 관할 지방자치단체
이자소득·배당소득 등에 대한 소득세 및 법인세의 원천징수 사무를 본점 또는 주사무소에서 일괄처리 하는 경우 지방소득세	소득의 지급지를 관할하는 지방자치단체

○ 원천징수의무자가 소득세·법인세를 원천징수한 경우 지방소득세도 함께 특별징수

● **개인(법인) 지방소득세** : 소득(법인)세액의 10%

○ 조세조약에 따라 지방소득세가 포함된 제한세율을 적용하는 경 우[1]지방소득세 계산방법

- 법인(소득)세 = 과세표준(지급액) × 제한세율 × 10/11
- 지방소득세 = 과세표준(지급액) × 제한세율 × 1/11

○ 납부방법

징수일이 속하는 달의 다음달 10일(반기별 납부대상 원천징수의무자는 반기 마지막 달의 다음달 10일까지)까지 지방세법상 특별징수세액의 납부서에 계산서와 명세서를 첨부하여 납부

인터넷을 이용한 지방소득세 신고납부

인터넷을 이용한 지방소득세 신고납부 - 구분, 지방소득세 신고납부 홈페이지 포함

○ **사업자단위과세 사업자**

사업자단위로 등록한 법인은 본점 등을 원천징수세액의 납세지로 함

○ 사업자단위과세제도란?

사업자가 2이상의 사업장을 가지고 있는 경우로서 해당 사업자의 본점, 주사무소를 관할하는 세무서장에게 등록을 한 후, 본점 또는 주사무소에서 신고·납부하여 납세편의를 도모하는 제도

◆ **동일 사업장 여부(질의응답)**

○ [질의] 비영리법인이 각각 운영하는 사회복지 시설들이 동일사업 또는 개별 사업장인지 여부 *각 시설의 대표는 법인 대표로 되어 있고 정부에서 예산을 지급받아 위탁사업으로 운영(시설장은 각 시설마다 채용 또는 임명)

○ [회시] 1. 비영리법인이 운영하는 각 시설이 독립된 사업 또는 사업장인지 여부에 대한 회신입니다. 2. 사업 또는 사업장의 독립성 여부를 판단함에 있어 원칙적으로 하나의 법인은 동일 사업 또는 사업장으로 판단합니다. - 다만, 법인 소속 기관이더라도 근로자 채용, 임금 결정 및 지급, 승진·징계 등 인사노무관리와 예산·회계 등이 독립적으로 구분하여 운영하고, 사업장에 경영담당자가 정해져 있고 근로조건의 결정권과 경영상 책임이 해당 경영담당자에게 전속되어 있는 경우에는 독립된 사업장으로 볼 수 있습니다. 3. 귀 질의 내용만으로 구체적 사실관계를 확인할 수 없어 명확한 답변은 어려우나 법인이 직접 각 시설의 운영을 위한 사업권한을 정부로부터 위탁받고 시설장의 채용(임명)을 법인이 담당하며 각 시설의 운영비 일부를 지원한다면 시설에 정부예산이 직접 지급되어 운영되더라도 이는 정부 위탁사업의 특성일 뿐 각 시설을 독립된 사업 또는 사업장으로 보기 어렵고 법인과 각 시설을 통틀어서 하나의 사업 또는 사업장으로 판단하여야 할 것입니다. 끝.

출처 고용노동부 근로기준정책과-6224(2016.10.6.)호 관련입니다

● **원천세 수정신고**

○ 중도퇴사자가 발생하거나 또는 신고한 금액에 문제가 있는 경우

- 다음달 10일이내 원천세 신고기한 내에 수정신고하면 별도의 가산세가 없음

○ 국세청 홈택스에 신고기한 이내에 신고하면 가장 최근에 입

력한 신고서를 기준으로 적용

○ 다음달 10일이 경과한 경우에 신고하면 가산세가 붙게 됨

- 원천징수의무자가 징수해야 할 세액을 법정납부기한까지 납부하지 않거나 과소납부하게 될 경우 가산세를 납부하게 되며

- 원천세 수정신고미달, 미납세액의10% 가산세를 납부해야 하므로 주의바람

○ 일단 국세청 홈택스에 접속한뒤
(신고납부)/(세금납부)/(국세납부)/(자진납부)/(원천분자납)　세목을 수정하시면 됨

2. 근로소득

● **근로소득(소득세법 제20조)**

○ 근로자가 일정한 고용주에게 고용되어 근로를 제공하고 지급받는 대가는 그 지급 명칭이나 방법에 불구하고 근로소득에 해당된다.

○ 징수방법

- 매월 간이세액표에 따라 징수 납부하고, 다음해 1월분 급여 지급시 연말 정산한다.

- 근로소득이 있는 자가 다른 곳에서 받는 강사료 중 근로소득에 해당되는 것이 있을 때에는 연말정산 시 주된 근무지에서 합산하여 정산한다.

● **사업소득(소득세법 제19조)**

○ 특정한 고용주에게 고용되지 않고 독립된 자격으로 용역을 제공하고 그 대가로 지급받는 소득을 말한다.

○ 사업소득 사례

- 강의를 전문적, 직업적으로 하는 경우의 강사료가 이에 해당

된다.

○ 징수방법

　- 소득세 : 지급금액의 3%

　- 지방소득세 : 소득세의 10%를 원천징수

● **기타소득**(소득세법 제21조, 시행령 제87조)

○ 근로소득, 사업소득 등 다른 소득에 속하지 아니하는 소득으로써 고용관계가 없는 자에게 일시적으로 용역을 제공하고 받은 대가를 말한다.

○ 기타 소득 사례

　- 다른 직업을 주 소득원으로 가지고 있는 경우의 강사료가 해당된다.

○ 징수방법

　- 소득세 : 지급금액의 6% (지급금액에서 필요경비를 60% 공제한 금액의 20%)

　- 지방소득세 : 소득세의 10%를 원천징수

◆ **강사비 지급관련 기타소득세 징수**

○ **강사에게 부과하는 세금은 사업소득세(3.3%)와 기타소득세**

(필요경비 등을 공제한 (8.8%)를 계산됨

　○ 과세 최저한 총세액이 1천원미만이거나 기타소득 5만원 이하이면 면세되어 부과되지 아니함

　○ 시설에서 실 집행금액 기준으로 사업소득3만원, 기타소득 12만5천원이하는 세금이 부과되지 아니함　출처 복지법인시설실무카페

◆ 프리랜스 강사가 근로자인지여부(질의응답)

안녕하세요. 로시컴-네이버 지식iN 상담 공인노무사 신정호 입니다.

　○ 프리랜서 강사의 경우(3.3 세금 공제시) 퇴직금 청구나 고용보험 등 가입여부와 관련하여 근로자성 여부가 문제 됩니다.

　○ 근로기준법상 근로자를 판단하는 기준은 계약의 형식이 고용계약인지 도급계약인지보다 그 실질에 있어 근로자가 사업 또는 사업장에 임금을 목적으로 종속적인 관계에서 사용자에게 근로를 제공하였는지에 따라 판단하며,

　○ 종속적인 관계가 있는지 여부는 1) 업무 내용을 사용자가 정하고 취업규칙 또는 인사규정 등의 적용을 받는지 2) 업무수행 과정에서 사용자가 상당한 지휘 감독을 하는지 3) 사용자가 근무시간과 근무장소를 지정하는지 4) 보수의 성격이 근로자체의 대상적 성격인지 등을 기준으로 판단합니다.

　○ 질문자의 경우 우선 상기 요건을 충족하여 근로기준법상 근로자에 해당하는지 여부를 판단해 보아야 합니다. 근로자에 해당할 경우에만, 주휴수당 및 퇴직금이 발생합니다. 근로자성 판단과 관련하여 궁금하신 부분이 있으시면 언제든지 문의주시기 바랍니다.

출처 복지법인시설실무카페

◆ (국세청 유권해석)

1. 안녕하십니까? 항상 국세행정에 관심을 가지고 협조해 주시어 감사드리며,

귀하께서 국민신문고를 통해 신청하신 민원(1AA-2002-0101554)에 대한 검토 결과를 다음과 같이 알려드립니다.

2. 귀하의 민원내용은 기타소득 원천징수 문의인 것으로 이해됩니다.

3. 기타소득 지급시 기타소득금액(기타소득-필요경비)이 건별 5만원 이하인 경우에 소득세를 과세하지 않는 것으로서, 여기서 말하는 건별이란 기타소득의 발생근거, 지급사유 등을 고려하여 거래 건별로 사실판단하여야 하는 것으로서 형식적으로 2개 이상의 계약이 존재하는 경우라 하더라도, 각각의 계약이 병존할 수 없는 것으로 실질적으로 1개의 계약에 해당하는 경우 전체를 1건으로 보아 과세최저한 여부를 판단하여야 합니다. 귀 질의의 경우 동일한 **교육과정에 대해 각기 다른 날짜에 강의 하고 매달의 강의료를 한꺼번에 지급하는 경우 동일교육과정 전체를 1건으로 보고 과세 최저한 적용여부를 판단**하여야 할 것입니다.

(관련예규) 서면인터넷방문상담1팀-1346, 2007.10.02.

○ **강사료 등 소득구분과 기타소득 과세최저한 여부**

[요 지]

강사료 등 소득구분은 근로계약 및 계속적·반복적 여부에 따라 판단하시기 바라며, 기타소득의 과세최저한은 당해 강의료의 발생근거 및 지급하는 개별적인 사유별로 판단하여야 하는 것임.

[회 신]

귀 질의와 관련하여, 강사료 등의 소득구분에 대하여 이와 유사한 기질의회신문【소득46011-21080, 2000.08.14】,【소득46011-21433, 2000.12.19】을 보내드리니 참고하시기 바라며, 「소득세법」 제21조의 기타소득에 해당하는 소득금액을 지급함에 있어서 같은법 제84조에서 규정하는 **기타소득의 과세최저한은 당해 강의료의 발생근거 및 지급하는 개별적인 사유별로 판단하는 것으로, 동일한 교육과정에 대해 강의료를 한꺼번에 지급하는 경우 동일교육과정 전체를 1건으로 보아 판단하여야 하는 것입니다.** 서면1팀-727, 2006.06.05

○ 동일한 교육과정에 대하여 각기 다른 날자에 강의를 하고 매달 강의료를 한꺼번에 지급하는 경우 동일교육과정 전체를 1건으로 보아 기타소득의 과세 최저한 적용 여부를 판단함

【질의】

o 수용자를 대상으로 출소 후 안정적인 사회복귀를 도모하고자 다양한 직종의 직업훈련을 하고 있는 바, 직업훈련과 관련하여 외부강사를 위촉하여 1년 과정으로 교육을 실시하기로 하고 현재 외부강사가 주 2회 방문하여 1회당 2시간씩 강의를 하고 있으며, 매달 1일부터 말일까지의 강의료(한달간 강의일수 X 일일 강의시간 X 25,000원)를 그 다음달 초에 지급하고 있음.

o 소득세법 제84조 (기타소득의 과세최저한) 제3호에 의하면 기타소득금액이 매건마다 5만원 이하인 때에는 소득세를 과세하지 아니한다라고 규정되어 있는 바,

○ 이 경우 '매건'을 외부강사가 방문한 1회당을 매건으로 보는 것인지, 아니면 매달 강사료 지급시점을 매건으로 보는 것인지 여부

- '매건마다 5만원 이하'에서 5만원의 기준이 기타소득에서 소득세법시행령 제84조의 필요경비를 차감한 후의 금액을 말하는 것인지 여부

【회신】

1) 소득세법 제21조의 기타소득에 해당하는 소득금액을 지급함에 있어서 소득세법 제84조 제3호에 규정하는 기타소득의 과세최저한은 당해 강의료의 발생근거 및 지급하는 개별적인 사유별로 판단하는 것으로서, 귀 질의와 같이 동일한 교육과정에 대해 각기 다른 날짜에 강의 하고 매달의 강의료를 한꺼번에 지급하는 경우 동일교육과정 전체를 1건으로 보고 과세 최저한 적용여부를 판단하여야 하는 것임.

2) 아울러 같은법 제84조 제3호의 '5만원'은 기타소득에서 같은법 시행령 제87조의 필요경비를 차감한 기타소득금액임.

 귀하의 문의에 대한 답변이 되었기를 바라며, 답변내용에 대하여 추

가로 궁금한 점이 있으신 경우 "국세청 홈택스 → 상담/제보 → 인터넷상담하기"로 문의하여 주시거나 국세상담센터 인터넷 1팀 조*철(☎ 064-780-6142)에게 연락을 주시면 친절하게 안내해드리도록 하겠습니다.

● 일용근로자에 대한 소득세 징수(소득세법 제47조,제59조,제129조)

○ 일용근로자의 범위
- 근로계약에 따라 동일한 고용주에게 3월 이상 계속하여 고용되지 아니한 자

○ 소득세 징수 방법
- 징수대상 : 일당 금액이 10만원을 초과하는 자
- 징수 방법 : 10만원을 초과하는 금액의 6%를 징수하되, 그 징수금액의 55%는 세액공제를 적용한다.
- 지방소득세 : 소득세의 10% 징수

◆ 3월이상 계속 고용한 경우 일용근로자인지 여부(질의응답)

○ 근로자가 고용주와 일정근로조건(시간급 파트타임등)으로 고용계약하고 당해 근로계약조건에 따라 동일 고용주에게 3월이상 계속 고용된 경우에는소득세법 시행령 제20조에 의한 일용근로자에 해당하지 아니한다(서면1팀-657, 2006.5.22.)

○ 3월이상 계속하여 고용의 의미는 그 근무단위가 시간이나 일단위가 아니라 월단위로 규정되어 있으므로 비록 팀 메이트들이 일별로 볼 때 간헐적으로 근무를 하였다고 하더라도 3월이상의 기간에 걸쳐 근무하였다면 이를 일반근로자로 보는 것이 상당하다 (국심20041167, 2005.6.27.)

● 이벤트성 경품(상품권) 소득 구분 (기타소득)

○ 소득세법 제21조제1항제2호(복권, 경품권, 그 밖의 추첨권에 당첨되어 받는 경품)

○ 원천징수 세율 : 20%(지방소득세 포함 22%)

○ 과세최저한 : 5만원 이하과세하지 않음(필요경비 제한금액 기준)

○ 필요경비 : 경품, 상품권, 당첨권은 필요경비 공제대상이 아님

○ 그러므로 이벤트로 받는 경품, 상품권, 당첨금은 소득세법에 따라 기타소득으로 구분되며 지방소득세를 포함하여 22%의 손그세를 원천징수하여야 합니다. 이때 기타소득 과세최저한에 따라 기타소득 금액이 5만원 이하인 경우에는 과세하지 않고 지급합니다

● 상품권을 종사자에게 지급하는 경우

안녕하세요. 박경준노무사입니다.

○ 상품권을 종업원에게 지급할 때에는 복리후생비, 업무와 관련이 있는 거래처에 지급할 때에는 접대비가 됩니다. 여기서 주의할 점은 상품권을 지급하는 법인(또는 개인사업자)의 입장에서는 복리후생비나 세법에서 인정하는 한도 내의 접대비는 비용으로 인정되지만, 상품권을 받는 종업원에게는 세금이 부과된다는 점입니다.

○ 상품권을 지급받은 종업원의 경우에는 근로소득으로 보아 소득세를 원천징수하여야 합니다. 감사합니다.

● 실비변상적 급여의 비과세

○ 실비변상적 성질의 급여의 범위
- 법령·조례에 따른 위원회의 위원이 받는 수당
- 일직료, 숙직료, 여비(실비변상 정도의 금액)
연구보조비 또는 연구활동비 중 월 20만원 이내의 금액
- 국가, 지방자치단체가 지급하는 보육교사 처우개선비 등
취재수당·벽지근무수당·지방이전지원금 중 월 20만원 이내의

금액 등

- 법령·조례에 의한 위원회 등의 보수를 받지 아니하는 위원 등이 받는 수당
- 위원회의 설립 및 수당의 지급근거가 법령·조례에 명시(위임규정 포함)되어 있고 이에 따라 지급되는 수당

학술원 및 예술원 회원이 받는 수당 포함

- 일직료·숙직료 또는 여비로서 실비변상 정도의 금액

○ (자기차량운전보조금)종업원의 소유차량을 종업원이 직접 운전하여 업무수행에 이용하고 출장여비 등을 받는 대신에 정해진 지급기준에 따라 받는 금액은 월 20만원까지 비과세함

- (일직료·숙직료)실비변상정도의 금액에 대한 판단은 사규 등에 지급기준이 정하여져 있고 사회통념상 타당하다고 인정되는 금액

○ 연구보조비 또는 연구활동비

다음에 해당하는 자가 지급받는 연구보조비 또는 연구활동비 중 월 20만원 이내의 금액은 비과세함

유아교육법, 초·중등교육법 및 고등교육법에 따른 학교 및 이에 준하는 학교(특별법에 따른 교육기관 포함)의 교원

* 초·중등교육법에 따른 교육기관이 학생들로부터 받은 방과후 학교 수업료를 교원에게 수업시간당 일정금액으로 지급하는 것은 비과세되는 연구 활동비에 해당하지 아니하여 과세대상 근로소득에 해당(재정경제부 소득세제과-484, 2007.08.31.)

○ 비과세 소득 및 한도

비과세 대상 소득	한도
연장근로, 야간근로 또는 휴일근로로 인하여 통상임금에 더하여 받는 급여로 연장시간근로 등으로 인하여 지급받는 급여총액	연 240만원 이내의 금액 (단, 광산근로자 및 일용근로자의 경우 전액)

- 생산직 일용근로자가 근로기준법에 의한 연장·야간·휴일근로로 인해 받는 급여는 월정액급여에 관계없이 비과세됨(소득46011-2615, 1997.10.10.)

○ 비과세 한도 및 적용방법

한도	월 100만원(다만, 원양어업 선박, 국외 등을 항행하는 선박 또는 국외 등의 건설현장에서 근로(설계 및 감리업무 포함)를 제공하고 받는 보수의 경우 월 300만원)
적용방법	당해 월의 국외근로소득이 비과세 한도 이하인 경우 그 급여를 한도로 비과세하며 부족액을 다음달 이후 급여에서 이월 공제하지 아니함 예) 2월의 국외 건설현장 근로소득이 250만원인 경우, 250만원까지 비과세 적용 → 부족분 50만원을 3월에 이월 공제하지 못함
	해당 월의 국외근로소득에는 당해 월에 귀속하는 국외근로로 인한 상여 등을 포함
	국외근무기간이 1월 미만인 경우에는 1월로 봄
	국외근로소득에 대한 비과세를 적용받고 있는 해외파견근로자가 월 10만원 이하의 식사대를 그 사용자인 내국법인으로부터 지급받는 경우 당해 식사대에 대하여 소득세 비과세

○ 그 밖의 비과세 근로소득

구 분	내 용
근로자 본인의 학자금	초·중등교육법, 고등교육법에 따른 학교(외국에 있는 교육기관 포함)와 근로자직업능력개발법에 의한 직업능력 훈련시설의 수업료 등으로서 다음 요건을 갖춘 학자금은 비과세
	해당 근로자가 종사하는 사업체의 업무와 관련 있는 교육·훈련을 위하여 받는 것일 것
	해당 근로자가 종사하는 사업체의 규칙 등에 의하여 정하여진 지급기준에 따라 받는 것일 것
	교육·훈련기간이 6월 이상인 경우 교육·훈련 후 당해 교육기간을 초과하여 근무하지 아니하는 때에는 지급받은 금액을 반납할 것을 조건으로 하여 받는 것일 것
	※ 소득세가 비과세되는 수업료 등은 교육비 세액공제 대상에서 제외

육아휴직 급여 등	고용보험법에 따라 받는 실업급여, 육아휴직 급여 등과 제대군인 지원에 관한 법률에 따른 전직지원금, 공무원 또는 사립학교교직원 등이 관련 법령에 따라 받는 육아휴직수당
위자료 성질의 급여	근로자가 근로제공으로 인한 부상·질병·사망과 관련해 근로기준법 및 산업재해보상보험법에 의해 그 유가족이 지급받는 유족보상금과는 별도로 사용자로부터 지급받는 위자료 성질이 있는 급여
4대보험 사용자부담분	국민건강보험법·고용보험법·노인장기요양보험법에 따라 국가·지방자치단체 또는 사용자가 부담하는 부담금
식사 또는 식사대	근로자가 사내급식 또는 이와 유사한 방법으로 제공받는 식사 기타 음식물1) 식사 기타 음식물을 제공받지 아니하는 근로자가 받는 월 20만원 이하의 식사대
자녀보육 수당	근로자 또는 배우자의 출산이나 6세 이하(과세기간 개시일을 기준으로 판단) 자녀의 보육과 관련하여 사용자로부터 받는 급여로서 월 10만원 이내의 금액 6세 이하의 자녀 2인 이상을 둔 경우에도 자녀수에 상관없이 월 10만원 이내의 금액을 비과세 사용자가 분기마다 보육수당을 지급하거나 소급해서 수개월분을 일괄지급하는 경우 지급월에 10만원 이내의 금액만 비과세 맞벌이 부부가 6세 이하의 자녀 1인에 대하여 각 근무처로부터 보육수당을 수령하는 경우 각각 월 10만원 이내의 금액 비과세 사내근로복지기금으로부터 자녀양육비용을 지원받는 근로자가 6세 이하의 자녀 보육과 관련하여 사용자로부터 받는 급여로서 월 10만원 이내의 금액은 비과세
근로장학금	교육기본법에 따라 받는 장학금 중 대학생이 근로를 대가로 지급받는 장학금 고등교육법의 규정에 따른 대학에 재학하는 대학생에 한함
직무발명 보상금	발명진흥법에 따른 직무발명으로 받은 연 500만원 이하의 금액

● 근로소득원천징수영수증 발급 방법

○ 발급신청 방법

- 홈택스를 이용하여 직접 발급받는 방법
- 전직장에 연락해서 발급요청하는 방법
- 만약 발급안해주면 5백만원이하의 벌금을 내야하도록 되어 있음
  ○ 홈택스 발급방법
- 홈택스/ 로그인/ My홈택스/ 연말정산.지급명세서(지급명세 등 제출내역)
- 귀속연도가 뜨면 자기가 필요한 지급명세서(보기)/ 인쇄
  ○ 전직장에 연락해서 발급방법
- 전 직장에서 근로소득 원천징수영수증(별지제24호서식) 발급

3. 연말정산

● 연말정산

○ 급여소득에서 원천 과세된 일년 동안의 소득세에 대하여, 다음 연도 초에 넘기거나 모자라는 액수를 정산하는 일

● 연말정산관련 용어 정리

○ 과세표준= 총 급여액 - 근로소득공제액

○ 산출세액 = 과세표준 * 기본세율(국세청 고시)

○ 세액공제 = 세금 감면 항목- (인적공제) ▶ 기본공제, 추가공제, 다자녀 추가공제- (물적공제) ▶(근로소득공제, 연금저축, 퇴직연금, 보장성보험, 의료비공제, 기부금, 신용카드, 주택자금이자, 월세액 등)
○ 결정세액(개인이 최종적으로 납부할 세금) = 산출세액 - 세액공제★국세청 홈택스 연말정산간소화서비스를 활용하면 간단히 계산됨

● 연말정산 방법
○ 중도 입사자의 경우
- 중도 입사자가 이전 직장의 근로소득원천징수영수증을 제출하면, 다음해 2월에 이전 직장의 근로소득과 현재 직장의 근로소득을 합산하여 연말정산하는 것.
- 중도입사자가 이전 직장의 근로소득 원천징수징수영수증을 제출하지 못하는 경우에는 다음해 2월에 현재 직장의 근로소득만 가지고 연말정산하면 된다.

○ 중도 퇴사자의 경우
- 일반적으로 퇴사시 연말정산을 하게 된다.
- 회사가 기본공제를 적용해서 하게 되어 있는데, 기본 공제가 안되는 부양가족공제
- 의료비, 신용카드 등 각종 소득공제는 적용되지 않기에, 종합소득세 신고 시에 해야 한다.
- 만약 재취업 상태라면 현 회사에 전 회사의 근로소득원천징수영수증을 발급받아 제출하면 된다.

● 근로소득 간이세액표

한국세무사회-네이버 지식iN 상담세무사 신운철 입니다.

○ 근로소득세의 경우 직접 계산 방식이 아닌 근로소득간이세액표를 통해 미리 일정 소득세를 걷은 다음 2월 연말정산을 통해 실제 부담할 세액을 계산하는 방식입니다. 간이세액표는 공제대상 가족을 반영하여 미리 계산해 놓은 소득세표라고 보시면 됩니다.

○ 지금 납부하셔도 추후 연말정산을 통해 환급될 가능성이 높으세요~ 지금 세금을 안내시는 분은 추후 연말정산해도 환급세액이 발생하지 않습니다. 직접계산 하시려면 소득공제내역부터 세법에 많은 부분을 아셔야 해서 복잡하세요.

○ 근로소득간이세액표를 국세청 홈택스를 참고해서 계산해보세

요.

홈택스에서 근로소득간이세액표 치시면 한달 납부 세금을 확
인하실 수 있습니다.

출처 : 네이버지식in

◆ 중도퇴사자 연말정산

○ **중도퇴사자 연말정산은 퇴사할 때 하며, 회사에서는 기본
공제만 적용한다.**

○ **퇴사후 취업을 하지 않은 경우**
- 근로소득원천징수영수증에 결정세액이 있는 경우 환급하
고, 결정세액이 없는 경우에는 실제 납부세액이 없으므로
환급금도 없습니다.
- 결정세액이 있으면 종합소득세 신고기간 때 확정신고할
수 있습니다.
- 회사는 근로자 퇴사후 14일 이내에 임금등과 함께 연말정
산환급금을 지급하여야 합니다.

○ **퇴사후 재취업한 경우**
- 현 직장에서 전 직장의 소득을 합산해서 연말정산하여 소
득세액공제 신청을 한다.
- 따라서 전 직장의 소득을 알아야 하는데 전 직장에서 근
로소득원천징수영수증 발급을 하여 현 직장에 제출한다.
- 연말정산 때 합산신고하지 않은 경우 다음해 5월에 직접
전 직장과 현 직장의 소득을 합산해서 종합소득세 확정신
고해도 됩니다.

○ **퇴사후 자영업을 하는 경우**
- 회사에서는 근로소득세 대해서만 연말정산하고 내년 5월
에 연말정산한 근로소득과 사업소득(기타소득)을 합산해서
종합소득세로 확정신고하면 된다.   출처 : 복지법인
시설 실무카페

◆ 기타소득원천징수 계산법

기타소득 원천징수 - 강사수당 등 기타 소득공제

○ 기타소득 수입금액은 대부분 원고료와 강연료 등의 일시적 인적용역에 해당하므로 이에 대해서는 60%의 필요경비가 인정되며 수입금액에서 필요경비를 제한 기타소득금액에 대해 20%의 소득세와 소득세할 지방소득세(소득세의 10%)를 납부함(소득세법 제21조, 제84조, 제127조, 제129조).

○ 기타 소득금액이 매건마다 5만원을 초과할 경우 반드시 원천징수(즉, 매건 마다 기타소득 금액이 5만원이하인 경우 과세최저한으로 원천징수를 하지않음(소득세법 제84조). 따라서, 건별로 125,000원이하의 기타소득 수입금액에 대해서는 원천징수를 하지 않게 됨(사례금 제외).

 - 건별로 기타소득수입금액이 125,000원 이하인 경우에도 건별로 처리하지 않고 한달에 걸쳐 몰아 납부할 경우 기타소득수입금액이 125,000원 초과인 경우에는 원천징수를 하여야 함에 유의

 - 기타 소득금액과 기타 소득의 수입금액의 차이에 유의

예시) 강사료(기타소득)가 200,000원인 경우

① 기타소득에서 필요경비(60/100)를 제한다.

   200,000원(강사료) − {200,000원× 60/100(필요경비)} = 80,000원

② 필요경비를 제한 금액의 20%는 소득세, 소득세의 10%는 지방소득세

   원천징수세액 = {80,000원 × 0.2(소득세율)} + {12,000 × 0.1(지방소득세율)} = 17,600원

※ 이 경우 세금은 총금액의 8.8%(8%는 소득세, 0.8%는 지방소득세)임.

○ 납입고지서 출력 프로그램 활용 ▷ 국세청 홈페이지 자료실 납부서 작성프로그램

출처 : 예산회계실무

● 연말정산 준비서류

○ 홈택스간소화서비스자료

○ 주민등록등본

○ 가족관계증명서

○ 임대차계약서 또는 월세이체 내역

○ 교육비납입증명서, 의료비, 안경구입 영수증

○ 주택대출금 상환내역

○ 기부금영수증

● 국세청 연말정산간소화 사이트

○ 국세청 홈택스사이트에 로그인하시면 조회/발급메뉴에서 편리한 연말정산 / 연말정산 미리보기 메뉴를 찾으실 수 있습니다.

– 이 메뉴로 들어가면, 처음 화면에서 이용절차를 확인하실 수 있으며 순서에 맞춰 미리 연말정산 예상세액을 계산해 보실 수 있겠습니다. 출처 네이버지식in

○ 연말정산 간소화 확대된 항목, 소득공제 변경 내용도 확인하실 수 있습니다.

– 배우자 인적공제는 연간 소득(근로소득 외 소득) 100만원을 초과하면 받을 수 없습니다.

– 중소기업 청년 90% 소득 감면시 2800만원의 700만원 이상부터 소득공제 됩니다.

– 월세 소득공제 제출서류 : 임대차 계약서 / 주민등록 등본 혹은 초본 (임대차 계약서 주소와 같아야 함)/ 현금영수증, 무통장 입금, 계좌이체 내역 택1 3가지 서류 제출입니다.

○ 결정세액 확인 : 2월분 근로소득 원친징수영수증 중 차감징수 세액을 통해 – 인경우 환급 + 인경우 세금 납부 결정됩니다. – 기납부세액은 급여대장으로 확인 가능합니다. 소득세와 지방소득세 합산해 확인 합니다.

– 퇴사하시면 5월에 종합소득세 내지 않는다고 합니다. 개인이 신고 하는거라고 합니다.

○ 홈택스 / 종합소득세신고 /근로자 신고/ 해당연도 선택

– 정산시작– 결과 확인및 환급 납부처리 실시 순으로 진행하시면 됩니다.

○ 근로소득만 있으면 연말정산으로 진행하시고 근로소득 외 다른 소득이 있을 경우는 5월 합산해 종합소득세 신고 하시면

됩니다.
- 지급명세서 등 제출내역 클릭해 최근 년도순으로 소득 지급명세서 출력해 근로소득자용으로 종합소득세 신고 하시면 됩니다.
○ 이직할 경우는 전 회사에서 근로소득원천징수 영수증 혹은 소득자별 근로소득원천 징수부가 필요합니다.
○ 카드 연말정산 내용은 카드별 총 사용금액만 나옵니다. 신용카드는 월별 총 금액만 나옵니다. 체크카드 공제액은 연봉의 25% 이상 사용해야 합니다.
○ 주택청약 연봉 7000만원 이하 240만원 공제 됩니다. 매년도 불입액으로 계산됩니다.
○ 기부금은 재난지원금 기부는 연말정산 간소화로 해결되고 기타는 본인이 증빙 하셔야 합니다. 기부금 명세서 제출하시면 됩니다. 연말정산 신청서 서식있습니다. 소득공제 자료에 기부금 내역에서 확인 하실 수 있습니다. 출력해 제출하시면 됩니다.
- 최대 한도는 총급여 10% 금액이고 기부금 15% 세액공제 됩니다.
○ 대중교통 사용분 한도 300만원 +100만원 공제는 카드 사용분 한도 300만원 초과시 대중교통비가 나올경우 공제 한도입니다. 300만원미만은 합산된 금액을 공제 합니다.
- 연말정산 기록삭제 / 조회 발급/ 자료제공동의 조회 취소는 홈택스 - 조회 발급 -연말정산 - 연말정산 간소화에서 가능합니다. 다음해 1월 15일 이후 가능합니다.
○ 연말정산 신고 납부는 3월 10일이나 2월 혹은 3월 급여에 반영됩니다.
○ 연말정산 간소화 서비스에 제공되지 않는 의료비는 영수증 발급 기관 연락처를통해 의료기관에 직접 문의합니다. 1월 15일~17일까지 조회되지 않는 의료비 신고센터에 신고 피씨 또는 모바일로 하면 의료기관에서 자료를 올려 줍니다. 1월 20일 이후에는 해당 기관에서 직접 영수증 발급 받으셔야 합니다. - 일부 공제 항목은 정보제공동의를 해도 조회되지 않습니다.
○ 국민연금, 건강보험료, 개인연금저축, 연금저축, 퇴직연금, 소기업, 소상공인공제부금, 주택자금, 주택마련저축, 대학원 교육비, 장기집합투자증권 저축, 학자금대출 원리금 상환액 등입니다. (정확한건 국세청 126번으로 문의 하시기 바랍니다.)
○ 따로 사시는 부모님 정보제공 동의하는 방법 팩스 신청 : 홈택스/연말정산 간소화 -/자료제공 동의 신청 팩스 신청 /기본사

항 입력후 출력한 팩스 신청서와 부모님 신분증 첨부해
1544-7070번으로 전송합니다.
-온라인 신청 : 홈택스 /연말정산간소화 / 자료제공동의 신청
온라인 신청 /기본사항 입력 후 부모님 신분증 스캔해 온라인
전송
-정보제공자 직접 신청 : 부모님이 스마트폰으로 홈택스 앱에
로그인 후 연말정산 /연말정산제공동의 / 제공동의 신청에서 기
본사항 입력 후 제공동의 신청합니다.

● 연말정산 세액계산방법

○ 원천징수의무자는 근로자별로 해당 과세기간의 근로소득에
대해 부담하여야 할소득세를 확정하기 위해 연말정산을 실시
○ 계속 근로자의 경우 해당 과세기간의 다음연도 2월분 근로
소득을 지급하는 때에, 근로자가 중도 퇴직하는 경우 퇴직하는
달의 근로소득을 지급하는 때에 연말정산을실시(급여 또는 상여
지급시) 근로소득 간이세액표에 따라 원천징수(연말정산) 연간
근로소득에 근로자가 제출한 소득·세액 공제 신고서 등에 따라
인적공제, 소득공제, 세액공제 등을 반영하여 부담하여야할 소
득세 확정(차감납부·환급세액)연말정산에 따라 확정된 소득세에
서 매월 원천징수에 의해 납부한 소득세를 차감한 금액* 연말정
산 결과는 원천징수의무자가 원천징수영수증을 통해 근로자에게
안내< 연말정산에 의해 부담할 세액 계산 구조 >연말정산에 의
해 부담할 세액 계산 구조 - 단계, 결과, 계산방법 포함단 계
결 과 계 산 방 법1단계 총급여액 연간 근로소득 - 비과세소득
2단계 근로소득금액 총급여액 - 근로소득공제3단계 차감소득금
액근로소득금액 - (①+②+③)① 인적공제(기본공제, 추가공제)
② 연금보험료공제(공적연금의 근로자 부담금)③ 특별소득공제

출처 국세청

3-2. 중도퇴사자 연말정산 방법

● 지난해 중도퇴사자나 입사자의 경우, 연말정산을
어떻게 해야 할지?

○ 중간에 퇴사할 경우(퇴직자 포함), 원칙적으로 퇴사하는 달
에 마지막 급여를 받으면서, 1월부터 퇴사하는 달까지의 연말정

산 마무리한 후, 퇴사하게 되어 있음(이때도″연말정산′이란 용어를 씀)

○ 따라서 중간에 퇴사할 때에도 실제 연말정산과 똑같이 연말정산 양식을 작성하고, 전년도 1월부터 퇴사 전 까지의 지출이나 납입내역중 총 공제 받을 수 있는 항목들의 영수증 등의 증빙서류를 챙겨 함께 제출해야 하며, 공제 받는 금액 만큼 세금 부담이 줄어들게 된다

○ 다만 문제가 있는데, 중도퇴사나 퇴직하는 시기에는 국세청 간소화 서비스에서전년도 1월부터 퇴사 전까지의 공제항목별 내역을 제공하지 않기 때문에, 본인이 직접 공제항목별 영수증 등을 챙겨야 함

○ 중도퇴사자가 화사에 근무하는 기간의 공제항목별 지출납입내역은 다음해 1월15일이 되어야 간소화서비스에서 조회되어 공제자료 제출에 어려움을 겪을 수 밖에 없음

○ 물론 관련 기관 방문이나 온라인을 통해 일부 항목은 공제자료를 모을 수있지만, 연말정산의 여러가지 항목을 일일이 챙겨서, 연말정산을 재대로 마친후, 퇴사하는 것은 불가능함- 때문에 중간에 퇴사하면서, 연말정산할 땐 직장인이면 누구나 자동 계산되어 적용되는 기본적인 공제항목(본인 인적공제, 표준세약공제 등) 정도만 약식으로 공제하고 나오는 경우가 많아, 놓치는 항목들이 있음

● **중도퇴사후 같은 해에 재취업한 경우**

○ 현재 다니는 직장에서 연말정산을 하게 되므로, 이전 직장에서 근로소득원천징수영수증을 발급받아 현재 직장에 제출하면 됨

● **중도퇴사후 취업하지 않고 해를 넘긴 경우**

○ 전년도 중도퇴사하면서 간이 연말정산을 받았으면, 같은 해 다시 취업하지 않는경우, 퇴사할 때 누락된 공제항목에 대해 다음해 5월 종합소득세 신고기간에 공제가능한 항목의 영수증 등의 증빙서류를 챙겨서 환급신청할 수 있음 (환급은 7월경가능함)

- 환급신청 역시 주소지 관할 세무서 또는 홈택스에 온라인으로 할 수 있으며, 전년도 원천징수 영수증과 추가로 공제받을 수있는 항목들의 공제자료를 준비하면 됨(홈택스-세금신고-종합소득세- 정기신고 작성)

- 다만, 원천징수 영수증의 결정세액란에 금액이″0″원이면 다음

해 5월종합소득세 신고를 할 필요가 없음
- 특히 중도 퇴사자나 퇴직자, 신입사원 등은 지난해 직장에 다니지 않던 기간이 있어, 지난해 받은 총 급여액이 기준 금액 이하가 되어, 결정세액이 없을 가능성이 있으므로 총 급여액이 일정기준 이하이면 결정세액이 없음

● 중도 퇴사자, 일반 근로자 모두 해당되는 내용

○ 만약, 지난해 1년간 받은 총 급여액이 정해진 금액 이하인 경우, 연말정산시, 직장인 누구나 알아서 적용되는 근로소득공제, 본인에 대한 인적공제, 표준세액공제 등의 기본적인 공제 혜택만 적용받아도 결정세액이 "0"원이 됨

○ 결정세액이 없다는 것은, 지난 해 받은 소득에 대해, 실제 납부해야 할 세금이 없다는 말.

○ 만약 결정세액이 없다면, 연말정산을 굳이 할 필요가 없으며, 매달 급여에서 원천징수 됐던 세금을 전부 돌려받을 수도 있음.

출처 2021 "복지법인시설 실무가이드"

● 연말정산 환급금 회계처리

○ 시설에 예수금 통장에 입금후 수입결의는 잡수입 또는 급여수입 정리

○ 직원들에게 지출결의서 작성하여 환급조치

4. 4대보험

● 국민연금

○ 가입 대상 : 모든 직원

 - 적용 제외자

 - 1개월 미만의 기한부로 사용되는 근로자

  - 비상근 또는 주당 15시간 미만인 시간제 근로자

○ 자격취득(변동) 신고

  - 자격취득일로부터 14일 이내

○ 보험료율(매년 정부에서 고시하는 적용기준으로 변동함)

  - 기준소득월액 × 보험료율%

● 건강보험

○ 가입 대상 : 모든 직원

- 적용 제외자

- 1개월 미만의 기한부로 사용되는 근로자

- 비상근 또는 주당 15시간 미만인 시간제 근로자

○ 가입자 자격취득(변동) 신고

○ 보험료율 : 표준보수월액 × 보험료율%

○ 직장이전시 건강보험 보수총액 신고

- 이전 직장에서 받은 원천징수영수증이 있더라도, 현재 사업장에 받은 급여만 입력하시면 됩니다

- 이전 직장 건강보험료는 퇴사하면서 따로 정산됩니다

● 고용, 산재보험

○ 가입 대상

- 근로기준법상 근로자(1개월 미만 고용되는 근로자 포함)

○ 적용 제외자

- 65세 이상인 자

- 비상근 또는 주당 15시간 미만인 시간제 근로자

- 공무원 및 사립학교 직원 연금법을 적용받는 자

○ 가입자 자격취득(변동) 신고

- 자격취득일로부터 14일 이내

○ 보험료율 (매년 정부에서 고시하는 적용기준으로 변동함)

- 고용보험 : 임금총액×고용보험료율%

- 산재보험 : 임금총액×고용보험료율%

○ 고용.산재보험 요건

- 실업급여(구직급여) 요건

실업급여(구직급여)를 받을려면.다음 요건을 갖추어야 한다

> ※ "4대사회보험계산기"를 활용. 간단하게 해당 보험료를
> 산출할 수 있음

. 이직일 이전 180일이상 고용보험에 가입되어 있을 것

. 근로의사가 있음에도 불구하고 취업하지 못한 상태

. 이직사유가 수급자격의 제한 사유에 해당하지 않을 것

. 재취업을 위한 노력을 적극적으로 할 것

○ 수급자격 제한 사유

 - 중대한 귀책사유로 해고된 피보험자로서 직무관련 법률을 위반하여 금고이상의 형을 선고받은 경우, 사업에 막대한 재산상 손해를 끼친 경우, 정당한 사유없이 장기 무단결근한 경우

 - 자기 사정으로 이직한 피보험자

○ **산재보험급여**

 - 업무상 재해를 당한 근로자와 그 가족의 생활을 보장하기 위하여 국가 책임지는 의무 보험

 - 업무상 재해(사업주의 고의 과실여부는 논하지 않음)

 - 근로복지공단에 보상 신청

 - 산재보험료는 사업주만 부담

○ 산재보험급여 종류

 - 요양급여, 휴업급여, 장해급여, 유적급여, 장의비, 상병보상연금, 간병급여

○ **업무상 재해기준(주요 사례)**

 - 출.퇴근중의 사고

 - 휴게시간중의 사고

 - 출장(외근)중의 사고

 - 행사중 사고

- 근골격계 질환

● 월보수 변동시 4대보험 보수월액변경신고

○ 국민연금을 제외하고 보수월액변경신고를 하여야 합니다.

○ 4대보험 보험료 산정기준일이 15일이기 때문에, 15일 이전에 신고하면 해당 월에 보험료 정산이 되지만, 15일 이후에 변경신고되면 다음달 보험료에 정산 고지됩니다

◆ 4대보험료의 원천징수

○ 4대 보험료의 원천징수는 국민건강보험법을 비롯한 해당 법령에서 사용자(시설장)가 매월 원천징수의무하도록 되어 있습니다.

○ 또한 4대 보험료의 산출 방법은 매월 급여총액에서 비과세 부분을 공제한 임금총액×고용보험료율%를 급여명세서에서 매월 원천징수하여 해당 기관에 납부하게 되며, 다른 근로 소득세 등도 사용자(시설장)가 매월 급여에서 원천징수 납부

○ 다음 연도에 연말정산하여 환불 또는 추가납부토록하게 되어 있습니다.
참고로 네이버에 검색하시면 편리하게 4대보험을 계산, 납부하는 프로그램이 있으니 참고바랍니다. 감사합니다.

● 4대보험 상실 신고

○ 직장자격취득일은 입사일, 상실일은 퇴직일의 다음날입니다.

○ 사용자(고용주)는 사업장에서 가입자 자격을 얻거나 잃은 경우, 당해 직장가입자의 사용자는 그 내역을 자격취득일부터

14일 이내에 '직장가입자자격 취득/상실신고서'를 작성하여 국민건강보험공단 관할 지사에 제출하여야 합니다.

○ 원칙적으로는 사유 발생일로부터 14일 이내에 신고를 하게 되어 있지만 소급취득도 가능하며 6개월 이상 소급취득 신고 시에는 증빙서류를 함께 제출해야 합니다.

※ 직장가입자 취득, 상실 신고는 근로자가 아니라 반드시 사업장의 사용자가 하도록 되어 있습니다.

◆ 퇴직자의 4대보험 정산(질의응답)

안녕하세요.

국민건강보험공단입니다.

○ 건강보험의 경우, 당년도 소득에 의해 부과하여야 하나, 연도 중에는 소득이 확정되지 않으므로 전년도 보수총액을 기준으로 산정한 보수월액 혹은 자격취득 또는 변동 시에 신고한 보수월액을 기준으로 우선 부과한 후, 다음 해 사업장에서 확정된 소득을 신고 받아 전년도 보험료를 다시 산정하여 기 납부한 보험료와 정산하고 있습니다.

○ 만약 연도 중 퇴직 할 경우 해당연도 보수총액을 근무월수로 나눈 보수월액으로 기 납부한 보험료와 해당연도 퇴직 시까지 납부하여야

할 보험료간의 정산을 실시합니다. 이미 납부한 건강보험료와 비교하고 많이 납부하였을 경우 환급, 적게 납부하였을 경우 추가 징수합니다.

퇴직정산 결과 반환금이 발생한 경우는 가입자분과 사용자분을 다음 달 정기보험료에 반영합니다. 산정일 이후 퇴직정산결과 반환금 발생시 익월 반영됩니다.

○ 건강보험 직장가입자의 보험료는 보수월액에 보험료율을 곱하여 산정하고, (2022년 6.99%/ 본인부담율 3.495%) 가입자와 사용자가 각각 50%씩 부담하여, 사용자는 가입자의 보수에서 가입자부담금을 공제하여 사용자부담금과 함께 납부를 합니다. 따라서 퇴직정산 결과 반환금 발생시 사업장과 가입자 각각 부담금이 발생됩니다. 위 답변은 답변 당시의 상황에 따른 것으로 법령 개정, 개인의 구체적인 사실에 따라 달라질 수 있습니다.

자세한 상담은 국민건강보험공단(http://www.nhis.or.kr) → 민원여기요 → 상담문의안내→ 개인별 맞춤 상담을 이용하시거나,

가까운 국민건강보험공단 지사 또는 고객센터(☎1577-1000)를 통하여 상담 바랍니다. 감사합니다.

● 사회복지시설장의 근로자성 인정 여부

○ 사회복지시설의 장이 임용절차, 보수, 근로계약서와 사용자의 지휘·감독 유무 등 제반사정을 종합적으로살펴 근로기준법상 근로자로 인정될 경우에는 고용보험에 가입됨

 - 사회복지법인(비영리법인 포함)이 설치·운영하는 시설에 채용·임명된 사회복지시설의 장이 시설운영과 관련하여 법인으로부터 구체적인 지휘·감독을 받는 경우 근로자성이 인정될 수 있음

※ 사회복지시설의 설치 주체인 개인이나 법인의 대표이사가 시설장을 겸임하며 대외적으로 대표권을행사하는 경우에는 제외

(근로자성 판단기준)

① 시설장의 임용절차 및 임용기준 - 임용기준에 따라 선별적으로 최종 임용 결정되는지 여부 등 [임용형태의 구분(위탁/채

용)]

② 근로계약서의 근무표가 실제 존재하는지, 근무기간·장소·시간·업무내용을 지정하는 자가 있는지

③ 시설장이 취업규칙 등 복무규정 또는 근태 관련 별도 제재사항을 적용받는지 여부

④ 시설, 비품 소유 주체 및 업무 공백 시 시설장 스스로 제3자를 고용하여 업무 대행이 가능한지 여부

⑤ 시설 운영에 따른 예산·운영비 부담의 주체, 사고 발생 시 책임소재 유무

⑥ 근로계약서 상의 근로조건(근무기간, 근로시간, 근로일, 복리후생 및 휴일, 휴가 등)이 일반 근로자와동일하게 실제 적용되는지 여부

⑦ 보수와 관련 기본급 및 성과급 지급 여부, 시간외근로나 휴일근로에 대한 별도 보수 산정 포함 여부

⑧ 시설장에 대한 매년 또는 정기적인 업무수행평가 등을 실시하여 그 결과에 따라 계약갱신, 연봉 협상결정이 이루어지는지 여부

⑨ 시설장 업무(시설 규칙 제정, 예산 집행, 직원 채용 등)에 대한 최종 지휘권자 및 승인권자 유무

⑩ 근로소득세 납부 여부, 근로자퇴직급여 보장법에 따른 퇴직금 중간 정산 대상자 여부

따라서, 고용보험 가입을 위해서는 사회복지시설장은 사업장 관할 근로복지공단의 안내에 따라근로자성을 입증할 자료를 구비·제출하여 근로자성 여부를 판단 받을 필요가 있음

◆ 관련 행정해석(고용노동부-고용서비스과-1730, 2009.7.8.)

보육시설 또는 복지관의 실질적인 운영을 위하여 지방자치단체장 또는 수탁업체가 시설의 원장을 임명하여 동 원장으로 하여금 종사자에 대한 임명 및 복무관리를 하도록 하고, 원장명의로 사업자 등록을 하여 대외적으로 대표권을 행사하도록 하고 있다면 동 원장은 고용보험의 피보험자가 되는 근로자에 해당되지않는 것으로 판단됨 다만, 지방자치단체에서 자체 또는 위탁운영하고 있는 경우 원장과 수탁업체 대표 또는 지방자치단체장과의 별도의 근로계약서를 작성하는 등 실질적인 중간관리자의 성격이라면 고용보험 피보험자격을 취득 할 수 있다고 판단됨

○ (중앙노동위원회 결정2000.7.6. 중노위2000부해 161)

법인의 대표이사로부터 임명된 사회복지법인 원장에 대하여 일

정한 보수를 받는다고 하여 이를 당연히근로기준법상 임금이라고 할 수 없고, 구체적이고 직접적으로 업무지휘, 감독을 받지 않은 사회복지시설장은 사용종속관계에 있는 근로자로 볼 수 없음

※ [고용보험] 가입대상(고용보험법 제8조), 사용자·근로자의 정의(근로기준법 제2조) ※ 건강보험, 국민연금 관련 사업주 및 근로자의 구분은 별도 기준 적용

출처 2023 사회복지시설 관리안내(보건복지부.p21.)

5. 부가가치세(부가가치세법 제2조, 제3조)

● 부가가치세 납세의무자

- 비영리법인이 영위하는 고유목적사업에는 면세이나
- 비영리법인이 영위하는 수익사업의 경우에는 부가가치세 납부의무가 있다.

● 과세기간과 신고.납부

○ 부가가치세는 6개월을 과세기간으로 하여 신고.납부하게 되며 각 과세기간을 다시 3개월로 나누어 중간에 예정신고기간을 두고 있다

○ 일반적인 경우 법인사업자는 1년에 4회, 개인사업자는 2회 신고

● 부가가치세 환급금 계정 처리

○ 부가가치세 환급금의 자금원천별로 구분하여 보조사업이면 교부기관에 반납

○ 기타 수입이면 잡수입으로 정리가능합니다

◆ 공익법인이 부가가치세 납부 대상이 되는 사례(질의응답)

○ 공익법인이 지방자치단체의 공사업무를 포괄적으로 수탁받아 수행하는 경우, 사업비 전체에 대하여 부가가치세가 과세되므로 유의

○ 공익법인이 고유의 사업목적을 위하여 실비로 공급하는 용역에

해당하면 부가가치세가 면제되지만 이에 해당하지 않는 경우 부가
가치세 과세 및 납부 대상임.
출처 : 조심2016중1523.2017.08.09.

6. 지방세(사회복지분야)

● **사회복지법인등에 관한 감면** (지방세특례제한법)

○ (사회복지법인. 한국한센복지협회) (개정전과 동일)

- 취득세.재산세. 지역자원시설세 100%

- 주민세(사업소분.종업원분) 100%

- 등록면허세 100%(사회복지법인에 한함)

○ **전 사회복지시설 (개정)**

- 취득세

유료시설 25%. 무료시설 100%

- 재산세

유료시설 25%, 무료시설 100%

※ 개정 전부터 감면된 시설은 24년까지 종전 감면 적용

○ **장애인활동지원기관 (신설)**

- 주민세(사업소분.종업원분) 100%

※ 일몰기한 : 25.12.31.

출처 행정안전부

◆ 비영리단체도 주민세 사업소분 납부(질의응답)

안녕하세요

별도의 수익사업 없이 정부보조금수입만 있는 비영리단체입니다

(고유번호증이 있으며 법인등록하지 않음)

8월이 주민세 사업소분 신고납부 기간이라던데 비영리단체도 신

고납부를 해야하나요

지방세법 제174조제2항 및 같은 법 시행령 제130조의4에서

○ 주민세의 비과세 법인을 열거하고 있는바 비영리공익법인인 장학재단이라 하더라도 위의 규정에 포함되지 않으므로 시·군내에 사무소나 사업소를 두고 있다면 해당 자치단체의 회비적 성격인 주민세는 납부하여야 함.

○ 법인세의 과세대상이 되는 법인격 없는 사단·재단 및 단체도 법인균등할주민세 납부해야

법인의 범위에는 법인세의 과세대상이 되는 법인격 없는 사단·재단 및 단체를 포함하고 있다. 따라서 균등할주민세 납부요건은 실제 법인세과세대상이 되는 소득이 발생하였는지 또는 납부한 법인세액이 있는지 여부를 과세요건으로 하는 것은 아니며(세정13430-568, 2001. 11.20), 사업이란 영리나 비영리를 불문한 일체의 사업을 말하는바, 매출이 없는 단순관리업무까지도 포함되는 것이다. 따라서 법인소유 건축물이 아니더라도 지방산업단지를 조성하려는 장소에 물적설비를 갖추고 법인의 종업원을 파견하여 업무를 추진하고 있다면 법인균등할주민세를 납부하여야 한다(세정13407-1296, 1997. 10. 16).

● 취득세

1) 노인복지시설 취득세 추징 관련 (질의응답)

○ 노인복지시설을 취득일부터 1년 이내 해당 용도로 직접 사용하지 못한 '정당한 사유'에 해당하는지(2021.04.28)

답변

○「지방세특례제한법」제20조에서 「노인복지법」제31조에 따른 노인복지시설을 설치·운영하기 위하여 취득하는 부동산에 대해서는 무료 노인복지시설에 사용하기 위하여 취득하는 부동산 등에 대해서는 지방세를 감면한다고 규정하고 있고,

-같은 법 제178조제1호에서 정당한 사유 없이 그 취득일부터1년이 경과할 때까지 해당 용도로 직접 사용하지 아니하는 경우 취득세를 추징한다고 규정하고 있습니다.

○ 정당한 사유 유무는 법령에 의한 금지·제한,고유업무에 사용하기

위한 정상적인노력 유무, 고유목적에 사용하는데 걸리는 준비기간의 장단, 행정관청의 귀책사유가있는지 여부 등을 종합적으로 고려하여 구체적 사안에 따라 개별적으로 판단하여야 할 것입니다.

○ 귀 문의 경우, 근저당권이 설정된 부동산을 취득하여 추후 근저당 권자의 담보권 실행으로 경매가 진행된 점과 해당 부동산을 노인복지 시설로 사용하기 위하여종교시설에서 노유자시설로 건축물용도변경신 고를 하였으나 반복적으로 취하하였던 점, 종교시설에서 판매시설로 건축물용도 변경신고를 하였던 점 등을 고려할 때 정당한사유에 해당 된다고 보기 어렵다고 판단되나, 이에 해당하는지 여부를 해당 과세관 청에서 구체적인 사실관계를 확인하여 판단하여야 할 사안입니다.끝.

지방세특례제한법 / 제20조(노인복지시설에 대한 감면)

2) 노인복지시설(요양원) 신고필증 설치자와 시설장이 다른 경우 취득세 감면 여부(질의응답)

○ 舊「지방세특례제한법」(법률 제16041호, 2018.12.28. 일부 개정) 제20조제1항에서는'「노인복지법」제31조에 따른 노인복지시설을 설치 ·운영하기 위하여 취득하는 부동산에 대해서는 다음 각 호에서 정하 는 바에 따라 지방세를2020년12월31일까지 감면한다'고, 같은 법 제 178조 제1호에서'정당한 사유없이 그 취득일로부터1년이 경과할 때 까지 해당 용도로 직접 사용하지 아니한 경우 감면된 취득세를 추징 한다'고 규정하면서 제2조제8호에서"직접사용"이란 부동산 등의 소유 자가 해당 부동산등을 사업 또는 업무의 목적이나 용도에 맞게 사용 하는 것을 말한다고 정의하고 있습니다.

○ 「지방세특례제한법」은 감면요건의 이행 또는 충족되지 않는 경우 개별조문에서 감면된 지방세를 추징하도록 규정하고 있으나 별도의 추징 규정을 두지 않는 경우 제178조"포괄적 추징 규정"을 적용하도 록 운영하고 있으며,

종전"직접 사용"에 대한 기준점이 되는 직접 사용의 주체가 부동산'소 유자'인지'운영자'인지 여부에 대한 다툼이 발생함에 따라, '14년

「지방세특례제한법」(법률제12175호, 2014.1.1.개정)은 제2조제1항제8호를 신설하여"직접 사용"이란 부동산의 소유자가 해당 부동산을 그 사업 또는 업무의 목적이나 용도에 맞게 사용하는 것으로 감면 주체인 부동산 소유자와 운영자가 일치하는 경우에 한하여 취득세 감면대상임을 명확히 규정하고 있습니다.

○ 「노인복지법」은´노인복지시설을 설치하려는 자(대표자)´는 시장·군수·구청장에게 노인복지시설 설치신고서와 평면도, 사업계획서 및 시설을 설치할 토지와 건물의 소유권 증명 서류를 제출하도록 규정하고 있어 노인복지시설의 대표자는 부동산 소유자로서의 요건을 충족하여야 하며,

´노인복지시설의 시설의 장(운영자)´은 사회복지사 자격증 소지자 또는 의료인으로서 해당 시설의 조직·인사·급여·회계·물품 기타 운영에 관하여 필요한 규정을 작성하여 당해 시설을 운영하는 자라고 규정하고 있어 시설장은 노인복지시설 등을 사실상 경영하는 운영자로서 대표자와 그 역할과 요건을 달리 구분하고 있는바,

부동산 소유자인 대표자가 노인복지시설을 설치하고 노인복지시설을 운영하기 위해 일정한 자격조건을 갖추고 있는 운영자를 시설의 장으로 고용하여 복지시설을 위탁 또는 전문 고용인을 통해 경영하도록 하는 것은「지방세특례제한법」에서 규정하고 있는 취득세 감면요건인 노인복지시설을 설치·운영하기 위하여 부동산을 취득한 후 직접 사용하는 부동산에 해당하지 않습니다.

○ 살피건대,「지방세특례제한법」제20조에서 노인복지시설을 설치·운영하기 위하여 취득하는 부동산이란 부동산 소유자인 취득자가 노인복지시설을 설치한 대표자이면서 동시에 노인복지시설의 사용 주체인 운영자로서 시설의 장의 지위를 가지고 해당 부동산을 노인복지시설로 직접 사용하는 것을 의미한다 할 것이므로, "노인복지시설 설치신

고확인증"에서 부동산 소유자인 복지시설 설치자(대표자)와 시설을 직접 경영하는 시설의 장인 운영자가 다른 것으로 확인되는 이 건 노인복지시설은 취득세 감면요건을 충족하고 있다고 보기 어렵습니다.

2022-03-08 담당부서 경상북도 영양군 행정복지국 재무과

관련법령 노인복지법 / 제32조(노인주거복지시설)

◆ 사회복지법인 소유 재산의 재산세 과세 대상여부(질의응답)

○ 안녕하십니까? 귀하께서 국민신문고를 통해 신청하신 민원(1AA-2009-0256746)에 대한 검토 결과를 다음과 같이 알려드립니다.

○ 귀하의 민원내용은 "사회복지법인 소유 재산의 재산세 과세 대상여부"에 관한 것으로 판단됩니다.

○ 지방세특례제한법 제22조(사회복지법인등에 대한감면)제2항에 따른 사회복지법인이 사회복지사업에 직접 사용하는 부동산의 경우 100% 감면대상이 맞습니다. 하지만 100%감면 대상이라도 최소납부세제에 해당된 경우 재산세가 과세될 수도 있습니다.

○ 최소납부세제란 지방세특례제한법상 재산세 면제대상에 해당 하더라도 면제세액이 50만원을 초과하는 경우 전체 면제세액의 15%를 납부해야 하는 제도입니다. 최소납부세제는 면제대상 중 납세능력이 있는 일부에 한해 최소한의 세 부담을 부과함으로써, 감면혜택을 받지 못하고 있는 일반 납세자와의 조세형평을 제고하여 헌법상 납세의무를 성실히 구현하고자 하는 것을 목적으로 하고 있습니다.

○2015년에 도입되어 2020년 전체 51개 대상에 적용되고 있으며 법 개정으로 새마을운동조직, 사회복지법인 등은 2020년 처음으로 최소납부세제 대상이 되었으며, 면제세액이 50만원을 초과하는 경우 전체 면제세액의 15%가 재산세로 부과가 됩니다.

○ 기타 문의사항이 있으시면 세무1과 재산세팀(☎042-288-2835, 2830)으로 연락주시면 안내해 드리겠습니다. 끝. 담당부서 대전광역시 서구 자치행정국 세무1과

관련법령 지방세특례제한법 / 제177조의2(지방세 감면 특례의 제한)

7. 사업자등록 신청

● 사업자등록 신청 절차(부가가치세법 제8조)

○ 사업자등록은 사업장마다 하여야 함.
  - ("사업자단위과세자"가 아닌 경우는) 사업장이 여럿이면 각각의 사업장마다 별도로 사업자등록을 하여야 함.
  - 사업개시 전 또는 사업을 시작한 날로부터 20일 이내에 구비서류를 갖추어 관할세무서 또는 가까운 세무서 민원봉사실에 신청하여야 함.

○ 사업자등록신청서는 사업자 본인이 자필로 서명하여야 함.
  - 대리인이 신청할 경우 대리인과 위임자의 신분증을 필히 지참하여야 하며 사업자등록신청서에 사업자 본인 및 대리인 모두 인적사항을 기재하고 자필 서명하여야 함.
  - 2인 이상의 사업자가 공동사업을 하는 경우 사업자등록신청은 공동사업자 중 1인을 대표자로 하여 대표자 명의로 신청해야 함.

○ 홈택스에 가입되어 있고 공인인증서가 있으면 세무서에 방문하지 않고 인터넷을 통하여 사업자등록 신청 및 구비서류 전자제출이 가능하며 사업자등록이 완료되면 사업자등록증 발급도 가능함.

참조 : "홈택스(https://www.hometax.go.kr)>신청/제출>사업자등록신청/정정 등"

● 간이과세자와 일반과세자의 구분

○ 개인사업자는 공급대가에 따라 간이과세자와 일반과세자로 구분되므로 자기에게 맞는 올바른 과세유형을 선택하여야 함.
  - 간이과세자 : 연간 공급대가 예상액이 4,800만원 미만인 개인사업자

다만, 아래 사업자는 연간 공급대가 예상액이 4,800만원 미만이라도 간이과세를 적용받을 수 없음.

- 광업, 제조업(과자점, 떡방앗간, 양복·양장·양화점은 가능)
- 도매업(소매업 겸업시 도·소매업 전체), 부동산매매업
- 시 이상 지역의 과세유흥장소
- 전문직사업자(변호사, 심판변론인, 변리사, 법무사, 공인회계사, 세무사, 경영지도사, 기술지도사, 감정평가사, 손해사정인, 통관업, 기술사, 건축사, 도선사, 측량사업, 공인노무사업, 약사업, 한약사업, 수의사업 등)
- 국세청장이 정한 간이과세 배제기준에 해당되는 사업자
- 현재 일반과세자로 사업을 하고 있는 자가 새로이 사업자등록을 낸 경우(다만, 개인택시, 용달, 이·미용업은 간이과세 적용 가능)
- 일반과세자로부터 포괄양수 받은 사업

● 사업자단위과세 제도

○ 동일한 사업자에게 2이상의 사업장이 있는 경우로서 해당 사업자의 본점 등을 관할하는 세무서장에게 사업자단위과세자로 등록한 사업자는 그 사업자의 본점 등에서 총괄하여 신고·납부 가능

○ 본점 또는 주사무소를 포함하여 2이상의 사업장을 신규로 개설하면서 사업자단위과세를 적용받고자 하는 경우 사업개시일로부터 20일 이내에 본점 또는 주사무소 관할세무서장에게 등록(사업자등록 신청서) 기존사업자가 사업자 단위과세를 적용받으려는 경우 과세기간 개시 20일전까지 등록(사업자단위과세 등록신청서)   출처 : 국세청

8. 공익법인

● 고유번호증 발급신청

○ 사업자등록신청서(고유번호증 신청서)에 다음의 서류를 첨부하여 관할 세무서에 제출하면 됩니다.
- 비영리법인의 설립에 대한 인허가 등 관련서류
- 정관 등 규약
- 대표자의 선임내용에 관한 서류 (총회결의서 등)
- 사업장 임대차계약서 사본

○ 법인사업자 또는 고유번호증을 부여받은 단체가 사업자등록증 상의 대표자를 변경하고자 한다면 대표자 변경 사실을 확인할 수 있는 법인등기부등본 또는 법인의 정관 등 객관적인 증빙을 첨부하여 사업장 관할세무서에 사업자등록정정신고를 하면 되는 것으로 보입니다.

● 공익법인의 범위(비영리법인 포함)

○ 공익법인은 법인세법상 비영리법인 중 상속세 및 증여세법 시행령 제12조 각 호에 열거된 공익사업을 영위하는 법인을 말합니다.

○ 상속세 및 증여세법 시행령 제12조

종교의 보급 기타 교화에 현저히 기여하는 사업

「초·중등교육법」 및 「고등교육법」에 의한 학교, 유아교육법에 따른 유치원을 설립·경영하는 사업

「사회복지사업법」의 규정에 의한 사회복지법인 운영하는 사업

「의료법」의 규정에 의한 의료법인이 운영하는 사업

「법인세법§24②1호」에 해당하는 기부금을 받는 자가 해당 기부금으로 운영하는 사업

「법인세법 시행령§39①1호」각 목에 따른 공익법인 등 및 「소득세법 시행령80①5호」에 따른 공익단체가 운영하는 고유목적사

업. 다만, 회원의 친목 또는 이익을 증진시키거나 영리를 목적
으로 대가를 수수하는 등 공익성이 있다고 보기 어려운 고유목
적사업을 제외한다.

「법인세법 시행령§39①2호다목」에 해당하는 기부금을 받는 자
가 해당 기부금으로 운영하는 사업. 다만, 회원의 친목 또는 이
익을 증진시키거나 영리를 목적으로 대가를 수수하는 등 공익성
이 있다고 보기 어려운 고유목적사업은 제외한다.

● 공익법인의 준수사항

○ 공익법인은 출연재산을 공익목적이외 사용하거나 일정기간
내에 사용하지 하지 않는 등 사후관리 부적정하면 공익법인에
증여세, 가산세 등을 과세한다

- 출연재산을 직접 공익목적에 용도외로 사용하거나, 출연 받은
날로부터 3년이내 공익목적에 사용하지 아니하면 증여세를 부과
한다(상증법 제48조제1항제1호, 같은 법 시행령 제38조제2항,
제3항)

○ 법인세법상 고유목적사업준비금 사용의무와 고유목적사업준
비금은 사업종료일이후 5년이내 지출사용하여야 한다(법인세법
제29조제2항)

○ **출연자 등의 이사 수의 1/5을 초과 선임하거나, 임직원(이
사는 제외)으로 고용하는 경우**

- 출연자 및 특수관계인은 현재 이사수 1/5을 초과 선임할 수
없다.

- 출연자 및 특수관계인으로 사용인이나 임직원으로 고용하는
경우.

**※ 다만 임직원중 사회복지시설의 시회복지사 자격을 가진 자,
아동복지시설의 보육사 등은 제외한다)**

- 위반하면 직접.간접경비에 상당하는 금액 전액을 가산세로

부과한다

(상증법 제48조 제8항 및 같은 법 제78조 제6항)

○ **자기내부거래의 제한**

 - 공익법인이 출연받은 재산을 출연자 및 그의 특수관계인에게 임대차, 소비대차 및 사용대차 등의 방법으로 사용.수익하게 하는 경우에는 해당 가액을 공익법인이 증여받은 것으로 보아 즉시 증여세를 부과한다(상증법 제48조제3항)

○ **출연자 및 특수관계인과의 보조사업자 거래 금지**

- 보조사업자는 보조금 집행시 출연자 및 특수관계인이 운영하는 업체 또는 단체(계열관계 업체 또는 단체를 포함)와는 거래할 수 없다(보건복지부 소관 국고보조금 관리규정 제15조 제4항)

● **공익법인의 주요신고의무**

○ **출연재산 등에 대한 보고서 제출**

재산을 출연받은 공익법인은 사업연도 종료일부터 4개월 이내에 공익법인 출연재산 등에 대한 보고서를 제출하여야 합니다.

○ **외부전문가의 세무확인서**

총자산가액이 5억원 이상이거나 수입금액과 출연받은 재산가액의 합계액이 3억원 이상인 공익법인은 2명 이상의 외부전문가로부터 세무확인을 받아 사업연도 종료일부터 4개월 이내에 세무확인서를 제출하여야 합니다.

○ **결산서류 등 공시**

'20.1.1. 이후 개시하는 사업연도 분부터 모든 공익법인*(종교단체 제외, 다만 종교단체도 주식보유 관련 의무이행 신고대상인 경우 결산서류 등 표준공시의무 대상임)은 사업연도 종료일부터 4개월 이내에 홈택스에 게시하는 방법으로 공시하여야 합니다.

해당 사업연도의 총자산가액이 5억원 미만이면서 수입금액과 출연받은 재산가액의 합계액이 3억원 미만인 공익법인은 간편서식

으로 공시할 수 있음

○ **주식보유 관련 의무이행 신고**

'21. 1. 1. 이후 개시하는 사업연도 분부터 주식기준 초과보유[*]
공익법인은 사업연도 종료일부터 4개월 이내에 의무이행 여부를
신고하여야 합니다.

동일 내국법인 발행주식총수의 5% 초과하여 출연·취득하였거나
특수관계있는 내국법인 주식을 총재산가액의 30%(50%) 초과
하여 보유하는 경우

○ **기부금 모금액 및 활용실적 공개**

기부금단체(종교단체 제외)는 기부금 모금·활용 실적을 사업연
도 종료일부터 4개월 이내에 해당 법인의 누리집과 홈택스에
게시하는 방법으로 각각 공개하여야 합니다.

○ **주기적 감사인 지정제도 관련 기초자료 제출**

'총자산가액이 1,000억원 이상인 공익법인 중 감사인 지정대상
*인 경우, 사업연도 개시일부터 9개월째 되는 달의 초일부터 2
주 이내에 지정에 필요한 자료를 제출하여야 합니다.

지정기준일 이전 연속하는 4개 과세연도에 대하여 감사인을 자
유선임한 경우 다음 2개 과세연도에 대하여 기획재정부장관이
지정하는 감사인에게 회계감사를 받아야 함

● 공익법인 특수관계인이 임직원이 되는 경우

상증법 제48조제8항에 의해 출연자 또는 그의 특수관계인이
공익법인 등의 임직원이 되는 경우(공익법인 특수관계인 취업금
지의무 위반)

○ **특수관계인의 범위**

- 출연자

- 출연자 또는 이사와의 관계 : 배우자,6촌이내 혈족(국세는 4
촌이내로 개정),4촌이내 인척, 출연자 또는 이사가 출연한 다른
법인의 이사, 출연자 또는 이사가 재산 출연한 법인의 금전, 그

밖의 재산, 생계를 함께 유지하는 자. 등

○ 해당 임직원에게 지급되는 직,간접경비의 인건비 상당액 전액은 가산세를 부과하도록 규정하고 있는 것은

○ 공익목적사업에 사용되어야 할 금액이 출연자 또는 그의 특수관계인의 인건비 등 경비로 사용되는 것을 방지하기 위함이다

※ 대법원 2017.4.20. 선고2011두21447, 판결, 조심 2019서1465 (2019.12.26)

○ 상증법 제78조제6항에는 관할 세무서장 등은 제48조제8항의 규정에 이사수 초과나 임직원 위반 제재규정으로 당해 법령은 상증법에서 공익법인은 세법상 의무위반시 제재시 부과제척기간은 10년으로 적용한다고 판단했다

※ 조세심판례, 조심 2019서1465, (2019.12.26.)

● 공익법인 특수관계인 1/5 이사수 초과하는 경우

- 법인 이사수가 5분의1을 초과하는 경우

○ 상증법 제78조제6항에는 관할 세무서장 등은 제48조제8항의 규정에 이사수 초과나 임직원 위반 제재규정으로 당해 법령은 상증법에서 공익법인은 세법상 의무위반 제재시 부과제척기간은 10년으로 적용한다고 판단했다

※ 조세심판례, 조심 2019서1465, (2019.12.26.)

9. 공익법인의 고유목적사업과 수익사업
● 공익법인의 법인세 납부 등

○ 납세의무

- 사회복지법인도 영리법인과 유사한 수익사업을 영위하게 되면 원칙적으로 법인세를 납부하여야 함

○ 공익법인의 사업 종류

- 고유 목적사업

. 정관에 정하는 고유사업 추진

○ **사회복지법인의 수익사업(법인세법 제3조제3항)**

 - 사회복지법인도 일반사업자와 동일하게 납세의무가 있음(사업자등록)

. 회계장부를 구분하여 별도 작성하여야 함(수익사업회계)

. 고유목적사업 준비금을 수익사업에서 발생된 소득에 대해서 50%를 손금 산입할 수 있음

○ **고유목적사업 준비금은 일정 기간(사업연도 종료일이후 5년까지) 고유목적사업에 사용해야 함**

○ **공익법인의 수익사업 신고**

. 수익사업을 개시한 법인은 사업 개시일로부터 20일 이내에 관할 세무서에 사업자등록을 제출하고

.수익사업 개시 신고(회의록, 정관 변경, 대차대조표)는 개시 2개월 이내 세무서에 신고하여야 함

● 사회복지법인 수익사업(수익금 사용 등)

○ 사회복지법인은 목적사업의 경비에 충당 목적으로 법인의 설립 목적 수행에 지장이 없는 범위 내에서 수익사업 수행 가능(사회복지사업법 제28조)

○ 수익사업의 수익금은 법인 또는 법인이 설치한 사회복지시설의 운영 외의 목적에 사용할 수 없음(법 제28조, 제54조)

○ 특히 해당 법인의 목적사업의 운영을 위하여 수익사업을 운영하기로 승인 받으 후 수익사업에서 수익이 발생하지 않는다는 이유로 목적사업에 수익금 지원 없는 경우 해당 수익사업에 대한 시정을 명할 수 있음

○ 수익사업회계는 법인의 다른 화계와 구분하여야 함(법 제28조)

○ 법인은 수익사업을 할 경우 정관으로 정하는 바에 따라 사

업마다 주무관청의 승인을 받아야 함(공설법 제4조)

○ 비과세 대상에서 제외되는 수익사업은 어느 사업이 "지방세법 제184조 및 제234조의12에서 규정한 재산세 등의 비과세에서 제외되는 수익사업에 해당하는 지의 여부는 그 사업이 수익성을 가진 것이거나, 수익을 목적으로 하면서 그 규모, 횟수, 태양 등에 비추어 사업활동으로 볼 수 있는 정도의 계속성과 반복성이 있는 지의 여부 등을 고려하여 사회통념에 따라 합리적으로 판단하여야 함(대법원 96두14845, 1997.2.28)

○ 수익사업 수익금의 범위는 사회복지법인이 그가 행하는 사업에 지장이 없는 범위 안에서 정관에서 정하는 바에 의하여 그 사업운영에 충당하기 위하여 수익사업을 행할 수 있으나, 사회복지시설은 그 시설을 이용하여 사회복지사업을 하는 사회복지법인의 목적용 기본재산으로 원칙적으로 그 시설은 사회복지사업 자체에 쓰여져야 하는 것이고 ,

그 주요부분이나 대부분을 사회복지사업 자체가 아닌 다른 수익사업에 이용케 하는 것은 사회복지사업에 직접 또는 간접으로 쓴다고 할지라도 사회복지시설 설치운영의 본질에 반하는 것으로 허용될 수 없음(대법원 98두11120, 2000.6.23.)

출처 2021년 사회복지법인 관리안내(보건복지부.p52), 2021 사회복지법인.시설 업무가이드(부산시.p63)

● **고유목적사업으로 보는 사례**

○ 비영리내국법인이 국가로부터 위탁받은 사업의 손익이 국가에 귀속될 경우 해당 사업에서 발생한 손익은 법인세법 제2조에 따라 법인세 과세대상이 되지 아니 하는것임 (법인세과-312, 2011.4.28.)

○ 장애인복지법 제58조제1항에 따른 장애인복지시설로서 장애인보호작업장을 운영하는 경우 해당사업은 법인세법시행령 제

2조제1항제4호에 해당하여 수익사업에 해당하지 아니하는 것임
(법규법인2010-364, 2010.12.21.)
출처 알기쉬운 사회복지 회계.세무실무

◆ 시장형 노인일자리사업 추진 노인복지관 법인세 적용 여부
(질의응답)

안녕하십니까, 한국노인인력개발원입니다.

먼저, 노인일자리 및 사회활동 지원사업과 우리원에 관심 주셔서 감사합니다. 시장형사업단 업무로 노고가 많으십니다.

최근 법인세 관련 전문가 자문을 받은 내용을 전달 드립니다.

시장형 사업단을 비영리법인의 지점으로 설립한 경우는 법인세가 0원으로 없습니다. 다만, 별도법인인 경우는 법인세를 납부하게 된다는 답변을 받았습니다. **시장형사업단은 기관의 고유목적사업으로 보조금을 받는 사업이어서 법인세법 상 수익사업으로 볼 수 있는지 전문가의 판단과 조언이 필요합니다.** 노인일자리업무시스템의 경영관리상담 게시판을 통해 전문가에게 세부적인 내용을 알려주신 후 상담을 받으시길 권유 드립니다. 시장형사업단을 위해 애써 주셔서 감사드립니다.

● 공익법인의 고유목적사업에 포함할 수 있는 인건비 범위

　○ 상증법 시행령 제38조제2항, 법인세법 시행령 제56조제6항, 11항 해석에 따라 기존 국세청 질의해석례에 비추어 8천만원 이내의 인건비는 직접 공익목적사업에 사용되는 금액으로 봄이 상당함

● 수익사업과 고유목적사업 구분 경리

　○ 장부의 비치.기장 의무
　○ 구분경리
　○ 고유목적사업준비금

● 고유번호와 사업자등록번호의 구분

　○ 고유번호

. 수익사업을 영위하지 않은 경우

. 소득을 지급하는 경우 소득세를 원천징수하여야 함

.법인세와 부가가치세 납부의무는 없음(세금계산서 발급은 되지 않음)

○ 사업자등록번호

. 법인이사회에서 정관을 변경하고 별도로 관할 세무서에 영리사업 신고하고 사업자등록을 별도로 하여야 한다

. 사업자등록번호가 있는 비영리법인은 일반사업자와 동일하게 부가가치세와 법인세를 납부해야 함

출처 2021 복지법인시설실무가이드(p311)

◆ 법인의 본점 및 지점 신고방법(질의응답)

안녕하세요. 항상 국세행정에 대한 관심과 협조 감사드립니다.

귀하의 민원내용은 "법인의 본점 및 지점 신고 방법"에 관한 문의로 확인됩니다.

[부가가치세 분야]

부가가치세법 상 사업장이란 사업자 또는 그 사용인이 상시 주재하여 거래의 전부 또는 일부를 행하는 장소를 말하는 것이며

사업자는 사업장마다 사업자등록을 하여야 하는 것으로 귀 사례 지점이 사업장에 해당된다면 별도로 사업자등록을 하여야 하는 것입니다

부가가치세 신고는 각각의 사업장마다 하는 것이나, 사업자단위과세사업자의 경우에는 주된사업장에서 지점의 매출, 매입 등을 함께 신고하는 것입니다

부가가치세법 제8조 【사업자등록】

① 사업자는 사업장마다 대통령령으로 정하는 바에 따라 사업 개시일부터 20일 이내에 사업장 관할 세무서장에게 사업자등록을 신청하여야 한다. 다만, 신규로 사업을 시작하려는 자는 사업 개시일 이전이라도 사업자등록을 신청할 수 있다.

② 사업자는 제1항에 따른 사업자등록의 신청을 사업장 관할 세무서장이 아닌 다른 세무서장에게도 할 수 있다. 이 경우 사업장 관할 세

무서장에게 사업자등록을 신청한 것으로 본다.

③ 제1항에도 불구하고 사업장이 둘 이상인 사업자는 사업자 단위로 해당 사업자의 본점 또는 주사무소 관할 세무서장에게 등록을 신청할 수 있다. 이 경우 등록한 사업자를 사업자 단위 과세 사업자라 한다.

④ 제1항에 따라 사업장 단위로 등록한 사업자가 제3항에 따라 사업자 단위 과세 사업자로 변경하려면 사업자 단위 과세 사업자로 적용받으려는 과세기간 개시 20일 전까지 사업자의 본점 또는 주사무소 관할 세무서장에게 변경등록을 신청하여야 한다. 사업자 단위 과세 사업자가 사업장 단위로 등록을 하려는 경우에도 또한 같다.

⑤ 제1항부터 제4항까지의 규정에 따라 신청을 받은 사업장 관할 세무서장(제3항 및 제4항의 경우는 본점 또는 주사무소 관할 세무서장을 말한다. 이하 이 조에서 같다)은 사업자등록을 하고, 대통령령으로 정하는 바에 따라 등록된 사업자에게 등록번호가 부여된 등록증(이하 "사업자등록증"이라 한다)을 발급하여야 한다.

[법인세 분야]

본점법인은 지점를 통합하여 법인세 신고납부를 하는 것입니다

앞으로도 국세행정에 대한 지속적인 관심과 협조를 보내주시기 바라며, 이와 관련하여 궁금하신 사항은 국세상담센터 상담전화 126(국번 없이)으로 전화상담을 하시거나, 국세청홈택스 홈페이지의 인터넷상담 바로가기를 클릭하여 상담할 수 있음을 알려드립니다.

관련법령 : 기타

작성부서 : 국세청 중부지방국세청 안양세무서 납세자보호담당관 | 031-8012-7928

10. 공익법인의 세금(법인세등 납부)

● 공익법인의 사업 종류

○ 고유 목적사업 : 정관에 정하는 고유사업 추진

○ 수익사업 : 일반사업자와 동일하게 납세의무가 있음(사업자등록)

　- 부가가치세와 법인세(종합소득세)

- 회계장부를 구분하여 별도 작성해야 함.
- 법인은 사업개시일로부터 20일이내에 관할세무서에 사업자 등록을 제출하고
- 수익사업 개시 신고(회의록, 정관변경, 대차대조표)는 개시 2개월이내 세무서에 신고하야 함

● 고유번호와 사업자등록번호

○ 고유번호가 있는 비영리법인

- 소득세법 제127조 제1항에 해당하는 소득을 지급하는 경우 소득세를 원천징수하여야 하며 사업장 소재지 세무서에 원천징수이행상황신고 및 납부, 지급명세서(원천징수영수증) 등을 제출하여야 한다.
- 법인세와 부가가치세 신고 의무는 없음.
- 세금계산서 발행이 되지 않으며, 영수증 발급만 가능함.

○ 사업자등록번호가 있는 비영리법인

- 일반 사업자와 동일하게 부가가치세와 법인세(종합소득세)를 납부해야 한다.

○ 사업자등록번호

- 법인이사회에서 정관을 변경하고 별도로 관할세무서에 영리 사업 신고하고 사업자등록을 별도로 해야 한다.
- 수익사업을 영위 별도로 신고 된 사업자등록증으로 세금계산서를 받습니다.

● 수익사업

○ 비영리법인의 경우 고유목적사업 준비금을 법인세법 제29조에 의하여 수익사업에서 발생된 소득에 대하여는 50%를 손금 산입할 수 있다.

○ 고유목적사업 준비금은 일정 기간(5년이내) 고유목적에 사용해

야 한다.

○ 수익사업에서 소득이 발생치 않으면 고유목적사업 준비금은 필요

○ 사회복지법인에서 운영하고 있는 지역아동센터의 위탁운영법인이 변경됨에 따른 고유번호증 변경 신고에 따른 제반절차에 대한 문의로 이해됩니다.

○ 운영주체인 법인이 변경된 경우 아동복지시설 신고증을 주무관청에 신고한 후 세무서에 "법인설립신고 및 사업자등록신청서"와 제출서류를 구비하여 비영리법인으로 신청하거나, "사업자등록신청서(법인이 아닌 단체의 고유번호 신청서)"와 제출서류를 구비하여 개인으로 보는 단체로 신청하여 고유번호증을 신규로 발급받아 사용하시면 됩니다.

관련법령 : 기타

작성부서 : 국세청 인천지방국세청 광명세무서 재산법인납세과 | 02-2610-8505

◆ 고유번호증 대표자 변경문의(질의응답)

○ 사회복지법인에서 운영하고 있는 지역아동센터입니다. 최근 위탁 변경으로 저희 아동센터의 운영법인이 변경되었으며, 이에 따라 대표자 변경 신고를 앞두고 있습니다.

대표자 변경시 기존 사회복지시설 신고증은 반납하고 신규로 발급받아야 합니다. 궁금한 것은, 그렇다면 고유번호증 역시 폐지를 하고 다시 새로운 고유번호증을 받아야 하는 것인지요?

아니면 고유번호는 바뀌지 않도록 고유번호증 상의 대표자 변경만을 해도 되는 것인지요??

법인이 변경된 것이기에 시설신고증처럼 고유번호증도 당연히 폐지하고 새로운 고유번호증을 받아서 통장도 모두 바꾸어야 한다는 사람도 있고,

시설신고증과 고유번호증은 별개이니 고유번호증 상의 대표자는 변경

으로만 신고하고 기존 고유번호와 통장을 그대로 사용해도 된다는 사람도 있네요..

○ 사회복지법인에서 운영하고 있는 지역아동센터의 위탁운영법인이 변경됨에 따른 고유번호증 변경 신고에 따른 제반절차에 대한 문의로 이해됩니다.

○ 운영주체인 법인이 변경된 경우 아동복지시설 신고증을 주무관청에 신고한 후 세무서에 "법인설립신고 및 사업자등록신청서"와 제출서류를 구비하여 비영리법인으로 신청하거나, "사업자등록신청서(법인이 아닌 단체의 고유번호 신청서)"와 제출서류를 구비하여 개인으로 보는 단체로 신청하여 고유번호증을 신규로 발급받아 사용하시면 됩니다.

관련법령 : 기타

작성부서 : 국세청 인천지방국세청 광명세무서 재산법인납세과

◆ 사업자등록증과 고유번호증(법령상 근거)

소득세법

제168조(사업자등록 및 고유번호의 부여) ① 새로 사업을 시작하는 사업자는 대통령령으로 정하는 바에 따라 사업장 소재지 관할 세무서장에게 등록하여야 한다.

②「부가가치세법」에 따라 사업자등록을 한 사업자는 해당 사업에 관하여 제1항에 따른 등록을 한 것으로 본다. ③ 이 법에 따라 사업자등록을 하는 사업자에 대해서는「부가가치세법」제8조를 준용한다.

⑤ 사업장 소재지나 법인으로 보는 단체 외의 사단·재단 또는 그 밖의 단체의 소재지 관할 세무서장은 다음 각 호의 어느 하나에 해당하는 자에게 대통령령으로 정하는 바에 따라 고유번호를 매길 수 있다.

1. 종합소득이 있는 자로서 사업자가 아닌 자
2. 「비영리민간단체 지원법」에 따라 등록된 단체 등 과세자

료의 효율적 처리 및 소득공제 사후 검증 등을 위하여 필요하다고 인정되는 자

소득세법 시행령

제220조(사업자등록 및 고유번호의 부여) ① 법 제168조제1항에 따라 사업자등록을 하려는 자는 사업장마다 사업 개시일부터 20일 이내에 기획재정부령으로 정하는 바에 따라 사업자등록신청서를 사업장 소재지 관할 세무서장에게 제출해야 한다.

④ 법 제168조제5항의 규정에 따른 고유번호는 사업장소재지 또는 법인으로 보는 단체 외의 사단·재단, 그 밖의 단체의 소재지 관할 세무서장이 부여한다.

부가가치세법

제8조(사업자등록) ① 사업자는 사업장마다 대통령령으로 정하는 바에 따라 사업 개시일부터 20일 이내에 사업장 관할 세무서장에게 사업자등록을 신청하여야 한다.

다만, 신규로 사업을 시작하려는 자는 사업 개시일 이전이라도 사업자등록을 신청할 수 있다.

② 사업자는 제1항에 따른 사업자등록의 신청을 사업장 관할 세무서장이 아닌 다른 세무서장에게도 할 수 있다. 이 경우 사업장 관할 세무서장에게 사업자등록을 신청한 것으로 본다. ③ 제1항에도 불구하고 사업장이 둘 이상인 사업자(사업장이 하나이나 추가로 사업장을 개설하려는 사업자를 포함한다)는 사업자 단위로 해당 사업자의 본점 또는 주사무소 관할 세무서장에게 등록을 신청할 수 있다. 이 경우 등록한 사업자를 사업자 단위 과세 사업자라 한다.

부가가치세법 시행령

제11조(사업자등록 신청과 사업자등록증 발급) ① 법 제8조제1항에 따라 사업자등록을 하려는 사업자는 사업장마다 다음 각 호의 사항을 적은 사업자등록 신청서를 관할 세무서장이나 그 밖에 신청인의 편의에 따라 선택한 세무서장에게 제출(국세정보통신망에 의한 제출을 포함한다)해야 한다. <개정 2021. 2. 17.>

1. 사업자의 인적사항

2. 사업자등록 신청 사유

3. 사업 개시 연월일 또는 사업장 설치 착수 연월일

4. 그 밖의 참고 사항

② 제1항에도 불구하고 법 제8조제3항부터 제5항까지의 규정에 따라 사업자 단위 과세 사업자로 등록을 신청하려는 사업자는 본점 또는 주사무소(이하 "사업자 단위 과세 적용 사업장"이라 한다)에 대하여 제1항 각 호의 사항을 적은 사업자 등록신청서를 사업자 단위 과세 적용 사업장 관할 세무서장에게 제출하여야 한다.

제12조(등록번호) ① 법 제8조제6항에 따른 등록번호는 사업장마다 관할 세무서장이 부여한다. 다만, 법 제8조제3항부터 제5항까지의 규정에 따라 사업자 단위로 등록신청을 한 경우에는 사업자 단위 과세 적용 사업장에 한 개의 등록번호를 부여한다.

② 관할 세무서장은 과세자료를 효율적으로 처리하기 위하여 법 제54조제4항 또는 제5항에 따른 자에게도 등록번호에 준하는 고유번호를 부여할 수 있다.

● 고유목적사업과 수익사업 구분

○ 수익사업은 공익법인의 금융(이자, 배당), 부동산(임대, 매각), 기타수익사업을 말합니다. 이때 기타수익사업은 제조업, 건설업, 도·소매업 등 한국표준산업분류에 따른 사업으로 법인세법 제4조 제3항 제1·5호의 수익사업을 말합니다. 반면, 고유목적사업은 위 수익사업 외의 것으로 공익법인의 정관상 고유목적사업을 말하는 것입니다. 고유목적사업을 통한 수입의 예로 기부금, 보조금, 회비수입 등이 있습니다. 출처 : 복지법인시설 실무카페

◆ 공익법인 무상사용 증여세 과세대상 여부(질의응답)

○ 처리기관 국세청 (국세청 국세상담센터 인터넷.방문상담3팀)

처리기관 접수번호 2AA-2311-0721869

○ 접수일시 2023-11-20 13:07:42
담당자(연락처) 한성민 (064-780-6185)
○ 답변일시 2023-12-06 17:51:57
처리결과 (답변내용)
안녕하십니까? 귀하께서 국민신문고를 통해 신청하신
민원(1AA-2311-0726067)에 대한 검토결과를 다음과 같이
알려드립니다.
**귀하의 민원내용은 "무상사용 증여세 과세대상 여부"에 대한 문의로
판단되어 이에 대하여 답변 드립니다.**
(답변)
**상증법상 '출연'이란 기부 또는 증여 등 명칭에 불구하고 공익사업에
사용하도록 무상으로 재산을 제공하는 행위를 말하며, 그 출연행위에
따라 제공된 재산을 출연재산에 해당합니다.**
출연받은 재산을 직접 공익목적사업 등(직접 공익목적사업에
충당하기 위하여 수익용 또는 수익사업용으로 운용하는 경우 포함)외
에 사용하거나, 출연받은 날부터 3년 이내에 직접 공익목적사업 등에
사용하지 아니하거나, 3년 이후 직접 공익목적사업 등에 계속하여
사용하지 아니하는 경우에는 공익목적사업 등 외에 사용하였거나
미사용된 재산가액을 증여가액으로 하여 증여세가 과세됩니다.
이때, 직접 공익목적사업 등에 사용하는 것이라 함은 출연받은
재산을 해당 공익법인 등의 정관상 고유목적사업에 사용하거나, 직접
공익목적사업에 충당하기 위하여 해당 재산을 수익사업용 또는
수익용으로 운용하는 것을 말합니다.
한편, 상증법상 공익법인의 고유목적사업에 사용하기 위해 출연한
재산에 대해서는 증여세 과세가액에 불산입하도록 정하고 있으며,
아래의 법령해석사례에 따르면 저가양수로 이익을 얻는 자가
공익법인인 경우, 공익법인이 채권자로부터 채무면제를 받는 경우에
각각 증여세 과세가액에 산입하지 아니하는 것으로 해석하고
있습니다.
따라서, 위와 같이 증여의제(사실상 증여)로 보는 증여재산의

경우에도 출연재산에 포함하는 것이 원칙이나, 공익목적으로
사용하는 경우에는 증여세 과세가액에 불산입하고 있으므로, 본
상담관의 개인견해로는 공익법인이 부동산 무상사용이익을 얻는
경우에도 공익목적으로 사용하는 경우라면 증여세 과세가액에서
불산입하는 것으로 판단됩니다.

참고로, 상속세 및 증여세법 제35조에 따른 이익의 증여 규정은
타인으로부터 시가보다 낮은 가액으로 재산을 양수하는 경우 또는
타인에게 시가보다 높은 가액을 재산을 양도하는 경우로서
과세요건이 충족되면 증여세를 과세하는 규정이며, 이 때 저가양수
또는 고가양도에 증여이익을 계산하는 경우 특수관계인과 거래와
특수관계인이 아닌 자와 거래를 구분하여 각각 적용합니다.

다만, 국민신문고 세법상담은 관련 법령과 유권해석 사례를 검토하여
상담관이 단순상담으로 답변을 드리고 있는 곳으로
문의하신 사례와 관련한 유권해석 사례가 확인되지 않아 관련 유사
사례를 참고하여 상담관의 견해로 답변드렸습니다만, 국세상담센터의
답변은 유권해석 권한이 없으므로 공식적인 세법해석이 필요한 경우
아래의 방법으로 서면질의제도를 이용하시기 바랍니다.

○ 서면질의 신청방법

국세청 홈택스(www.hometax.go.kr) 공인인증서 로그인 →
메인화면의 "상담·불복·고충·제보·기타" → 세법해석신청 "서면질의
신청"

■ 상속세및증여세법제35조【저가 양수 또는 고가 양도에 따른
이익의 증여】

① 특수관계인 간에 재산(전환사채 등 대통령령으로 정하는 재산은
제외한다. 이하 이 조에서 같다)을 시가보다 낮은 가액으로
양수하거나 시가보다 높은 가액으로 양도한 경우로서 그 대가와
시가의 차액이 대통령령으로 정하는 기준금액(이하 이 항에서
"기준금액"이라 한다) 이상인 경우에는 해당 재산의 양수일 또는
양도일을 증여일로 하여 그 대가와 시가의 차액에서 기준금액을 뺀
금액을 그 이익을 얻은 자의 증여재산가액으로 한다.

② 특수관계인이 아닌 자 간에 거래의 관행상 정당한 사유 없이 재산을 시가보다 현저히 낮은 가액으로 양수하거나 시가보다 현저히 높은 가액으로 양도한 경우로서 그 대가와 시가의 차액이 대통령령으로 정하는 기준금액 이상인 경우에는 해당 재산의 양수일 또는 양도일을 증여일로 하여 그 대가와 시가의 차액에서 대통령령으로 정하는 금액을 뺀 금액을 그 이익을 얻은 자의 증여재산가액으로 한다.

■ 상증, 서면인터넷방문상담4팀-1691 , 2006.06.12.

[제 목] 증여세 과세 여부

[요 지] 저가양수로 이익을 얻은 자가 공익법인인 경우에는 증여세가 과세되지 않음

[회 신]

「상속세 및 증여세법」제35조제2항의 규정에 의하여 특수관계 없는 자로부터 거래의 관행상 정당한 사유 없이 시가보다 현저히 낮은 가액으로 재산을 양수하는 경우 그 시가와 대가와의 차액에 상당하는 금액을 증여받은 것으로 추정하는 것이나 이 경우 이익을 얻은 자가 같은 법 시행령 제12조의 규정에 의한 공익법인 등에 해당하는 경우에는 같은 법 제48조의 규정에 의하여 증여세 과세가액에 산입하지 아니하는 것입니다. 귀 질의 3의 경우 " 법인세법상 시가 평가방법"에 대하여는 현재 관련법령을 검토 중에 있으며, 그 검토가 끝나는 대로 조속히 회신하여 드릴 예정임을 알려드립니다.

[관련법령] 상속세및증여세법 제48조【공익법인 등이 출연 받은 재산에 대한 과세가액 불산입 등】

상속세및증여세법 제35조【저가·고가양도에 따른 이익의 증여 등】

■ 상증, 서면-2018-상속증여-3223 [상속증여세과-147] , 2019.02.19.

[제 목] 공익법인이 채권자로부터 채무면제를 받은 경우 출연재산 해당 여부

[요 지]

공익법인등이 출연재산 및 출연 받은 재산의 범위에 공익법인등이

채권자로부터 면제받은 채무의 가액이 포함되는 것입니다.

[회 신]

「상속세 및 증여세법」 제48조에서 규정하는 공익법인등이 출연받은 재산의 범위에 공익법인등이 채권자로부터 면제받은 채무의 가액이 포함되는 것이며, 이 경우 같은 조 제2항 및 제3항의 규정을 적용함에 있어서는 당초 그 채무를 사용한 용도를 확인하여 판단하는 것입니다.

[관련법령] 상속세 및 증여세법 제48조【공익법인등이 출연받은 재산에 대한 과세가액 불산입등】 상속세 및 증여세법 시행령 제38조【공익법인등이 출연받은 재산의 사후관리】

■ 상증, 재산세과-528 , 2011.11.07.

[제 목] 공익법인 등이 출연받는 경우 증여세 과세가액 불산입됨

[요 지] 공익법인 등이 무상으로 재산을 출연받거나, 특수관계 없는 자로부터 거래의 관행상 정당한 사유 없이 현저히 낮은 가액으로 재산을 양수하여 시가와 대가와의 차액에 상당하는 이익을 얻은 경우에는 증여세 과세가액 불산입하는 것임

[회 신]

「상속세 및 증여세법 시행령」제12조 각호의 어느 하나에 해당하는 사업을 영위하는 공익법인 등이 무상으로 재산을 출연받거나, 같은 법 제35조에 따라 특수관계 없는 자로부터 거래의 관행상 정당한 사유 없이 현저히 낮은 가액으로 재산을 양수하여 시가와 대가와의 차액에 상당하는 이익을 얻은 경우에는 같은 법 제48조 규정에 따라 증여세 과세가액 불산입하는 것입니다.

[관련법령] 상속세및증여세법 제48조【공익법인등이 출연받은 재산에 대한 과세가액 불산입등】

(이하 생략)

* 이상 귀하의 민원에 대해 답변을 하였습니다.

* 귀하의 질문에 만족스러운 답변이 되었기를 바라며 혹시 답변내용이 다소 만족스럽지 못하더라도 관련 법령에 의거 부득이한 점이 있음을 양해하여 주시기 바랍니다.

* 국세상담센터 인터넷방문상담3팀 한성민 상담관(전화번호 : 064-780-6185).

* 그럼 항상 건강하시고 귀하의 하시는 일이 번창하시길 기원합니다. 감사합니다.

* 상기 답변내용은 귀하께서 제시한 정보만을 근거로 작성된 것으로, 법적효력을 갖는 유권해석(결정, 판단)이 아니므로 각종 신고, 불복청구 등의 증거자료로서의 효력은 없습니다.

* 단순 세법 상담으로써 기타 국세와 관련하여 궁금한 사항이 있으시면 국세상담센타 상담전화 ☎126번으로 전화상담을 하시거나 국세청 홈택스(http://hometax.go.kr) 홈페이지의 인터넷상담 바로가기를 클릭하여 상담할 수 있음을 알려드립니다.

* 국세와 관련된 법령에 대한 내용의 검색은 국세청홈택스>법령정보>국세법령정보시스템>법령>조세법령에서 검색할 수 있으므로 참고하시기 바랍니다.

● 공익법인의 상증법 의무위반 주요 세금 추징사례
(핵심)

◆ 사회복지법인 소유 토지.건물 재산세 부과

○ 2016년 1월 1일부터 최소납부세제 적용대상이 확대되었습니다.
 - 최소납부세제란, 「지방세특례제한법」상 재산세 면제대상에 해당하더라도, 면제세액이 50만원을 초과하는 경우에는 전체 면제세액의 15%를 납부해야 하는 제도입니다.(「지방세특례제한법」제177조의2)
※ 미납부시 가산금(3%) 부과(「지방세법」59에 근거)
※ 「지방세특례제한법」상 감면율이 면제인 경우에만 해당
○ **고유목적사업으로 사용하는 경우**
 - 최소납부제도 : 50만원이하이면 비과세
 - 세액이 50만원 초과되면 15% 재산세가 부과됨

◆ 비영리단체 주민세(사업소분) 납부해야되나요? (질의응답)

○ 지방세법 제174조제2항 및 같은 법 시행령 제130조의4에서 주민세의 비과세 법인을 열거하고 있는바 비영리공익법인인 장학재단이라 하더라도 위의 규정에 포함되지 않으므로 시·군내에 사무소나 사

◆ 공익법인의 준수사항 위반시

○ 공익법인은 출연재산을 공익목적이외 사용하거나 일정기간 내에 사용하지 하지 않는 등 사후관리 부적정하면 공익법인에 증여세, 가산세 등을 과세한다

- 출연재산을 직접 공익목적에 용도외로 사용하거나, 출연 받은 날로부터 3년이내 공익목적에 사용하지 아니하면 증여세를 부과한다 (상증법 제48조제1항제1호, 같은 법 시행령 제38조제2항, 제3항)

○ 법인세법상 고유목적사업준비금 사용의무와 고유목적사업준비금은 사업종료일이후 5년이내 지출사용하여야 한다(법인세법 제29조제2항)

○ **출연자 등의 이사 수의 1/5을 초과 선임하거나, 임직원(이사는 제외)으로 고용하는 경우**

- 출연자 및 특수관계인은 현재 이사수 1/5을 초과 선임할 수 없다.

- 출연자 및 특수관계인으로 사용인이나 임직원으로 고용하는 경우.

※ 다만 임직원중 사회복지시설의 사회복지사 자격을 가진 자, 아동복지시설의 보육사 등은 제외한다)

- 위반하면 직접.간접경비에 상당하는 금액 전액을 가산세로 부과한다

(상증법 제48조 제8항 및 같은 법 제78조 제6항)

○ **자기내부거래의 제한**

 -공익법인이 출연받은 재산을 출연자 및 그의 특수관계인에게 임대차, 소비대차 및 사용대차 등의 방법으로 사용.수익하게 하는 경우에는 해당 가액을 공익법인이 증여받은 것으로 보아 즉시 증여세를 부과한다(상증법 제48조제3항)

○ **출연자 및 특수관계인과의 보조사업자 거래 금지**

- 보조사업자는 보조금 집행시 출연자 및 특수관계인이 운영하는 업체 또는 단체(계열관계 업체 또는 단체를 포함)와는 거래할 수 없다(보건복지부 소관 국고보조금 관리규정 제15조제4항)

○ **출연재산 등에 대한 보고서 제출**

재산을 출연받은 공익법인은 사업연도 종료일부터 4개월 이내에 공익법인 출연재산 등에 대한 보고서를 제출하여야 합니다.

◆ 공익법인의 주요신고의무

○ 외부전문가의 세무확인서

총자산가액이 5억원 이상이거나 수입금액과 출연받은 재산가액의 합계액이 3억원 이상인 공익법인은 2명 이상의 외부전문가로부터 세무확인을 받아 사업연도 종료일부터 4개월 이내에 세무확인서를 제출하여야 합니다.

○ 결산서류 등 공시

'20.1.1. 이후 개시하는 사업연도 분부터 모든 공익법인*(종교단체 제외, 다만 종교단체도 주식보유 관련 의무이행 신고대상인 경우 결산서류 등 표준공시의무 대상임)은 사업연도 종료일부터 4개월 이내에 홈택스에 게시하는 방법으로 공시하여야 합니다.

해당 사업연도의 총자산가액이 5억원 미만이면서 수입금액과 출연받은 재산가액의 합계액이 3억원 미만인 공익법인은 간편서식으로 공시할 수 있음

○ 주식보유 관련 의무이행 신고

'21. 1. 1. 이후 개시하는 사업연도 분부터 주식기준 초과보유*공익법인은 사업연도 종료일부터 4개월 이내에 의무이행 여부를 신고하여야 합니다.

동일 내국법인 발행주식총수의 5% 초과하여 출연·취득하였거나 특수관계있는 내국법인 주식을 총재산가액의 30%(50%) 초과하여 보유하는 경우

○ 기부금 모금액 및 활용실적 공개

기부금단체(종교단체 제외)는 기부금 모금·활용 실적을 사업연도 종료일부터 4개월 이내에 해당 법인의 누리집과 홈택스에 게시하는 방법으로 각각 공개하여야 합니다.

◆ 공익법인 특수관계인이 임직원이 되는 경우

상증법 제48조제8항에 의해 출연자 또는 그의 특수관계인이 공익법인 등의 임직원이 되는 경우(공익법인 특수관계인 취업금지의무 위반)

○ **특수관계인의 범위**

- 출연자

- 출연자 또는 이사와의 관계 : 배우자, 6촌이내 혈족(국세는 4촌이내로 개정), 4촌이내 인척, 출연자 또는 이사가 출연한 다른 법인의 이사, 출연자 또는 이사가 재산 출연한 법인의 금전, 그 밖의 재산, 생계를 함께 유지하는 자. 등

○ 해당 임직원에게 지급되는 직, 간접경비의 인건비 상당액 전액은 가산세를 부과하도록 규정하고 있는 것은

○ 공익목적사업에 사용되어야 할 금액이 출연자 또는 그의 특수관계인의 인건비 등 경비로 사용되는 것을 방지하기 위함이다

※ 대법원 2017.4.20. 선고2011두21447, 판결, 조심 2019서1465

(2019.12.26)

○ 상증법 제78조제6항에는 관할 세무서장 등은 제48조제8항의 규정에 이사수 초과나 임직원 위반 제재규정으로 당해 법령은 상증법에서 공익법인은 세법상 의무위반시 제재시 부과제척기간은 10년으로 적용한다고 판단했다

※ 조세심판례, 조심 2019서1465, (2019.12.26.)

● 공익법인 특수관계인 1/5 이사수 초과하는 경우

- 법인 이사수가 5분의1을 초과하는 경우

○ 상증법 제78조제6항에는 관할 세무서장 등은 제48조제8항의 규정에 이사수 초과나 임직원 위반 제재규정으로 당해 법령은 상증법에서 공익법인은 세법상 의무위반 제재시 부과제척기간은 10년으로 적용한다고 판단했다

※ 조세심판례, 조심 2019서1465, (2019.12.26.)

업소를 두고 있다면 해당 자치단체의 회비적 성격인 주민세는 납부하여야 함.

■ 법인세의 과세대상이 되는 법인격 없는 사단·재단 및 단체도 법인균등할주민세 납부해야 법인의 범위에는 법인세의 과세대상이 되는 법인격 없는 사단·재단 및 단체를 포함하고 있다. 따라서 균등할주민세 납부요건은 실제 법인세과세대상이 되는 소득이 발생하였는지 또는 납부한 법인세액이 있는지 여부를 과세요건으로 하는 것은 아니며(세정13430-568, 2001. 11.20), 사업이란 영리나 비영리를 불문한 일체의 사업을 말하는바, 매출이 없는 단순관리업무까지도 포함되는 것이다. 따라서 법인소유 건축물이 아니더라도 지방산업단지를 조성하려는 장소에 물적설비를 갖추고 법인의 종업원을 파견하여 업무를 추진하고 있다면 법인균등할주민세를 납부하여야 한다(세정13407-1296, 1997. 10. 16).

◆ 노인일자리사업에서 발생한 수익금 법인세 과세대상 해당하는지 여부(질의응답)

[요 지]

지방자치단체로부터 위탁받은 노인 일자리사업을 수행하고 해당사업에서 발생하는 손익이 실질적으로 지방자치단체에 귀속되는 경우 「법인세법」 제3조제2항에 따라 법인세 과세대상에 해당하지 아니함

[답변내용]

비영리법인이 「노인복지법」 제23조의2에 따라 지방자치단체로부터 위탁받은 노인 일자리사업을 수행하고 해당사업에서 발생하는 손익이 실질적으로 지방자치단체에 귀속되는 경우, 해당 사업에서 발생한 소득은 「법인세법」 제3조제2항에 따라 법인세 과세대상에 해당하지 아니하는 것임

[관련법령] 법인세법 제3조

● 고유목적사업준비금의 사용

○ 고유목적사업준비금은 당해 준비금을 손금산입한 날이 속하는 사업연도 종료일이후 **5년이 되는 날까지 고유목적사업 또는 법법 제24조 제3항 제1호에 따른 기부금의 지출에 사용**하여야 합니다.

○ **고유목적사업이란?**

법령 또는 정관에 규정된 설립목적을 직접 수행하는 사업으로서 법인세법시행령 제3조 제1항의 수익사업 외의 사업을 말합니다.(법인세법 시행령§56⑤)

고유목적사업에의 지출은 수익사업에서 발생한 소득으로 당해 비영리법인의 고유목적사업수행을 위하여 실제로 지출(연구비·장학금 등 지급)하는 것을 말합니다.

○ 수익사업에서 발생한 소득을 단순히 고유목적사업회계로 전출하는 금액은 고유목적사업을 위하여 지출한 금액으로 보지 아니하나,

- 조세특례제한법 제74조 제1항 제1호의 규정을 적용받는 사립학교법인 등은 일반 비영리법인과 달리 수익사업회계에 속하는 자산을 비영리사업회계로 전입한 경우에도 이를 비영리사업에 지출한 것으로 봅니다.(법인세법 시행규칙§76④)

○ **고유목적사업준비금의 사용범위**

-고유목적사업에 직접 소요되는 유형자산 및 유형자산 취득비용(법인령§31②에 따른 자본적지출 포함) 및 인건비 등 필요경비

-기금 또는 준비금에의 적립

→ **특별법에 의해 설립된 건강보험·연금관리·공제사업 등을 영위하는 법인에 한함**

-의료법인이 의료기기 등 자산의 취득 또는 연구개발사업에 지출하는 금액

→ '17.2.3. 이후 고유목적사업준비금으로 지출하는 분부터 적용
ⅰ)병원 건물 및 부속토지
ⅱ)의료기기법에 따른 의료기기
ⅲ)보건의료기본법에 따른 보건의료정보의 관리를 위한 정보시스템 설비

 -조특법 제74조 제1항 제1호의 규정을 적용받는 법인(학교법인, 산학협력단, 평생교육법에 의한 원격대학형태의 평생교육시설을 운영하는 비영리법인, 국립대학법인 서울대학교, 인천대학교 및 발전기금)이 수익사업회계에 속하는 자산을 비영리사업회계에 전입한 금액도 고유목적사업에 사용한 것으로 인정(법규칙§76④)

○ 준비금의 환입(익금산입)
손금산입한 고유목적사업준비금 잔액은 아래 사유가 발생한 날이 속하는 사업연도의 소득금액계산에 있어서 익금에 산입합니다.
 -해산한 때(법인세법§29④에 따라 고유목적사업준비금을 승계한 경우는 제외)
 -고유목적사업을 전부 폐지한 때
 -법인으로 보는 단체가 국세기본법 제13조 제3항의 규정에 의하여 승인이 취소되거나 거주자로 변경된 때
 -고유목적사업준비금을 손금에 산입한 사업연도의 종료일 이후 5년이 되는 날까지 고유목적사업 등에 사용하지 아니한 때(5년 내 사용하지 아니한 잔액에 한함)

● 법인의 본점 및 지점 신고 방법

 ○ 부가가치세 분야
부가가치세법 상 사업장이란 사업자 또는 그 사용인이 상시 주재하여 거래의 전부 또는 일부를 행하는 장소를 말하는 것이며

사업자는 사업장마다 사업자등록을 하여야 하는 것으로 귀 사례 지점이 사업장에 해당된다면 별도로 사업자등록을 하여야 하는 것입니다

부가가치세 신고는 각각의 사업장마다 하는 것이나, 사업자단위 과세사업자의 경우에는 주된사업장에서 지점의 매출, 매입 등을 함께 신고하는 것입니다

부가가치세법 제8조 【사업자등록】

① 사업자는 사업장마다 대통령령으로 정하는 바에 따라 사업 개시일부터 20일 이내에 사업장 관할 세무서장에게 사업자등록을 신청하여야 한다. 다만, 신규로 사업을 시작하려는 자는 사업 개시일 이전이라도 사업자등록을 신청할 수 있다.

② 사업자는 제1항에 따른 사업자등록의 신청을 사업장 관할 세무서장이 아닌 다른 세무서장에게도 할 수 있다. 이 경우 사업장 관할 세무서장에게 사업자등록을 신청한 것으로 본다.

③ 제1항에도 불구하고 사업장이 둘 이상인 사업자는 사업자 단위로 해당 사업자의 본점 또는 주사무소 관할 세무서장에게 등록을 신청할 수 있다. 이 경우 등록한 사업자를 사업자 단위 과세 사업자라 한다.

④ 제1항에 따라 사업장 단위로 등록한 사업자가 제3항에 따라 사업자 단위 과세 사업자로 변경하려면 사업자 단위 과세 사업자로 적용받으려는 과세기간 개시 20일 전까지 사업자의 본점 또는 주사무소 관할 세무서장에게 변경등록을 신청하여야 한다. 사업자 단위 과세 사업자가 사업장 단위로 등록을 하려는 경우에도 또한 같다.

⑤ 제1항부터 제4항까지의 규정에 따라 신청을 받은 사업장 관할 세무서장(제3항 및 제4항의 경우는 본점 또는 주사무소 관할 세무서장을 말한다. 이하 이 조에서 같다)은 사업자등록을

하고, 대통령령으로 정하는 바에 따라 등록된 사업자에게 등록번호가 부여된 등록증(이하 "사업자등록증"이라 한다)을 발급하여야 한다.

○ 법인세 분야

본점 법인은 지점를 통합하여 법인세 신고납부를 하는 것입니다

앞으로도 국세행정에 대한 지속적인 관심과 협조를 보내주시기 바라며, 이와 관련하여 궁금하신 사항은 국세상담센터 상담전화 126(국번없이)으로 전화상담을 하시거나, 국세청홈택스 홈페이지의 인터넷상담 바로가기를 클릭하여 상담할 수 있음을 알려드립니다.

관련법령 : 기타

작성부서 : 국세청 중부지방국세청 안양세무서

납세자보호담당관 | 031-8012-7928

● 비영리단체 고유번호증을 사업자등록증 변경사유와 신고 절차

 ○ 비영리단체의 고유목적사업에 재정적 지원 하기위해 별도의 수익사업을 할 수 있음

 - 단체 목적을 실현하기 위한 수익사업일 것

 - 수익사업을 발생하는 이익을 단체 목적 실현을 위해 사용하고, 구성원에게 분배하지 않을 것

 - 고유번호증 : 수익사업을 하지 않는 단체가 발급받는 일종의 사업자등록증을 말함

 - 만약 단체가 수익사업을 하게 되면 사업개시신고를 하여야 한다

▷ 수익사업을 하게 되면 세금계산서를 발급해야하는데, 고유번호증으로는 안되기 때문에 수익에 대한 세금계산서 발행을 위해서는 수익사업개시신고를 통해 사업자등록증을 변경 신고하여야

한다

▷사업자등록증 발급은 법인세법 제109조 및 제111조의 규정
에 따라 사업자등록증을 발급받아야 당사자에게 세금계산서를
발급해줄수 있다

O **수익사업개시 개시요건**

 - 단체 목적을 실현하기 위한 수익사업일 것

 - 수익사업을 발생하는 이익을 단체 목적 실현을 위해 사용하
고, 구성원에게 분배하지 않을 것

 - 수익사업을 하려면 단체 정관에 수익사업을 할 수 있는 근거
조항을 마련해야 한다

 - 수익사업 개시일로부터 2개월이내에 법인의 명칭, 대표자 성
명, 고유목적사업, 수익사업의 종류(업태, 업종), 수익사업 개시
일 등을 깃한 수익사업 개시 신고서를 납세지 관할 세무서에 제
출해야 한다

 - 세무서에서는 수익사업 개시 신고를 하면 고유번호증을 기존
의 고유번호와 동일한 번호로 사업자등록증을 발급해 줌

O **비영리단체는 수익을 개시하게 되면, 해당 사업에 대해서는**
일반사업자와 동일한 세금 신고 및 납무 의무가 발생합니다(법
인세법 제110조)(비영리법인의 수익사업 개시 신고) (법인세법
시행규칙: 별지 제75의4서식)

O **수익사업 개시 신고후**

 - 사업자등록증을 발급 후에는 회계상 별도의 사업으로 구분하
여 처리하고, 비용을 제외한 수익은 단체의 고유목적에 사용하
여야 합니다. 수익사업에 대해서는 법인세법 등에 따라 신고납
부 의무가 발생하기 때문에, 수익사업과 비수익사업을 구분하여
기장하여야 합니다

 - 사업자등록증이 있으면 부가가치세 신고.납부, 종합소득세

신고.납부 등 세법상 의무가 추가됩니다

11. 공익법인의 재무제표 및 회계처리
● 공익법인 재무제표
 ○ 공익법인은 고유목적사업인 비수익사업부문과 고유목적사업의 원활한 유지를 위하여 수익사업을 영위하는 경우가 일반적이며,

 ○ 이때 고유목적사업부문과 수익사업부문은 별도로 구분경리되어야하고, 수익사업부문에 대한 재무제표를 기반으로 과세소득을 신고 납부하여야 하며

 ○ 고유목적사업부문과 수익사업부문을 통합한 재무제표를 이사회(총회)에 보고하여야 한다.

① 공익법인의 종류
사단법인(민법제32조) 기업회계기준 적용(비영리법인의 회계처리준칙 준용) 재단법인(민법제32조) 사회복지법인(사회복지사업법) 사회복지법인 및 사회복지시설재무회계규칙, (공익법인회계기준)

② 법인에 대한 세법적용 : 각 사업연도소득(수익사업발생분), 토지 등 양도소득

③ 공익법인의 재무제표 및 회계처리
공익법인의 재무제표는 기본적으로 고유목적사업 재무제표와 수익사업재무제표로 작성되어야 하며, 이를 통합재무제표로 작성하여 정기총회에 보고하여야 한다. 이때 수익사업부문의 재무제표는 법인세 과세대상소득의 산정기준이 되는 재무제표로 법인세법상 표준재무제표의 형태로 법인세신고서에 포함(단, 원천징수되는 이자소득만 있는 비영리법인이 법인세법제62조(비영리내국법인의 과세표준 신고 특례)를 적용하는 경우 제외되어야 하

므로 반드시 구분경리하여 별도의 재무제표로 작성되어야 한다.

O 민법상 주무관청의 허가를 받아 설립하는 사단, 재단법인은 대표적인 비영리법인으로서 설립허가 신청시 재산목록(기본재산, 운영재산)을 작성하고 그출연사실을 증명하는 서류를 제출하게 되며 이때 기본재산이 고유목적사업 재무제표의 자본계정에 해당하는 것입니다.

O 이후 해당 비영리법인이 수익사업을 개시하는 경우 비영리법인의 고유목적사업회계에서 수익사업회계로 자산을 출자하게 되는데 이를 수익사업출자금이라는 계정과목으로 투자자산 처리하고 수익사업회계에서는 이를 고유목적사업부문으로부터의 자본원입분으로 보아 "출연금"이란 자본계정으로회계처리하는 것입니다. 따라서 수익사업회계는 비영리법인의 고유목적사업회계에서 분리되어 만들어지게 되며 고유목적사업과 수익사업간 자산의 전출입, 자본의 원입과 관련한 회계처리를 구분하여 반영하여야 한다. 출처 공인회계사 견 근수 네이버블로그

● 공익법인 등의 외부 세무확인

O 공익법인(사회복지법인포함) 등은 사업연도별로 출연받은 재산의 공익목적사업 사용여부에 대하여 2명의 변호사, 공인회계사, 또는 세무사를 선임하여 사업연도 종료일로부터 2개월 이내에 세무확인을 받아야 한다. 다만, 다음에서 정하는 공익법인 등은 세무확인을 받지 않아도 된다.

O 사업연도 종료일 현재 대차대조표상 총 자산가액의 합계액이 5억원 미만인
  공익법인 등. 다만, 해당 사업연도의 수입금액과 그
  사업연도에 출연받은
  재산가액의 합계액이 3억원 이상인 공익법인 등은 제외

O 불특정다수인으로부터 재산을 출연받은 공익법인 등(출연자1명

과 그의 특수관계인이 출연한 출연재산가액의 합계액이 공익
법인 등이 출연받은 총재산가액의 100분의5에 미달하는 경
우에 한함).

○ 국가나 지방자치단체가 재산을 출연하여 설립한 공익법인 등으
로서 감사원의 회계 검사를 받은 경우

○ 외부전문가의 세무확인을 받은 공익법인 등은 세무확인보고서
를 해당 공익법인 등이 사업연도의 종료일로부터 3월 이내에
관할 세무서장에 보고하여야 한다.

○ 과세기간 또는 사업연도의 종료일 현재 대차대조표 상 총자산
가액이 5억원 이상이거나 해당 사업연도의 수입금액과 출연받
은 재산가액의 합계액이 3억원 이상인 공익법인 등은 외부전
문가의 세무확인을 받아야 하는 것임.

. 상속세 및 증여세법 제50조 및 같은 법 시행령 제43조규정과 관
련임. 출처 : 복지법인시설실무카페

● 고유번호가 있는 바영리법인과의 수의계약

○ 수의계약 참가자격 증빙서류

수의계약에 참가하려는 자는 사업자등록증 사본이나고유번호를

확인하는 서류의 사본또는 관계 기관(법령에 따라 설립된 관련

협회 등 단체포함)에서 발행한 문서의 사본을 제출하여

수의계약 참가자격요건을 증명해야 합니다(「지방자치단체를

당사자로 하는 계약에 관한 법률 시행규칙」 제14조제2항).

*출처http://oneclick.law.go.kr/CSP/CnpClsMain.laf?csmSeq=53
3&ccfNo=2&cciNo=1&cnpClsNo=2

● 고유번호와 사업자등록번호의 차이

○ 비영리내국법인이 수익사업을 개시할 경우 사업자등록을 하여야 하며수익사업을 영위하지 않을 경우 사업자등록증이 아닌 고유번호증을 교부받도록 되어 있으며 두경우 다 비영리내국법인에게는 원천징수의무가 부여되어 원천세 신고를 하여야 합니다. 또한 수익사업을 영위하고 있지 않아 고유번호증을 교부받은 경우법인세, 부가세 신고의무는 없는 것입니다.

○ 고유번호가 있는 비영리법인의 경우 소득세법제127조제1항에 해당하는 소득을 지급하는 경우소득세를 원천징수하여야하며 사업장 소재지 관할세무서에 원천징수이행상황신고 및 납부, 지급명세서(원천징수영수증) 등을 제출하여야 합니다.

[출처]고유번호가 있는 비영리법인(단체)과의 수의계약 근거 (예산회계실무)|

◆ 수익사업을 영위하지 아니하는 비영리법인의 세금(질의응답)

안녕하세요?

우리부 노인복지정책에 관심을 가지고 국민신문고를 방문하여 주셔서 감사합니다.

귀하께서 문의하신 내용에 대해 다음과 같이 답변드리겠습니다.

○ 질의하신 사항은 시설을 운영함으로 인해 발생하는 소득에 대한 세금납부를 규정하고 있는 법(법인세법령, 소득세법령)과 사회복지시설 운영에 따라 준수하여야 하는 회계기준과의 관계성에대해 질의하신 사항으로사료됩니다.

○ (세법상 비과세대상이 되면 사회복지사업법상 회계기준 준수방식이 무엇인지등)

이에 대해 답변드리면 사회복지사업 법령(노인복지법령포함)과 세법은 별도의 입법목적으로 가지고 시행되고 있는 법이고, 별도의 특례규정이 없으므로 사회복지시설이 세법상 비과세대상이되었다 하더라도 사회복지사업법에 따른 회계기준은 준수하여야합니다.

○ 그러므로, 사회복지사업법에 의한 사회복지법인 및 사회복지시설 재무회계규칙을 적용받는 사회복지시설인 노인복지시설은 세법상 비과세규정 적용여부 또는 세무신고시기, 방법등 변경과 관계없이 사회복지법인 및 사회복지시설재무회계규칙에 따라 정부회계연도(규칙제3조)인 1월1일~12월31일을 기준으로 모든 수입을 세입으로 모든 지출을 세출로 하고(규칙제7조), 시군구청장 에게 예산서는 회계연도 개시5일 전까지(규칙제10조), 결산서는다음연도3월31일까지(규칙제19조) 제출하여야하며, 재무회계처리와 관련하여 이용하는 사회복지시설시스템과 관련하여별도의 변경사항이 있는 것은 규정되어 있지 않음을 알려드립니다.

○ 답변내용에 대한 추가 문의사항이나 기타 보건복지정책에 관해 문의하실 사항이 있으시면 보건복지콜센터(국번없이 ☎129)로 연락주시면 성심성의껏 답변 드리겠습니다.

항상 건강하시길 바랍니다. 감사합니다.

관련법령: 사회복지사업법제23조(재산 등),

사회복지사업법제34조(사회복지시설의 설치)

작성부서: 보건복지부 인구정책실 노인정책관 요양보험운영과,

02-2023-8571 추가 문의처: 보건복지콜129

● 고용관련 정부지원금 회계처리 방법

○ 정부지원금의 성격은

1) 수익관련 보조금 2) 자산취득관련 보조금으로 구분한다

○ 고용관련 지원금은 수익관련 보조금 성격이다. 고용환경개선지원금이 법인세법 제36조제1항에 규정된 국고 보조금에 해당하지 않는다면, 법인의 익금으로 처리하면 별도 세무조정이 필요없을 것입니다.

- 다만, 고용환경개선 지원금이 법인세법 제36조에 규정한 국고보조금에 해당한다면, 일반적으로 법인이 국고보조금을 수령한 경우 통지를 받은 사업연도에 익금으로 산입하는

것이며,

- 동 국고보조금 등으로 사업용자산을 취득. 개량하는데에 사용한 경우 또는 사업용자산을 취득.개량하고 이에 대한 국고보조금 등을 사후에 지급받은 경우에는 해당 사업용자산의 가액중 그 사업용자산을 취득.개량에 사용된 국고보조금 등에 상당하는 금액을 대통령령으로 정하는 바에 따라 그 사업연도의 소득금액을 계산할 때 손금에 산입할 수 있는 것입니다.

○ 출산휴가지원금은 고용관련 정부보조금으로서 수익관련보조금으로 볼 수 있으므로, 수익으로 기록하거나 아니면 관련비용(출산휴가자의 급여)에서 차감하는 것으로 기록할 수 있는 것입니다. (수익으로 기록하는 경우) (차) 보통예금/(대) 정부보조금수익 (관련비용에서 차감하는 경우) (차)급여/(대) 보통예금

○ 법인세법 제36조(국고보조금 등으로 취득한 사업용 자산가액의 손금산입) 부칙 및 시행령 제64조

출처 : k-회계 블로그.

네이버

○ 고유목적사업은 위 수익사업 외의 것으로 공익법인의 정관상 고유목적사업을 말하는 것입니다. 고유목적사업을 통한 수입의 예로 기부금, 보조금, 회비수입 등이 있습니다

 - 이때의 수입금액은 해당 공익사업과 관련된 「소득세법」에 따른 수입금액 또는 「법인세법」에 따라 법인세 과세대상이 되는 수익사업과 관련된 수입금액을 말하므로 보조금이 당 공익사업과 관련된 「소득세법」에 따른 수입금액 또는 「법인세법」에 따라 법인세 과세대상이 되는 수익사업과 관련된 수입금액에 포함되는지 여부에 따라 판단할 사항이며, 그에 대한 판단은 국세청에서 수행하고 있음을 알려드립니다.   출처 : 국세청

◆ 공익법인의 보조금이 수입금액에 수입금 범위에 포함되는지 여부

1. 안녕하십니까? 귀하께서 국민신문고를 통해 질의하신 민원(신청번호 : 1AA-2010-0561284)에 대해 안내드립니다.

2. 먼저, 정부 정책에 관심을 가지시고 소중한 질의를 주신데 대하여 감사드립니다.

3. 귀하의 질의는 "수익금 범위에 정부의 보조금 수입이 포함되는지 여부"에 관한 것으로 이해됩니다.

4. 귀하의 질의사항에 대해서 검토한 의견은 다음과 같습니다.

  ○ 상속세 및 증여세법 제50조 제3항에 따라 공익법인등은 과세기간별 또는 사업연도별로 「주식회사 등의 외부감사에 관한 법률」 제2조제7호에 따른 감사인에게 회계감사를 받아야 하지만 자산 규모 및 수입금액이 대통령령으로 정하는 규모 미만인 공익법인등의 경우에는 그러하지 아니합니다.

  ○ 한편, 상속세 및 증여세법 시행령 제43조 제3항에 따르면 법 제50조제3항제1호에서 "대통령령으로 정하는 규모 미만인 공익법인 등"이란 회계감사를 받아야 하는 과세기간 또는 사업연도의 직전 과세기간 또는 직전 사업연도의 총자산가액 등이 다음 각 호를 모두 충족하는 공익법인등을 말합니다.

1. 과세기간 또는 사업연도 종료일의 재무상태표상 총자산가액(부동산인 경우 법 제60조·제61조 및 제66조에 따라 평가한 가액이 재무상태표상의 가액보다 크면 그 평가한 가액을 말한다)의 합계액이 100억원 미만일 것

2. 해당 과세기간 또는 사업연도의 수입금액과 그 과세기간 또는 사업연도에 출연받은 재산가액의 합계액이 50억원 미만일 것

3. 해당 과세기간 또는 사업연도에 출연받은 재산가액이 20억원

미만일 것

○ 이때의 수입금액은 해당 공익사업과 관련된 「소득세법」에 따
른 수입금액 또는 「법인세법」에 따라 법인세 과세대상이
되는 수익사업과 관련된 수입금액을 말하므로 보조금이 당
공익사업과 관련된 「소득세법」에 따른 수입금액 또는 「법
인세법」에 따라 법인세 과세대상6이 되는 수익사업과 관련
된 수입금액에 포함되는지 여부에 따라 판단할 사항이며,
그에 대한 판단은 국세청에서 수행하고 있음을 알려드립니
다.

5. 귀하의 질문에 만족스러운 답변이 되었기를 바라며, 답변
내용에 대한 추가 설명이 필요한 경우 기획재정부 재산세제과
강*훈 주무관(전화 : 044-215-4316)에게 연락주시면 친절히
안내해 드리도록 하겠습니다. 끝. 출처 : 복지법인시설
실무카페

● 법인 감사보고서 작성(재무회계규칙제42조)

- 세입세출 결산서 필수 첨부서류

○ 사회복지법인은 임원 중 감사 2인 이상을 반드시 두어야 하
고, 사회복지법인,시설 재무회계규칙 제42조에 따라 법인의
감사가 법인과 법인이 운영하는 시설에 대한 매년 1회 이상
감사를 실시하는 것입니다.

○ 감사 중 1인은 법률 또는 회계에 관한 지식에 관한 사람이 있
는 사람이어야 한다고 법률(사회복지사업법 제18조 제7항)에
규정되어 있으므로 반드시 세무사나 회계사일 필요는 없습니다.

 - 다만, 사회복지사업법 제18조 및 시행령제10조에 따라 법인
(시설 포함) 직점 3회계연도의 평균 세입결산액이 30억원을
초과하는 경우, 전문감사인(공인회계사) 1인이상을 주어야 한
다

○ 감사보고서는 감사가 작성, 날인하는 것이므로 감사 이외의 자는 감사의 자격이 없으며, 감사와 지도점검은 구분되어야 합니다.

다만, 법인의 직원이 감사를 보조하여 감사에게 의견을 제시할 수는 있을 것입니다. 출처 : 한국사회복지관협회 홈페이지

◆ **외부추천감사와 감사보고서 작성**

○ 사회복지사업법 제18조 및 시행령 제10조에 따라 법인 및 시설을 포함한 직전 3회계연도의 평균 세입결산액이 30억원을 초과하는 경우, 감사인으로 공인회계사 1인 이상이 되어야 합니다.(추천 : 주무관청이 공인회계사협회 협조)

○ 세입세출결산서 작성 보고서상 "감사보고서"는 필수 첨부서류입니다.

 - 법인의 재무제표는 법인회계 및 수익회계, 시설회계를 총괄하여 통합재무제표를 작성하여야 합니다.

○ 법인에서는 공익법인회계기준에 의한 법인과 산하 시설을 총괄한 통합재무제표와 재무회계규칙에 의한 단식회계의 결산서를 각각 작성하여야 합니다

 - 법인에서는 통합재무제표 작성후 법인감사를 받고 국세청 홈택스에 공시하며, 주무관청에는 재무회계규칙에 의해 작성된 단식회계 결산서를 각각 제출합니다

● **법령상 외부회계감사 의무를 개별적으로 이행하여야 하는지 여부**

○ 상속세 및 증여세법 제50조 제3항에 따른 외부감사대상 공익법인에 대하여, 공익법인법 시행령 제27조 제3항에 따라 외부회계감사를 받도록 하고

○ 보조금법 제27조의2에 따라 보조금액이 10억원이상 경우 감사인이 해당 회계연도를 기준으로 작성한 보고서를 보조금

또는 간접보조금을 교부한 중앙관서의 장에게 제출하여야 함.
○ 해당 회계연도를 기준으로 한 감사보고서를 작성한다는 면에서 동일하므로 각각 별개의 감사보고서를 작성할 필요는 없음.(정산보고서의 검증보고서는 따로 작성대상임)

출처 : 2020년도 부산시 사회복지법인, 시설 업무가이드
● 공익법인 연간 세무일정(12월말 법인 예시)

월	의무사항(기한)	의무이행 대상
3월	수익사업에 대한 법인세 신고(3/31) (사업연도 종료일부터 3개월 이내)	수익사업을 영위하는 경우
4월	출연재산 보고서 등 제출(4/30) (사업연도 종료일부터 4개월 이내)	출연받은 재산이 있는 경우
	결산서류 등 공시(4/30) (사업연도 종료일부터 4개월 이내)	모든 공익법인(종교법인제외, 다만 종교법인도 주식보유 관련 의무이행 신고대상일 경우 표준 공시의무 대상임) 총자산가액 5억원 미만이면서 수입금액과 출연 재산가액 합계액이 3억원 미만인 경우 간편 공시 가능
	외부전문가 세무확인 결과 보고(4/30) (사업연도 종료일부터 4개월 이내)	총자산가액 5억원 이상 또는 수입금액과 출연재산가액 합계액이 3억원 이상
	외부회계 감사보고서 제출(4/30) (사업연도 종료일부터 4개월 이내)	직전년도 총자산가액 100억원 이상 또는 수입금액과 출연재산 합계액이 50억원 이상 또는 출연재산가액이 20억원 이상인 경우 종교법인, 학교법인 제외(다만, 주식보

		유 관련 의무이행 신고대상일 경우 외부회계 감사보고서 제출 대상임)
	주식보유 관련 의무이행 신고 (4/30) (사업연도 종료일부터 4개월 이내)	동일기업주식 5% 초과 취득(출연), 계열기업주식을 총재산가액 30%(50%) 초과 보유한 경우
		외부회계감사, 전용계좌 개설·사용, 결산서류 등 공시 이행시
	연간 기부금모금액과 활용실적 공개(4/30) (사업연도 종료일부터 4개월 이내)	법인령 §39①1호에 따른 공익법인(종교법인 제외)
	국세청에 의무이행 여부 보고 (4/30) (사업연도 종료일부터 4개월 이내)	기획재정부장관이 지정한 한국학교, 전문모금기관
6월	기부금영수증발급합계표 제출 (6/30) (사업연도종료일부터 6개월 이내)	기부금영수증을 발급한 경우
9월	주기적 감사인 지정 기초자료 제출(9/14) (과세기간 또는 사업연도 개시일부터 9개월째 되는 달의 초일부터 2주 이내)	지정기준일이 속하는 과세연도의 직전 사업연도 종료일 현재 총자산가액 1,000억원 이상 지정기준일/지정회계감사대상 과세연도의 직전 사업연도 개시일부터 11개월 15일이 되는 날

● 공익법인관련 국세청 홈택스 신고사항

제 목	내 용	근거 법령	제출 기한
○ 공익법인 주요 신고 사항	-출연재산 등에 보고서 제출	상증법제48조제5항, 시행령 제41조	사업연도 종료일로부터 4개월이내
	-결산서류 등 공시(다만 총자산액5억미만의 경우 제외)	상증법제50조의3 시행령제43조의3	사업연도 종료일로부터

			4개월이내
	-기부금 모금액 및 활용실적 공개	법인세법시행령 제39조 제5항	사업연도 종료일로부터 4개월이내
	-기부금영수증발급명세서 제출	법인세법제112조의2	사업연도 종료일로부터 6개월이내
	-기부금단체의 의무이행여부 보고	법인세법시행령 제39조제6항	사업연도 종료일로부터 4개월이내
○ **공익법인의 범위**	-공익법인등 (사회복지법인)	상증법제16조제1항 시행령 제12조	

▣ 부록

※ 부록의 법령은 국가법령정보센터에서 사회복지에 관련이 있는 주요 내용만 발췌한 것입니다.

◆지방자치단체 보조금 관리에 관한 법률
(약칭: 지방보조금법)

제1장 총칙

제1조(목적)이 법은 지방보조금 예산의 편성, 교부 신청과 결정 및 사용 등의 기본적인 사항을 규정함으로써 지방보조금 예산의 효율적인 편성 및 집행 등 지방보조금 예산의 투명하고 적정한 관리를 목적으로 한다.

제2조(정의)이 법에서 사용하는 용어의 뜻은 다음과 같다.

1. "지방보조금"이란 지방자치단체가 법령 또는 조례에 따라 다른 지방자치단체, 법인·단체 또는 개인 등이 수행하는 사무 또는 사업 등을 조성하거나 이를 지원하기 위하여 교부하는 보조금 등을 말한다. 다만, 출자금

및 출연금과 국고보조재원에 의한 것으로서 지방자치단체가 교부하는 보조금은 제외한다.

2. "지방보조사업"이란 지방보조금이 지출되거나 교부되는 사업 또는 사무를 말한다.

3. "지방보조사업자"란 지방보조사업을 수행하는 자를 말한다.

4. "지방보조금수령자"란 지방자치단체 및 지방보조사업자로부터 지방보조금을 지급받은 자를 말한다.

제3조(다른 법률과의 관계)① 지방보조금 예산의 편성·집행 등 그 관리에 관하여는 다른 법률에 규정이 있는 것을 제외하고는 이 법에서 정하는 바에 따른다.

② 개인정보의 보호에 관하여는 이 법에 특별한 규정이 있는 경우를 제외하고는「개인정보 보호법」에서 정하는 바에 따른다.

③ 이 법을 적용할 때 교육·과학 및 체육에 관한 사항 또는 교육비 특별회계에 관하여는 "지방자치단체의 장" 또는 "시·도지사"는 "교육감"으로, "행정안전부장관"은 "교육부장관"으로 본다.

제2장 지방보조금의 예산 편성

제4조(시·도비 기준보조율)① 지방보조금이 지급되는 대상사업, 경비의 종목, 보조율 및 금액은 매년 예산으로 정하고, 다른 지방자치단체에 대한 지방보조금의 경우 예산 계상 신청 및 예산 편성 시 지방보조사업별로 적용하는 기준이 되는 보조율은 특별시·광역시·도·특별자치도의 조례로 정한다. 다만,「지방재정법」제22조에 따라 지방자치단체가 부담하는 경비는 제외한다.

② 지방자치단체의 장은 제1항에 따른 부담액을 다른 사업보다 우선하여 그 회계연도의 예산에 계상하여야 한다.

제5조(지방보조사업을 수행하려는 자의 예산 계상 신청)① 지방보조사업을 수행하려는 자는 매년 지방자치단체의 장에게 지방보조금의 예산 계상을 신청하여야 한다.

② 지방자치단체의 장은 제1항에 따른 지방보조금의 예산 계상 신청이 없는 경우에도 해당 지방자치단체의 시책상 부득이 조례로 정하는 경우에는 필요한 지방보조금을 예산에 계상할 수 있다.

③ 제1항에 따른 신청을 할 때에는 지방보조사업의 목적과 내용, 지방보조사업에 드는 경비, 그 밖에 필요한 사항을 적은 신청서와 첨부서류를 제출하여야 한다.

④ 제1항부터 제3항까지에 따른 신청의 신청서식, 첨부서류, 제출일 등 필요한 사항은 지방자치단체의 장이 정한다.

제6조(지방보조금의 예산 편성 및 운영)① 지방자치단체의 장은 해당 지방보조사업의 성격, 지방보조사업자의 비용부담능력 등을 고려하여 지방보조금을 편성하여야 한다.

② 지방자치단체의 장은 법령에 명시적 근거가 있는 경우 외에는 지방보조금을 운영비로 교부할 수 없다. 이 경우 운영비로 사용할 수 있는 경비의 종목은 대통령령으로 정한다.

③ 지방자치단체의 장은 지방보조금이 중복 교부되거나 부적격자에게 교부되지 아니하도록 지원이력 등을 체계적으로 관리하여야 한다.

제6조의2(지방보조금에 관한 예산의 통지)① 지방자치단체의 장은 다른 지방자치단체에 지방보조금을 교부하는 사항이 포함된 예산안을 지방의회에 제출한 경우 대통령령으로 정하는 바에 따라 그 지방보조금의 편성 내용을 해당 지방보조금을 교부받는 다른 지방자치단체의 장에게 즉시 통지하여야 한다.

② 지방자치단체의 장은 제1항에 따른 지방보조금 예산안이 지방의회에서 의결된 경우 대통령령으로 정하는 바에 따라 그 의결 내용을 해당 지방보조금을 교부받는 다른 지방자치단체의 장에게 즉시 통지하여야 한다.

③ 제1항 및 제2항에 따른 통지는 제28조제1항에 따른 지방보조금통합관리망을 통하여 하여야 한다.

제3장 지방보조금의 교부 절차

제7조(지방보조금의 교부 신청)① 지방보조금을 교부받으려는 자는 대통령령으로 정하는 바에 따라 지방보조사업의 목적과 내용, 지방보조사업에 드는 경비, 그 밖에 필요한 사항을 적은 신청서에 지방보조사업에 대한 구체적인 사업계획서와 지방자치단체의 장이 정하는 서류를 첨부하여 지방자치단체의 장이 지정한 기일 내에 지방자치단체의 장에게 제출하여야 한다.

② 지방자치단체의 장은 공모(公募)절차를 통하여 제1항에 따른 지방보조금 교부신청서를 제출받아야 한다. 다만, 다음 각 호의 어느 하나에 해당하는 경우는 그러하지 아니하다.

1. 법령이나 조례에 지원 대상자 선정방법이 다르게 규정된 경우
2. 국고보조사업으로서 대상자가 지정되어 있는 경우
3. 용도가 지정된 기부금의 경우

4. 지방보조사업을 수행하려는 자의 신청에 따라 예산에 반영된 사업으로서 그 신청자가 수행하지 아니하고는 해당 지방보조사업의 목적을 달성할 수 없다고 인정되는 경우

5. 지방보조사업을 수행하려는 자가 지방자치단체의 장인 경우

6. 제1호부터 제5호까지에서 규정한 경우 외에 천재지변이나 그 밖의 부득이한 사유로 인하여 공모방식으로 하는 것이 적절하지 아니하다고 인정되는 경우

제8조(지방보조금의 교부 결정)① 지방자치단체의 장은 제7조에 따른 지방보조금의 교부신청서가 제출된 경우 다음 각 호의 사항을 조사하여 지체 없이 지방보조금의 교부 여부를 결정하여야 한다.

1. 법령, 조례 및 예산의 목적에의 적합 여부

2. 지방보조사업 내용의 적정 여부

3. 금액 산정의 착오 유무

4. 자기자금의 부담능력 유무(자금의 일부를 지방보조사업자가 부담하는 경우만 해당한다)

② 지방자치단체의 장은 제7조제2항에 따라 공모방식으로 지방보조금 교부 신청서를 제출받은 경우에는 제1항에 따른 지방보조금의 교부 여부를 결정하기 전에 제26조에 따른 지방보조금관리위원회의 심의를 거쳐야 한다.

제9조(지방보조금의 교부 조건)① 지방자치단체의 장은 지방보조금의 교부를 결정할 때 법령, 조례와 예산에서 정하는 지방보조금의 교부 목적을 달성하는 데 필요한 조건을 붙일 수 있다.

② 지방자치단체의 장은 지방보조금의 교부를 결정하는 경우 지방보조사업이 완료된 때에 그 지방보조사업자에게 상당한 수익이 발생하는 경우에는 그 지방보조금의 교부 목적에 위배되지 아니하는 범위에서 이미 교부한 지방보조금의 전부 또는 일부를 지방자치단체에 반환하게 하는 조건을 붙일 수 있다.

제10조(지방보조금의 교부 결정 통지)지방자치단체의 장은 지방보조금의 교부를 결정하였을 때에는 그 교부 결정의 내용(그에 조건을 붙인 경우에는 그 조건을 포함한다. 이하 같다)을 지체 없이 지방보조금의 교부를 신청한 자에게 통지하여야 한다.

제10조의2(지방보조금의 교부 방법)① 지방자치단체의 장은 지방보조금의 효율적인 집행ㆍ관리를 위하여 필요하다고 인정하는 경우 해당 지방자치단체의 금고에 지방보조금을 예치(預置)하여 지방보조사업자에게 교부할

수 있다.

② 제1항에 따라 지방자치단체의 금고에 예치하는 지방보조금의 범위, 예치 방법 및 교부절차 등에 필요한 사항은 대통령령으로 정한다.

제11조(사정변경에 의한 교부 결정의 취소 등)① 지방사치단체의 장은 지방보조금의 교부를 결정한 경우 그 후에 발생한 사정의 변경으로 특히 필요하다고 인정할 때에는 지방보조금의 교부 결정 내용을 변경하거나 그 교부 결정의 전부 또는 일부를 취소할 수 있다. 다만, 이미 수행된 부분의 지방보조사업에 대해서는 그러하지 아니하다.

② 제1항에 따른 지방보조금의 교부 결정 취소 사유는 지방보조금의 교부 결정을 한 후에 발생한 천재지변이나 그 밖의 사정 변경으로 인하여 지방보조사업의 전부 또는 일부를 계속할 필요가 없어진 경우와 대통령령으로 정하는 경우로 한정한다.

③ 시·군·자치구의 장(이하 "시장·군수·구청장"이라 한다)은 시·도의 지방보조금의 교부 결정 내용을 변경하거나 교부 결정 취소를 요청하려는 경우에는 다음 각 호의 사항을 적은 서류를 특별시장·광역시장·특별자치시장·도지사·특별자치도지사(이하 "시·도지사"라 한다)에게 제출하여야 한다.

1. 교부 결정의 취소 등을 하여야 할 사유

2. 교부 결정의 취소 등에 대한 해당 지방보조사업자의 의견

3. 교부 결정의 취소로 인한 미교부 지방보조금의 향후 사용계획

④ 지방자치단체의 장은 제1항에 따라 지방보조금의 교부 결정을 취소한 경우 그 취소로 인하여 특히 필요하게 된 사무 또는 사업에 대해서는 대통령령으로 정하는 바에 따라 지방보조금을 교부하여야 한다.

⑤ 제1항에 따라 지방보조금의 교부 결정 내용을 변경하거나 교부 결정을 취소할 경우에는 제10조를 준용한다.

제12조(법령 위반 등에 따른 교부 결정의 취소)① 지방자치단체의 장은 지방보조사업자가 다음 각 호의 어느 하나에 해당하는 경우에는 지방보조금 교부 결정의 전부 또는 일부를 취소할 수 있다.

1. 지방보조금을 다른 용도에 사용한 경우

2. 법령, 조례, 지방보조금 교부 결정의 내용 또는 법령에 따른 지방자치단체의 장의 처분을 위반한 경우

3. 거짓 신청이나 그 밖의 부정한 방법으로 지방보조금을 교부받은 경우

4. 그 밖에 지방보조사업의 수행이 곤란한 경우로서 조례로 정하는 사유에

해당하는 경우

② 제1항에 따라 교부 결정을 취소한 경우에는 제10조를 준용한다.

제4장 지방보조사업의 수행

제13조(지방보조금의 용도 외 사용 금지)지방보조사업자는 법령, 지방보조금 교부 결정의 내용 또는 법령에 따른 지방자치단체의 장의 처분에 따라 선량한 관리자의 주의로 지방보조사업을 수행하여야 하며, 해당 지방보조금을 다른 용도에 사용하여서는 아니 된다.

제14조(지방보조사업의 내용 변경 등)지방보조사업자는 사정의 변경으로 지방보조사업의 내용을 변경하거나 지방보조사업에 드는 경비의 배분을 변경하려면 지방자치단체의 장의 승인을 받아야 한다. 다만, 지방자치단체의 장이 정하는 경미한 내용 변경이나 경비 배분의 경우에는 그러하지 아니하다.

제15조(지방보조사업의 인계 등)지방보조사업자는 사정의 변경으로 그 지방보조사업을 다른 사업자에게 인계하거나 중단 또는 폐지하려면 미리 지방자치단체의 장의 승인을 받아야 한다.

제16조(지방보조사업 수행 상황 점검 등)① 지방보조사업자는 지방자치단체의 장이 정하는 바에 따라 지방보조사업의 수행 상황을 지방자치단체의 장에게 보고하여야 한다.

② 지방자치단체의 장은 지방보조사업의 수행 상황을 파악하기 위하여 필요한 경우 현지조사를 할 수 있다.

③ 지방보조사업자는 지방보조사업의 수행과 관련된 자료를 5년 동안 보관하여야 하며, 그 밖에 필요한 사항은 대통령령으로 정한다.

④ 지방자치단체의 장은 지방보조사업자가 법령, 지방보조금 교부 결정의 내용 또는 법령에 따른 지방자치단체의 장의 처분에 따라 지방보조사업을 수행하지 아니한다고 인정할 때에는 그 지방보조사업자에게 지방보조사업 수행에 필요한 명령을 할 수 있다.

⑤ 지방자치단체의 장은 지방보조사업자가 제4항의 명령을 위반하였을 때에는 그 지방보조사업의 수행을 일시 정지시킬 수 있다.

제17조(지방보조사업의 실적 보고)① 지방보조사업자는 다음 각 호의 어느 하나에 해당하는 때에는 대통령령으로 정하는 기한까지 그 지방보조사업의 실적보고서(이하 "실적보고서"라 한다)를 작성하여 지방자치단체의 장에게 제출하여야 한다. 이 경우 실적보고서에는 그 지방보조사업에 든 경비를 재원별로 명백히 한 정산보고서 및 지방자치단체의 장이 정하는 서

류를 첨부하여야 한다. 다만, 지방보조사업자가 「보조금 관리에 관한 법률」 제27조에 따른 실적보고를 한 때 대통령령으로 정하는 사유가 있는 경우에는 이 법에 따른 실적보고를 완료한 것으로 볼 수 있다.

1. 지방보조사업을 완료하였을 때
2. 지방보조사업 폐지의 승인을 받았을 때
3. 회계연도가 끝났을 때

② 지방보조사업에 대한 지방보조금의 총액이 3억원 이상인 지방보조사업자(지방보조사업자가 지방자치단체인 경우는 제외한다)는 「주식회사 등의 외부감사에 관한 법률」 제2조제7호 및 제9조에 따른 감사인으로부터 정산보고서의 적정성에 대하여 검증을 받아야 한다. 다만, 「보조금 관리에 관한 법률」 제27조제2항 후단에 따라 해당 지방보조사업의 내용이 포함되어 있는 보조사업 또는 간접보조사업을 수행하는 자가 이미 정산보고서의 적정성에 대하여 검증을 받은 경우는 제외한다.

③ 지방자치단체의 장은 지방보조사업자가 제1항 전단에 따른 기한까지 실적보고서를 제출하지 아니한 경우 그 제출지연기간을 고려하여 대통령령으로 정하는 기준에 따라 지방보조금을 삭감할 수 있다. 이 경우 지방보조금의 삭감금액은 해당 실적보고서가 제출된 이후 최초로 교부하는 지방보조금의 100분의 50 이내의 금액으로 한다.

④ 제1항 및 제2항에 따른 실적보고서의 제출 및 정산보고서의 검증 등에 필요한 사항은 대통령령으로 정한다.

제18조(특정지방보조사업자에 대한 회계감사)① 같은 회계연도 중 지방자치단체의 장으로부터 교부받은 지방보조금의 총액이 10억원 이상인 지방보조사업자(지방보조사업자가 지방자치단체인 경우는 제외하며, 이하 이 조에서 "특정지방보조사업자"라 한다)는 「주식회사 등의 외부감사에 관한 법률」 제2조제7호 및 제9조에 따른 감사인이 해당 회계연도를 기준으로 작성한 감사보고서(이하 이 조에서 "감사보고서"라 한다)를 지방보조금을 교부한 지방자치단체의 장에게 제출하여야 한다. 다만, 2년 이상 계속하여 지방보조금을 교부받은 특정지방보조사업자로서 직전 회계연도에 감사보고서를 제출한 경우에는 해당 회계연도에 대한 감사보고서의 작성·제출을 생략할 수 있다.

② 제1항에도 불구하고 특정지방보조사업자가 다른 법률에 따라 회계감사를 받는 경우에는 감사보고서를 갈음하여 해당 법률에 따라 작성된 감사 관련 보고서를 제출할 수 있다. 이 경우 감사 관련 보고서에는 지방보조사업에

관한 감사의견이 포함되어야 한다.

③ 제1항 및 제2항에도 불구하고 지방자치단체의 장은 지방보조사업 특성상 감사보고서를 작성·제출하기에 적합하지 아니하다고 인정하는 경우에는 해당 특정지방보조사업자에게 감사보고서를 제출하지 아니하게 할 수 있다.

④ 제1항부터 제3항까지에서 규정한 사항 외에 특정지방보조사업자의 감사인 선정, 회계감사의 기준 및 감사보고서의 작성·제출 등에 필요한 사항은 대통령령으로 정한다.

제19조(지방보조금의 금액 확정)① 지방자치단체의 장은 제17조에 따라 지방보조사업자가 작성한 실적보고서를 토대로 지방보조사업이 법령, 조례, 지방보조금 교부 결정의 내용 또는 법령에 따른 지방자치단체의 장의 처분에 적합한 것인지를 심사하여야 한다. 이 경우 필요하면 현지조사를 할 수 있다.

② 지방자치단체의 장은 제1항의 심사 결과 적합하다고 판단된 때에는 지방보조금액을 확정하여 해당 지방보조사업자에게 통지하여야 한다.

제20조(지방보조사업의 시정명령)지방자치단체의 장은 실적보고서를 받은 경우 그 지방보조사업의 실적이 법령, 조례, 지방보조금 교부 결정의 내용 또는 법령에 따른 지방자치단체의 장의 처분에 적합하지 아니하다고 인정될 때에는 그 지방보조사업자에게 지방보조사업의 시정을 위하여 필요한 조치를 명할 수 있다.

제20조의2(지방보조사업자의 정보 공시)① 대통령령으로 정하는 규모 이상의 지방보조사업을 수행하는 지방보조사업자(지방자치단체는 제외한다)는 매 회계연도가 종료되면 대통령령으로 정하는 기한까지 다음 각 호의 서류를 제28조제1항에 따른 지방보조금통합관리망에 공시하여야 한다. 다만, 「보조금 관리에 관한 법률」 제26조의10제1항에 따라 지방보조사업의 내용이 포함된 보조사업 또는 간접보조사업을 수행하는 자가 이미 공시를 한 경우는 제외한다.

1. 제7조제1항에 따른 지방보조금 교부신청서 및 첨부서류
2. 제17조제1항 후단에 따른 지방보조사업 경비에 관한 정산보고서
3. 제18조제1항 및 제2항에 따라 감사를 받은 경우에는 감사보고서 또는 감사 관련 보고서
4. 지방보조사업과 관련하여 감사원, 중앙행정기관 또는 지방자치단체 등의 감사를 받은 경우에는 그 감사 결과에 관한 서류
5. 그 밖에 지방보조사업의 수행에 관한 중요 서류로서 대통령령으로 정하

는 서류

② 지방자치단체의 장은 제1항 각 호 외의 부분 본문에 따른 기한까지 공시를 하지 아니하거나 거짓 사실을 공시한 지방보조사업자에 대해서는 대통령령으로 정하는 바에 따라 시정명령이나 지방보조금의 삭감 또는 이를 위하여 필요한 조치를 할 수 있다. 이 경우 지방보조금의 삭감금액은 제1항에 따라 공시하는 회계연도에 교부하기로 한 지방보조금 총액의 100분의 50 이내의 금액으로 한다.

제21조(재산 처분의 제한)① 지방보조사업자는 지방보조금으로 취득하거나 그 효용이 증가된 것으로서 대통령령으로 정하는 중요한 재산(이하 "중요재산"이라 한다)에 대해서는 대통령령으로 정하는 바에 따라 그 현재액과 증감을 명백히 하여야 하고, 그 현황을 지방자치단체의 장에게 보고하여야 한다.

② 지방자치단체의 장은 제1항에 따라 중요재산의 현황을 보고받은 경우 대통령령으로 정하는 바에 따라 그 보고받은 현황을 공시하여야 한다.

③ 지방보조사업자는 해당 지방보조사업을 완료한 후에도 지방자치단체의 장의 승인 없이 중요재산에 대하여 다음 각 호의 행위를 하여서는 아니 된다.

1. 교부 목적 외 용도로의 사용

2. 양도, 교환 또는 대여

3. 담보의 제공

④ 지방보조사업자가 다음 각 호의 어느 하나에 해당하는 경우에는 지방자치단체의 장의 승인을 받지 아니하고도 제3항 각 호의 행위를 할 수 있다.

1. 지방보조사업자가 지방보조금의 전부를 지방자치단체에 반환한 경우

2. 지방보조금의 교부 목적과 해당 재산의 내용연수(耐用年數)를 고려하여 지방자치단체의 장이 정한 기간이 지난 경우

3. 그 밖에 대통령령으로 정하는 사유가 발생하는 경우

⑤ 지방자치단체의 장은 지방보조사업자가 해당 지방보조사업을 완료한 후에도 지방자치단체의 장의 승인 없이 중요재산에 대하여 제2항 각 호의 행위를 한 경우에는 대통령령으로 정하는 바에 따라 다음 각 호의 금액의 전부 또는 일부의 반환을 명할 수 있다.

1. 중요재산을 취득하기 위하여 사용된 지방보조금에 해당하는 금액

2. 중요재산의 효용가치 증가액에 해당하는 금액

3. 중요재산의 양도, 교환, 대여 또는 담보 제공을 통하여 얻은 재산상의 이

익에 해당하는 금액

제22조(중요재산의 부기등기)① 지방보조사업자는 중요재산 중 부동산에 대한 소유권 등기를 할 때에는 다음 각 호에서 정한 사항을 표기내용으로 하는 부기등기(附記登記)를 하여야 한다. 다만, 「공유재산 및 물품 관리법」 등에 따라 지방자치단체가 취득·관리하는 부동산의 경우에는 그러하지 아니하다.

1. 해당 부동산은 지방보조금을 교부받아 취득하였거나 그 효용가치가 증가한 재산이라는 사항

2. 지방자치단체의 장이 정한 기간 내에 해당 부동산을 지방보조금의 교부 목적 외의 용도로 사용, 양도, 교환, 대여하거나 담보로 제공하려는 경우에는 지방자치단체의 장의 승인을 받아야 한다는 사항

② 제1항에 따른 부기등기는 소유권보존등기, 소유권이전등기 또는 토지·건물표시변경등기와 동시에 하여야 한다. 다만, 지방보조금의 교부로 부동산의 등기내용이 변경되지 아니하는 경우에는 실적보고서 제출 전까지 부기등기를 하여야 한다.

③ 제1항에 따른 부기등기일 이후에 제21조제3항을 위반하여 중요재산을 교부 목적 외의 용도로 사용, 양도, 교환, 대여하거나 담보로 제공한 경우에는 그 효력을 무효로 한다.

④ 지방보조사업자는 다음 각 호의 어느 하나에 해당하는 경우에는 제1항에 따른 부기등기 사항을 말소할 수 있다.

1. 지방보조사업자가 제9조제2항 또는 제31조에 따라 지방보조금의 전부를 지방자치단체에 반환하고, 지방자치단체의 장으로부터 이러한 사실을 확인받은 경우

2. 지방보조금의 교부 목적과 부동산의 내용연수를 고려하여 지방자치단체의 장이 정한 기간이 지난 경우

제24조(별도 계정의 설정 등)① 지방보조사업자는 교부받은 지방보조금에 대하여 별도의 계정(計定)을 설정하고 자체의 수입 및 지출을 명백히 구분하여 회계처리하여야 한다.

② 지방보조사업자가 시장·군수·구청장인 경우 제1항에 따른 회계는 지방보조사업 집행에 소요되는 시·도 및 시·군·구의 비용 내역과 각각의 집행실적을 구분하여 처리하여야 한다.

제28조(지방보조금통합관리망의 구축·운영)① 행정안전부장관과 지방자치단체의 장은 지방보조사업을 원활하게 수행하고 지방보조금의 중복 수급

또는 부정 수급을 방지하기 위하여 지방보조금통합관리망(이하 "지방보조금통합관리망"이라 한다)을 구축·운영하여야 한다.

② 지방보조금통합관리망에는 다음 각 호의 사항에 대한 자료 또는 정보(이하 "지방보조금관리정보"라 한다)가 포함되어야 한다.

1. 제6조제3항에 따른 지방보조금의 지원이력
2. 제7조에 따른 지방보조금의 교부 신청
3. 제8조에 따른 지방보조금의 교부 결정
4. 제16조제1항에 따른 지방보조사업의 수행 상황과 같은 조 제2항에 따른 현지조사
5. 제17조제1항에 따른 지방보조사업자의 실적보고와 같은 조 제2항에 따른 정산보고서의 검증
6. 제21조제1항에 따른 중요재산의 현황
7. 제27조제1항에 따른 지방보조사업의 성과평가와 같은 조 제2항에 따른 조치
8. 그 밖에 지방보조금 및 지방보조사업의 효율적인 집행·관리를 위하여 대통령령으로 정하는 사항

③ 행정안전부장관은 지방보조금 및 지방보조사업의 효율적인 집행·관리를 위하여 필요하다고 인정하는 경우 관계 기관의 장에게 지방보조금통합관리망과 다음 각 호의 정보시스템과의 연계를 요청할 수 있다. 이 경우 요청을 받은 관계 기관의 장은 특별한 사유가 없으면 그 요청에 따라야 한다.

1. 「고용정책 기본법」 제15조의5제1항에 따른 통합정보전산망
2. 「국민 평생 직업능력 개발법」 제6조제1항에 따른 직업능력개발정보망
3. 「보조금 관리에 관한 법률」 제26조의2제1항에 따른 보조금통합관리망
4. 「사회보장기본법」 제37조제2항에 따른 사회보장정보시스템
5. 「사회복지사업법」 제6조의2제1항에 따른 정보시스템
6. 「사회서비스 이용 및 이용권 관리에 관한 법률」 제28조제1항에 따른 사회서비스전자이용권의 관리체계
7. 「영유아보육법」 제9조의3제1항에 따른 보육통합정보시스템
8. 「유아교육법」 제19조의2제1항에 따른 유아교육정보시스템
9. 「초·중등교육법」 제30조의4제1항에 따른 교육정보시스템
10. 그 밖에 지방보조금 및 지방보조사업의 효율적인 집행·관리에 필요한 정보시스템으로서 대통령령으로 정하는 정보시스템

④ 행정안전부장관과 지방자치단체의 장은 지방보조금의 중복·부정 수급

또는 집행 내역의 확인 등을 위하여 필요하다고 인정하는 경우 지방보조금 통합관리망과 제3항 각 호에 따른 다른 정보시스템 간의 연계를 통하여 지방보조금 관련 자료 또는 정보를 수집하여 처리(「개인정보 보호법」 제2조제2호에 따른 처리를 말한다. 이하 제28조의2부터 제28조의4까지 및 제36조의5에서 같다)할 수 있다.

제29조(검사)① 지방자치단체의 장은 지방보조금에 관한 예산의 적절한 집행을 도모하기 위하여 필요하다고 인정할 때에는 지방보조사업자에 대하여 보고를 하게 하거나, 소속 공무원으로 하여금 그 사무소 또는 사업장에서 장부·서류 또는 그 밖의 재산을 검사하게 하거나 관계자에게 질문하게 할 수 있다.

② 제1항에 따라 검사 또는 질문을 하는 공무원은 그 권한을 나타내는 증표를 지니고 이를 관계자에게 보여주어야 한다.

제6장 지방보조금의 반환과 제재

제31조(지방보조금의 반환)① 지방자치단체의 장은 지방보조금의 교부 결정을 취소한 경우 그 취소된 부분의 지방보조사업에 대하여 이미 지방보조금이 교부되었을 때에는 기한을 정하여 그 취소된 부분에 해당하는 지방보조금과 이로 인하여 발생한 이자의 반환을 명하여야 한다.

② 지방자치단체의 장은 지방보조사업자에게 교부하여야 할 지방보조금의 금액을 제19조제2항에 따라 확정한 경우 이미 교부된 지방보조금과 이로 인하여 발생한 이자를 더한 금액이 그 확정된 금액을 초과한 때에는 기한을 정하여 그 초과액의 반환을 명하여야 한다. 다만, 보조사업자가 지방자치단체의 장인 경우 지방보조금을 지급받은 후 대통령령으로 정하는 불가피한 사유로 발생한 이자는 그러하지 아니하다.

제32조(지방보조사업 수행 배제 등)① 지방자치단체의 장은 지방보조사업자가 다음 각 호의 어느 하나에 해당하는 경우에는 5년 이내의 범위에서 대통령령으로 정하는 바에 따라 해당 지방보조사업자를 소관 지방보조사업의 수행 대상에서 배제하거나 지방보조금의 교부를 제한하여야 한다.

1. 거짓이나 그 밖의 부정한 방법으로 지방보조금을 교부받은 사유로 제12조에 따라 교부 결정의 전부 또는 일부 취소를 1회 이상 받은 경우
2. 지방보조금을 다른 용도에 사용한 사유로 제12조에 따라 교부 결정의 전부 또는 일부 취소를 2회 이상 받은 경우
3. 법령, 조례, 지방보조금 교부 결정의 내용 또는 법령에 따른 지방자치단체의 장의 처분을 위반한 사유로 제12조에 따라 교부 결정의 전부 또는

일부 취소를 3회 이상 받은 경우

② 제1항에도 불구하고 지방보조사업자가 수행하는 지방보조사업이 복지사업 또는 국고보조사업 등 대통령령으로 정하는 사업으로서 다른 지방보조사업자로 대체하기 어려운 사업인 경우에는 지방보조금관리위원회의 심의를 거쳐 지방보조사업의 수행 대상에서 배제하지 아니하거나 지방보조금의 교부를 제한하지 아니할 수 있다.

③ 지방자치단체의 장은 지방보조금수령자가 다음 각 호의 어느 하나에 해당하는 경우에는 5년 이내의 범위에서 대통령령으로 정하는 바에 따라 해당 지방보조금수령자에 대하여 지방보조금의 지급을 제한하여야 한다.

1. 거짓이나 그 밖의 부정한 방법으로 지방보조금을 지급받은 사유로 제34조에 따라 지방보조금의 전부 또는 일부의 반환명령을 1회 이상 받은 경우

2. 지방보조금을 지급 목적과 다른 용도에 사용하여 제34조에 따라 지방보조금의 전부 또는 일부의 반환명령을 2회 이상 받은 경우

3. 지방보조금을 지급받기 위한 요건을 갖추지 못하고 지방보조금을 지급받아 제34조에 따라 지방보조금의 전부 또는 일부의 반환명령을 3회 이상 받은 경우

④ 제3항에도 불구하고 지방자치단체의 장은 지방보조금수령자가 지급받는 지방보조금이 다음 각 호의 어느 하나에 해당하는 경우 지방보조금의 지급을 제한하지 아니할 수 있다.

1. 「국민기초생활 보장법」 제7조에 따른 급여의 경우

2. 「장애인복지법」 제49조에 따른 장애수당의 경우

3. 「기초연금법」에 따른 기초연금의 경우

4. 「한부모가족지원법」 제12조에 따른 복지 급여의 경우

5. 그 밖에 지방보조금의 성격·기능 등을 고려할 때 지방보조금수령자에게 지급되는 지방보조금을 제한하는 것이 적절하지 아니한 경우로서 대통령령으로 정하는 경우

⑤ 지방자치단체의 장은 지방보조사업과 관련한 계약의 입찰·낙찰·체결·이행 과정에서 거짓 또는 그 밖의 부정한 방법으로 재산상 이익을 취득한 사실로 유죄판결이 확정된 자(이하 "부정계약업체"라 한다)에 대해서는 5년 이내의 범위에서 대통령령으로 정하는 바에 따라 소관 지방보조사업의 수행 대상에서 배제하여야 한다.

⑥ 지방자치단체의 장은 제1항부터 제5항까지에 따라 지방보조사업자등 또

는 부정계약업체에 대하여 지방보조사업의 수행 대상에서 배제하거나 지방보조금 수급을 제한한 경우에는 그 사실을 즉시 다른 지방자치단체의 장에게 통보하여야 한다.

⑦ 제6항에 따라 통보를 받은 다른 지방자치단체의 장은 해당 지방보조사업자등을 소관 지방보조사업 수행 대상에서 배제하거나 지방보조금의 수급을 제한하여야 한다. 이 경우 지방보조사업의 수행 배제 및 그 예외 기준과 지방보조금의 수급 제한 및 그 예외 기준에 관하여는 제1항부터 제5항까지를 준용한다.

⑧ 제1항부터 제7항까지에서 규정한 사항 외에 지방보조사업의 수행 배제 및 지방보조금 수급 제한 등에 필요한 사항은 대통령령으로 정한다.

제33조(다른 지방보조금 교부의 일시 정지 등) 지방자치단체의 장은 지방보조사업자가 제31조제1항 또는 제2항에 따른 지방보조금 및 이자의 반환 명령을 받고 반환하지 아니하는 경우 그 지방보조사업자에게 동종(同種)의 사무 또는 사업에 대하여 교부하여야 할 지방보조금이 있을 때에는 그 교부를 일시 정지하거나 그 지방보조금과 지방보조사업자가 반환하지 아니한 금액을 상계(相計)할 수 있다.

제34조(지방보조금수령자에 대한 지방보조금의 환수) ① 지방자치단체의 장 및 지방보조사업자는 지방보조금수령자가 다음 각 호의 어느 하나에 해당하는 경우에는 지급한 지방보조금의 전부 또는 일부를 기한을 정하여 반환하도록 명하여야 한다.

1. 거짓이나 그 밖의 부정한 방법으로 지방보조금을 지급받은 경우
2. 지방보조금의 지급 목적과 다른 용도에 사용한 경우
3. 지방보조금을 지급받기 위한 요건을 갖추지 못한 것으로 밝혀진 경우

② 지방보조사업자가 제1항에 따라 지방보조금의 반환을 명한 경우에는 대통령령으로 정하는 바에 따라 그 사실을 해당 지방보조사업의 소관 지방자치단체의 장에게 통보하여야 한다.

③ 지방보조사업자는 지방보조금수령자가 제1항 각 호의 어느 하나에 해당하는 경우에는 지방자치단체의 장이 정하는 기간 동안 지방보조금을 지급하지 아니할 수 있다.

④ 지방자치단체의 장은 지방보조금수령자가 제1항 각 호의 어느 하나에 해당하는 경우에는 일정한 기간 동안 지방보조사업자에게 지방보조금수령자에 대한 지방보조금의 지급제한을 명할 수 있다.

제35조(제재부가금 및 가산금의 부과·징수) ① 지방자치단체의 장은 다음

각 호의 어느 하나에 해당하는 경우에는 반환하여야 할 지방보조금 총액의 5배 이내의 범위에서 대통령령으로 정하는 바에 따라 지방보조사업자 등에게 제재부가금을 부과·징수하여야 한다. 다만, 제재부가금을 부과하기 전 또는 부과한 후에 지방보조사업사등이 지방보조금의 부정한 수급 등을 이유로 이 법 또는 다른 법률에 따라 벌금·과료, 몰수·추징, 과징금 또는 과태료를 부과받은 경우 등 대통령령으로 정하는 사유가 있는 경우에는 제재부가금을 면제·삭감 또는 변경·취소할 수 있다.

1. 제31조제1항에 따라 지방보조금의 반환을 명한 경우(제12조에 따라 교부결정을 취소한 경우로 한정한다)
2. 제34조에 따라 지방보조사업자가 지방보조금수령자에게 지방보조금의 반환을 명한 경우

② 지방자치단체의 장은 제1항제2호에 따른 사유로 제재부가금을 부과하는 경우에는 제34조에 따라 지방보조사업자가 한 반환명령의 적정성을 조사·확인한 후 제재부가금을 부과하여야 한다.

③ 제1항에도 불구하고 지방보조금이 다음 각 호의 어느 하나에 해당하는 경우에는 제재부가금을 부과하지 아니할 수 있다.

1. 「국민기초생활 보장법」 제7조에 따른 급여
2. 「장애인복지법」 제49조에 따른 장애수당
3. 「기초연금법」에 따른 기초연금
4. 「한부모가족지원법」 제12조에 따른 복지 급여
5. 그 밖에 제재부가금을 부과·징수할 실익이 크지 아니한 것으로서 대통령령으로 정하는 경우

④ 지방자치단체의 장은 제1항에 따른 제재부가금을 납부하여야 할 자가 납부기한 내에 납부하지 아니한 경우에는 그 납부기한의 다음 날부터 납부일의 전날까지의 기간에 대하여 체납된 금액의 100분의 5를 초과하지 아니하는 범위에서 가산금을 징수할 수 있다.

⑤ 제1항부터 제4항까지에서 규정한 사항 외에 제재부가금·가산금의 산정방법 및 부과절차 등에 관하여 필요한 사항은 대통령령으로 정한다.

제36조(강제징수)① 지방자치단체의 장은 다음 각 호의 구분에 따라 반환금, 제재부가금 및 가산금을 지방세 체납처분의 예에 따라 징수하거나 「지방행정제재·부과금의 징수 등에 관한 법률」에 따라 징수할 수 있다.

1. 지방보조사업자가 제21조 또는 제31조에 따른 반환금을 기한 내에 납부하지 아니한 경우

2. 지방보조금수령자가 제34조에 따른 반환금을 기한 내에 납부하지 아니한 경우
3. 지방보조사업자등이 제35조에 따른 제재부가금·가산금을 기한 내에 납부하지 아니한 경우

② 제1항에 따른 반환금, 제재부가금 및 가산금의 징수는 국세와 지방세를 제외하고는 다른 공과금이나 그 밖의 채권에 우선한다.

제7장 보칙

제36조의2(이의신청 등)① 지방보조사업자는 지방보조금의 교부 결정, 교부 조건, 교부 결정의 취소, 지방보조금의 반환명령 또는 삭감, 지방보조사업의 수행 배제, 지방보조금의 수급 제한 및 제재부가금의 부과, 그 밖에 지방보조금의 교부에 관한 지방자치단체의 장의 처분에 이의가 있을 때에는 그 통지 또는 처분을 받은 날부터 20일 이내에 서면으로 그 지방자치단체의 장에게 이의를 신청할 수 있다.

② 지방보조금수령자는 지방보조금의 반환명령 또는 삭감, 지방보조사업의 수행 배제, 지방보조금의 수급 제한 및 제재부가금의 부과, 그 밖에 지방보조금의 교부에 관한 지방자치단체의 장의 처분에 이의가 있을 때에는 그 통지 또는 처분을 받은 날부터 20일 이내에 서면으로 그 지방자치단체의 장에게 이의를 신청할 수 있다.

③ 지방자치단체의 장은 제1항 및 제2항에 따른 이의신청을 받으면 관계자의 의견을 들은 후 필요한 조치를 하고 그 사실을 이의신청인에게 통지하여야 한다. 이 경우 교부 결정의 내용에 관한 이의신청인이 그 사실을 통지받은 날부터 20일 이내에 수락의 의사표시를 하지 아니하였을 때에는 그 지방보조금의 교부 신청을 철회한 것으로 본다.

제36조의6(벌칙 적용에서 공무원 의제)제36조의5에 따라 위탁받은 업무에 종사하는 기관의 임직원 중 공무원이 아닌 사람은 「형법」 제129조부터 제132조까지를 적용할 때에는 공무원으로 본다.

제8장 벌칙

제37조(벌칙)다음 각 호의 어느 하나에 해당하는 자는 10년 이하의 징역 또는 1억원 이하의 벌금에 처한다.

1. 거짓 신청이나 그 밖의 부정한 방법으로 지방보조금을 교부받거나 지급받은 자 또는 그 사실을 알면서 지방보조금을 교부하거나 지급한 자
2. 제28조의4제2항제1호를 위반한 자

제**38**조(벌칙)다음 각 호의 어느 하나에 해당하는 자는 5년 이하의 징역 또는 5천만원 이하의 벌금에 처한다.

1. 제13조를 위반하여 지방보조금을 다른 용도에 사용한 자
2. 세21소세3항을 위반하여 지방자치단세의 징의 승인 없이 중요재산에 대하여 금지된 행위를 한 자
3. 제28조의4제2항제2호부터 제4호까지 중 어느 하나를 위반한 자

제**39**조(벌칙)① 제14조 또는 제15조를 위반한 자는 2년 이하의 징역 또는 2천만원 이하의 벌금에 처한다.

② 다음 각 호의 어느 하나에 해당하는 자는 1년 이하의 징역 또는 1천만원 이하의 벌금에 처한다.

1. 제16조제3항을 위반하여 관련된 자료를 보관하지 아니한 자
2. 제16조제5항에 따른 정지명령을 위반한 자
3. 제17조 또는 제29조제1항을 위반하여 거짓 보고를 한 자

제**40**조(양벌규정)법인의 대표자나 법인 또는 개인의 대리인·사용인, 그 밖의 종업원이 그 법인 또는 개인의 업무에 관하여 제37조부터 제39조까지의 어느 하나에 해당하는 위반행위를 하면 그 행위자를 벌하는 외에 그 법인 또는 개인에게도 해당 조문의 벌금형을 과(科)한다. 다만, 법인 또는 개인이 그 위반행위를 방지하기 위하여 해당 업무에 관하여 상당한 주의와 감독을 게을리하지 아니한 경우에는 그러하지 아니하다.

◆지방자치단체 보조금 관리에 관한 법률 시행령　(약칭: 지방보조금법 시행령)

제**1**조(목적)이 영은 「지방자치단체 보조금 관리에 관한 법률」에서 위임된 사항과 그 시행에 필요한 사항을 규정함을 목적으로 한다.

제**3**조(운영비 사용 경비의 종목)「지방자치단체 보조금 관리에 관한 법률」(이하 "법"이라 한다) 제6조제2항 전단에 따라 법령에 근거하여 지방보조금을 운영비로 교부하는 경우 그 운영비로 사용할 수 있는 경비의 종목은 다음 각 호와 같다. 다만, 각 호의 경비가 지방보조사업을 수행하는 데 직접 드는 경비인 경우는 제외한다.

1. 인건비
2. 사무관리비
3. 임차료

4. 그 밖에 지방자치단체의 장이 다른 지방자치단체, 법인·단체 또는 개인 등이 수행하는 사무 또는 사업 등의 기본적인 운영을 위하여 특별히 필요하다고 인정하는 경비

제4조의2(지방보조금에 관한 예산의 통지)지방자치단체의 장은 법 제6조의2제1항 및 제2항에 따라 지방보조금 예산안의 편성 내용이나 의결 내용을 다른 지방자치단체의 장에게 통지하는 경우에는 지방보조사업별로 구분하여 통지해야 한다. 이 경우 지방자치단체의 장은 지방보조금의 총액을 함께 통지해야 한다.

제5조(지방보조금 교부신청서**)**법 제7조제1항에 따른 지방보조금 교부신청서에는 다음 각 호의 사항이 포함되어야 한다.

1. 신청자의 성명·상호와 주소(지방보조사업자가 법인 또는 단체인 경우에는 그 법인 또는 단체의 명칭과 주소를 말한다)

2. 지방보조사업의 목적과 내용

3. 지방보조사업에 드는 경비와 교부받으려는 지방보조금의 금액

4. 신청자가 부담해야 할 금액

5. 지방보조사업의 착수 예정일과 완료 예정일

6. 그 밖에 지방보조금 교부에 필요한 사항으로서 지방자치단체의 장이 정하는 사항

제5조의2(지방보조금의 예치 및 교부)① 법 제10조의2제1항에 따라 지방자치단체의 금고에 예치(預置)하여 교부할 수 있는 지방보조금은 다음 각 호에 해당하지 않는 지방보조금으로 한다.

1. 지방자치단체의 장이 지방보조사업자인 다른 지방자치단체의 장에게 교부하는 지방보조금

2. 국고보조사업을 수행하기 위해 교부하는 지방보조금

② 지방자치단체의 장은 법 제10조의2제1항에 따라 지방자치단체의 금고에 지방보조금을 예치하는 경우 해당 지방자치단체 명의로 개설되어 지방보조금의 교부 목적으로 사용되는 전용 계좌에 예치해야 한다.

③ 지방보조사업자가 법 제10조의2제1항에 따라 지방자치단체의 금고에 예치된 지방보조금의 교부를 요청하는 경우에는 다음 각 호의 어느 하나에 해당하는 자료를 법 제28조제1항에 따른 지방보조금통합관리망(이하 "지방보조금통합관리망"이라 한다)을 통해 지방자치단체의 장에게 제출해야 한다.

1.「소득세법」제163조제1항 후단에 따른 전자계산서

2. 「부가가치세법」 제32조제2항에 따른 전자세금계산서

3. 지방보조금의 사용 목적으로 만들어진 신용카드 또는 직불카드의 거래승인내역서

4. 그 밖에 지방보소금의 집행을 증명할 수 있는 자료

제6조(사정변경에 의한 교부 결정의 취소 등)① 법 제11조제2항에서 "대통령령으로 정하는 경우"란 다음 각 호의 어느 하나에 해당하는 경우를 말한다.

1. 지방보조사업자에게 책임이 없는 사유로 지방보조사업의 수행에 필요한 토지 또는 주요 시설 등을 사용하거나 이용할 수 없게 된 경우

2. 지방보조사업자에게 책임이 없는 사유로 지방보조사업에 드는 경비 중 지방보조금으로 충당되는 부분 외의 경비(지방보조사업자가 부담하는 경비는 제외한다)를 조달하지 못하는 경우

② 법 제11조제4항에 따라 교부해야 할 지방보조금은 다음 각 호의 경비로 한다.

1. 지방보조사업에 관련된 기계·기구 또는 임시건물의 철거와 그 밖의 남은 업무 처리에 필요한 경비

2. 지방보조사업을 수행하기 위하여 체결한 계약을 해제하는 경우에 지급해야 할 배상금

제7조(지방보조사업 관련 자료의 보관)법 제16조제3항에 따라 지방보조사업자가 보관해야 하는 자료는 다음 각 호와 같다.

1. 계산서: 지방보조사업자가 취급한 회계사무의 집행실적을 기간별로 합산한 서류

2. 증거서류: 제1호의 계산서 내용을 증명하는 서류

3. 첨부서류: 제1호의 계산서 또는 제2호의 증거서류의 내용을 설명하기 위하여 필요한 서류

제8조(지방보조사업 수행의 일시 정지)① 지방자치단체의 장은 법 제16조제5항에 따라 지방보조사업의 수행을 일시 정지시키는 경우에는 기간을 정하여 지방보조사업자가 해당 지방보조금 교부 결정의 내용이나 같은 조 제4항에 따른 명령에 적합한 조치를 하게 해야 한다.

② 지방자치단체의 장은 제1항에 따라 조치를 하게 하는 경우에는 지방보조사업자가 해당 조치를 하지 않으면 법 제12조제1항에 따라 해당 지방보조금 교부 결정의 전부 또는 일부를 취소할 수 있음을 지방보조사업자에게 알려야 한다.

제9조(지방보조사업의 실적보고서 제출)① 법 제17조제1항 각 호 외의 부분 전단에서 "대통령령으로 정하는 기한"이란 같은 항 각 호의 사유가 발생한 날부터 2개월 이내를 말한다.

② 법 제17조제1항 각 호 외의 부분 단서에서 "대통령령으로 정하는 사유가 있는 경우"란 지방보조사업자가 「보조금 관리에 관한 법률」 제2조제3호 또는 제6호에 따른 보조사업자 또는 간접보조사업자로서 같은 법 제26조의 2제1항에 따른 보조금통합관리망을 통해 해당 지방자치단체의 장에게 실적보고를 한 경우를 말한다.

③ 지방보조사업자는 법 제17조제1항 각 호 외의 부분 전단에 따른 지방보조사업의 실적보고서(이하 "실적보고서"라 한다)를 작성하는 경우 해당 지방보조금 교부 결정의 내용에 따른 사용내역과 반환액을 명확하게 구분하여 작성해야 한다.

④ 지방자치단체의 장은 법 제17조제3항에 따라 지방보조금을 삭감하는 경우에는 실적보고서가 제출된 이후 최초로 교부하는 지방보조금의 금액을 기준으로 다음 각 호의 구분에 따른 범위에서 삭감한다

1. 실적보고서 제출지연기간이 3개월 이상 6개월 미만인 경우: 100분의 10 이하

2. 실적보고서 제출지연기간이 6개월 이상 12개월 미만인 경우: 100분의 10 초과 100분의 20 이하

3. 실적보고서 제출지연기간이 12개월 이상인 경우: 100분의 20 초과 100분의 50 이하

제10조(정산보고서의 검증)① 「주식회사 등의 외부감사에 관한 법률」 제2조제7호 및 제9조에 따른 감사인(이하 "감사인"이라 한다)이 법 제17조제2항 본문에 따른 정산보고서(이하 "정산보고서"라 한다)의 적정성 검증을 하는 경우에는 관련 보고서를 적어야 한다.

② 정산보고서와 제1항에 따른 검증 관련 보고서의 형식, 작성방법, 항목 및 제출절차 등에 관하여 필요한 사항은 행정안전부령으로 정한다.

제11조(특정지방보조사업자의 감사인 선정 등)① 법 제18조제1항 본문에 따른 특정지방보조사업자(이하 "특정지방보조사업자"라 한다)는 지방보조금의 교부 결정 통지를 받은 날부터 3개월 이내에 감사인을 선정해야 한다.

② 제1항에 따라 선정된 감사인이 회계감사를 할 때의 기준은 「주식회사 등의 외부감사에 관한 법률」 제16조에 따른 회계감사기준에 따른다.

③ 법 제18조제1항 본문에 따른 감사보고서(이하 "감사보고서"라 한다)의 작성은 「주식회사 등의 외부감사에 관한 법률」 제18조에 따른다. 다만, 감사보고서에 첨부해야 하는 사항에 관한 서류의 작성서식 등 구체적인 작성방법 등에 관하여 필요한 사항은 행정안전부령으로 징한다.

④ 특정지방보조사업자는 해당 회계연도 종료일부터 4개월 이내에 지방보조금을 교부한 지방자치단체의 장에게 감사보고서를 제출해야 한다.

⑤ 제1항에서 규정한 사항 외에 감사인 선정 절차에 관하여 필요한 사항은 행정안전부령으로 정한다.

제11조의2(지방보조사업자의 정보 공시)① 법 제20조의2제1항 각 호 외의 부분 본문에서 "대통령령으로 정하는 규모 이상의 지방보조사업"이란 같은 회계연도 중 지방자치단체의 장으로부터 교부받은 지방보조금의 총액이 5백만원 이상인 지방보조사업을 말한다. 다만, 지방보조사업의 특성을 고려하여 공시대상 규모를 달리 정할 필요가 있는 경우에는 행정안전부장관이 정하여 고시하는 금액 이상의 지방보조사업으로 한다.

② 법 제20조의2제1항 각 호 외의 부분 본문에서 "대통령령으로 정하는 기한"이란 해당 회계연도 종료일부터 4개월 이내를 말한다.

③ 법 제20조의2제1항제5호에서 "대통령령으로 정하는 서류"란 다음 각 호의 서류를 말한다.

1. 법 제17조제2항 본문에 해당하는 경우 그에 따른 정산보고서의 적정성에 대한 검증결과 서류

2. 지방보조사업자의 재무제표 또는 결산서

3. 그 밖에 지방보조사업의 투명성 제고를 위해 행정안전부장관이 정하여 고시하는 서류

④ 지방자치단체의 장은 법 제20조의2제2항에 따라 지방보조사업자에 대하여 시정명령을 하는 경우 그 내용 및 기간 등을 명시한 서면으로 해야 한다.

⑤ 지방자치단체의 장은 법 제20조의2제2항에 따라 지방보조금을 삭감하는 경우 같은 조 제1항 본문에 따라 공시하는 회계연도에 교부하기로 한 지방보조금 총액을 기준으로 다음 각 호의 구분에 따른 범위에서 삭감한다.

1. 제4항에 따른 시정명령을 1회 이행하지 않은 경우: 100분의 10 이하

2. 제4항에 따른 시정명령을 2회 이행하지 않은 경우: 100분의 10 초과 100분의 20 이하

3. 제4항에 따른 시정명령을 3회 이상 이행하지 않은 경우: 100분의 20 초

과 100분의 50 이하

제12조(처분을 제한하는 재산 등)① 법 제21조제1항에서 "대통령령으로 정하는 중요한 재산"이란 다음 각 호의 재산(이하 "중요재산"이라 한다)을 말한다.

1. 부동산과 그 종물(從物)

2. 선박, 부표(浮標), 부잔교(浮棧橋: 선박을 매어두거나 부두에 닿도록 물 위에 띄워 만든 구조물을 말한다) 및 부선거(浮船渠: 선박을 건조 또는 수리하거나 선박에 짐을 싣고 부리기 위한 부양식 설비를 말한다)와 그 종물

3. 항공기

4. 그 밖에 지방자치단체의 장이 지방보조금의 교부 목적을 달성하기 위하여 특별히 필요하다고 인정하여 고시하는 재산

② 지방보조사업자는 법 제21조제1항에 따라 중요재산에 대하여 지방자치단체의 장이 정하는 방법으로 중요재산의 현재액과 증감을 장부에 기록하여 갖추어 두고, 반기별로 중요재산의 현황에 해당 중요재산의 관리에 필요한 서류를 첨부하여 해당 지방자치단체의 장에게 보고해야 한다.

③ 지방자치단체의 장은 중요재산의 현황을 해당 지방자치단체의 인터넷 홈페이지 등을 통하여 공시해야 한다.

④ 지방자치단체의 장은 법 제21조제5항 각 호 외의 부분에 따라 지방보조사업자에게 같은 항 각 호의 금액의 전부 또는 일부의 반환을 명하는 경우에는 반환할 금액과 그 산출내역 및 납부기한 등을 서면으로 알려야 한다.

⑤ 지방자치단체의 장은 법 제21조제5항제2호 및 제3호의 금액을 산정할 때 제2항에 따라 지방보조사업자가 보고한 중요재산의 현재액이 시장상황 등을 고려한 현재가치에 비하여 현저히 낮다고 판단되는 경우에는 「감정평가 및 감정평가사에 관한 법률」 제29조에 따른 감정평가법인을 통하여 해당 중요재산의 현재가치를 평가해야 한다.

제18조(지방보조금의 반환)법 제31조제2항 단서에서 "대통령령으로 정하는 불가피한 사유로 발생한 이자"란 다음 각 호의 어느 하나에 해당하는 이자를 말한다.

1. 지방보조금을 지급받은 날부터 1개월 이내에 집행된 지방보조금 금액으로 인하여 발생한 이자

2. 천재지변이나 그 밖에 이에 준하는 사유로 지방보조사업이 지연된 기간에 발생한 이자

3. 지방보조금을 지급받은 후 법령 개정 등으로 그 집행방법을 개선해야 하는 경우 그 개선기간 중에 발생한 이자

4. 그 밖에 지방자치단체의 장이 지방보조사업의 특성을 고려할 때 불가피한 것으로 인성하는 사유로 발생한 이자

제19조(지방보조사업 수행 배제 등의 방법 및 절차)① 법 제32조제1항에 따른 지방보조사업자에 대한 소관 지방보조사업의 수행 대상 배제기간 또는 지방보조금의 교부제한기간은 다음 각 호의 구분에 따른다. 다만, 제2호 및 제3호에 해당하는 위반행위가 사소한 부주의나 오류로 인한 것으로 인정되는 때에는 2분의 1 범위에서 그 기간을 줄일 수 있다.

1. 법 제32조제1항제1호에 해당하는 경우: 5년

2. 법 제32조제1항제2호에 해당하는 경우: 3년

3. 법 제32조제1항제3호에 해당하는 경우: 2년

② 법 제32조제2항에서 "복지사업 또는 국고보조사업 등 대통령령으로 정하는 사업"이란 다음 각 호의 사업을 말한다.

1. 복지사업

2. 국고보조사업

3. 그 밖에 지역주민의 편익이나 지역발전에 기여하는 공익적 성격의 사업으로서 해당 지방자치단체의 규칙으로 정하는 사업

③ 법 제32조제3항에 따른 지방보조금수령자에 대한 지방보조금의 지급제한기간은 다음 각 호의 구분에 따른다. 다만, 제2호 및 제3호에 해당하는 위반행위가 사소한 부주의나 오류로 인한 것으로 인정되는 때에는 2분의 1 범위에서 그 기간을 줄일 수 있다.

1. 법 제32조제3항제1호에 해당하는 경우: 5년

2. 법 제32조제3항제2호에 해당하는 경우: 3년

3. 법 제32조제3항제3호에 해당하는 경우: 1년

④ 법 제32조제5항에 따른 부정계약업체(이하 "부정계약업체"라 한다)에 대한 지방보조사업의 수행 대상 배제기간은 다음 각 호의 구분에 따른다.

1. 1년을 초과하는 징역형 또는 금고형을 선고받은 경우: 5년

2. 1년 이하의 징역형 또는 금고형을 선고받은 경우: 3년

3. 벌금형을 선고받은 경우(징역형 또는 금고형과 병과되지 않은 경우로 한정한다): 2년

⑤ 지방자치단체의 장은 법 제32조제1항부터 제7항까지의 규정에 따라 지방보조사업자등 또는 부정계약업체를 지방보조사업의 수행 대상에서 배제하

거나 지방보조금의 수급 대상에서 제한하는 경우에는 다음 각 호의 사항을 지방보조금통합관리망에 즉시 등록해야 한다.

1. 지방보조사업자등의 성명·상호, 주민등록번호, 사업자등록번호, 주소, 관계 법령상의 면허·등록 번호(지방보조사업자등이 법인인 경우에는 그 법인의 명칭·법인등록번호와 그 대표자의 성명·주민등록번호를 말한다)

2. 지방보조사업의 수행을 배제하거나 지방보조금의 수급을 제한하는 구체적인 사유

3. 그 밖에 지방보조사업의 수행을 배제하거나 지방보조금의 수급을 제한하는 업무의 원활한 집행을 위하여 행정안전부령으로 정하는 사항

⑥ 지방자치단체의 장은 지방보조사업의 수행이 배제되거나 지방보조금의 수급이 제한된 지방보조사업자등 또는 부정계약업체가 상호·대표자 변경 등의 방법으로 지방보조사업에 참여하는 것을 방지하기 위하여 지방보조금 교부 또는 지급 여부를 결정할 때 지방보조사업자등 또는 부정계약업체의 주민등록번호, 법인등록번호, 관계 법령상의 면허 또는 등록번호 등을 확인해야 한다.

⑦ 제1항부터 제6항까지에서 규정한 사항 외에 지방보조사업 수행 배제 및 지방보조금 수급 제한의 통지 내용 및 절차 등에 관한 구체적인 사항은 행정안전부령으로 정한다.

제21조(제재부가금 및 가산금의 부과·징수 기준 등)① 법 제35조제1항에 따른 제재부가금의 부과기준은 별표 2와 같다.

② 법 제35조제1항 각 호 외의 부분 단서에서 "이 법 또는 다른 법률에 따라 벌금·과료, 몰수·추징, 과징금 또는 과태료를 부과받은 경우 등 대통령령으로 정하는 사유가 있는 경우"란 법 또는 다른 법률에 따라 벌금·과료, 몰수·추징, 과징금 또는 과태료(이하 이 조에서 "과태료등"이라 한다)를 부과받은 경우를 말한다.

③ 지방자치단체의 장은 법 제35조제1항에 따라 지방보조사업자등에게 제재부가금을 부과·징수하는 경우에는 위반행위의 종류와 제재부가금의 금액 등을 밝히고 이를 납부할 것을 서면으로 통지해야 한다.

④ 지방자치단체의 장은 제2항에 따른 과태료등과 제재부가금의 합계액이 지방보조사업자등이 반환해야 하는 지방보조금 총액의 5배를 초과하지 않도록 해야 한다.

⑤ 제3항에 따른 통지를 받은 지방보조사업자등은 통지를 받은 날부터 30일 이내에 지방자치단체의 장이 정하는 수납기관에 제재부가금을 납부해야

한다. 다만, 천재지변이나 전시 또는 사변 등 부득이한 사유로 그 기간 내에 제재부가금을 납부할 수 없는 경우에는 그 사유가 없어진 날부터 7일 이내에 납부해야 한다.

⑥ 세5항에 따라 세재부가금을 납부받은 수납기관은 제재부가금을 낸 지방보조사업자등에게 영수증을 발급하고, 제재부가금을 받은 사실을 지체 없이 해당 지방자치단체의 장에게 통보해야 한다.

⑦ 법 제35조제3항제5호에서 "대통령령으로 정하는 경우"란 제재부가금의 부과·징수에 드는 비용이 부과·징수하려는 제재부가금보다 큰 경우를 말한다.

⑧ 법 제35조제4항에 따른 가산금은 다음 각 호의 구분에 따라 계산한다.

1. 제재부가금 납부기한이 지난 날부터 1개월 이내에 납부하는 경우: 체납된 금액의 100분의 2에 해당하는 금액. 다만, 납부기한이 지난 날부터 7일 이내에 납부하는 경우에는 체납된 금액의 100분의 1에 해당하는 금액으로 한다.

2. 제재부가금 납부기한이 지난 날부터 1개월이 지난 후에 납부하는 경우: 납부기한이 지난 날부터 1개월이 지날 때마다 체납된 금액의 100분의 1에 해당하는 가산금을 제1호 본문에 따른 가산금에 더한 금액

⑨ 제1항부터 제8항까지에서 규정한 사항 외에 제재부가금 및 가산금의 부과·징수에 관한 구체적인 사항은 행정안전부령으로 정한다.

◆지방자치단체를 당사자로 하는 계약에 관한 법률 (약칭: 지방계약법)

제1조(목적)이 법은 지방자치단체를 당사자로 하는 계약에 관한 기본적인 사항을 정함으로써 계약업무를 원활하게 수행할 수 있도록 함을 목적으로 한다.

제2조(적용 범위)이 법은 지방자치단체(「지방자치법」 제2조에 따른 지방자치단체를 말한다. 이하 같다)가 계약상대자와 체결하는 수입 및 지출의 원인이 되는 계약 등에 대하여 적용한다.

제4조(다른 법률과의 관계)지방자치단체를 당사자로 하는 계약에 관하여는 다른 법률에 특별한 규정이 있는 경우 외에는 이 법에서 정하는 바에 따른다.

제6조(계약의 원칙)① 계약은 상호 대등한 입장에서 당사자의 합의에 따라

체결되어야 하고, 당사자는 계약의 내용을 신의성실의 원칙에 따라 이행하여야 한다

② 지방자치단체의 장 또는 계약담당자는 제5조제1항에 따른 국제입찰의 경우에는 호혜(互惠)의 원칙에 따라 정부조달협정등에 가입한 국가의 국민과 이들 국가에서 생산되는 물품이나 용역에 대하여 대한민국의 국민과 대한민국에서 생산되는 물품이나 용역과 차별되는 특약이나 조건을 정하여서는 아니 된다.

③ 지방자치단체의 장 또는 계약담당자는 계약을 체결할 때 이 법 및 관계 법령에 규정된 계약상대자의 계약상 이익을 부당하게 제한하는 특약이나 조건(이하 "부당한 특약등"이라 한다)을 정하여서는 아니 되고, 부당한 특약등은 무효로 한다.

제6조의2(청렴서약제)① 지방자치단체의 장 또는 계약담당자는 계약의 투명성과 공정성을 높이기 위하여 입찰참가자 또는 수의계약(隨意契約)의 계약상대자에게 청렴서약서를 제출하도록 하여야 한다.

② 제1항에 따른 청렴서약서에는 다음 각 호의 사항이 포함되어야 한다.

1. 입찰, 낙찰, 계약의 체결 및 이행, 제16조에 따른 감독, 제17조에 따른 검사와 관련된 직접 또는 간접적인 사례(謝禮), 증여, 금품·향응 제공 금지에 관한 사항

2. 특정인의 낙찰을 위한 담합 등 입찰의 자유경쟁을 방해하는 행위나 불공정한 행위의 금지에 관한 사항

3. 그 밖에 계약의 투명성과 공정성을 높이기 위하여 대통령령으로 정하는 사항

제6조의3(근로관계법령의 준수)지방자치단체의 장 또는 계약담당공무원은 계약을 체결할 때 계약상대자로 하여금 해당 계약을 이행하는 근로자(「하도급거래 공정화에 관한 법률」에 따른 수급사업자가 고용한 근로자를 포함한다)의 근로조건이 「근로기준법」 등 근로관계 법령을 준수하도록 하는 내용을 계약서에 포함시킬 수 있다.

제9조(계약의 방법)① 지방자치단체의 장 또는 계약담당자는 계약을 체결하려는 경우에는 이를 공고하여 일반입찰에 부쳐야 한다. 다만, 계약의 목적·성질·규모 및 지역특수성 등을 고려하여 필요하다고 인정되면 참가자를 지명(指名)하여 입찰에 부치거나 수의계약을 할 수 있다.

② 제1항 본문에 따라 일반입찰에 부치는 경우 대통령령으로 정하는 바에 따라 입찰 참가자격을 사전심사하여 적격자만을 입찰에 참가하게 하거나 시

공능력, 실적, 기술보유상황, 법인등기부상 본점소재지(개인사업자인 경우에는 사업자등록증 또는 관련 법령에 따른 허가·인가·면허·등록·신고 등에 관련된 서류에 기재된 사업장의 소재지를 말한다. 이하 같다) 등으로 입찰 참가사격을 세한하여 입찰에 부칠 수 있다.

③ 제1항 단서에 따른 지명기준 및 지명절차, 수의계약의 대상범위 및 수의계약상대자의 선정절차, 그 밖에 필요한 사항은 대통령령으로 정한다.

④ 지방자치단체의 장 또는 계약담당자는 제1항 단서에 따라 수의계약을 체결한 경우 대통령령으로 정하는 바에 따라 수의계약 내용을 공개하여야 한다.

⑤ 제1항에 따라 계약을 체결하는 과정에서 다른 법률에 따른 우선구매 대상이 경합하는 경우에는 계약의 목적이나 규모, 사회적 약자에 대한 배려 수준 등을 고려하여 계약상대자를 결정하여야 한다.

제9조의2(구매규격 사전공개)① 지방자치단체의 장 또는 계약담당자는 입찰에 부치는 경우에는 입찰 공고 전에 물품과 용역의 구매규격을 관련 업체에 사전공개하고 이를 열람하도록 하여 구매규격에 대한 의견을 제시할 수 있도록 하여야 한다. 다만, 긴급 수요물자·비밀물자 또는 추정가격이 5천만원 미만인 물품·용역 등 대통령령으로 정하는 물품이나 용역을 입찰에 부치는 경우에는 사전공개를 생략할 수 있다.

② 제1항에 따른 구매규격 사전공개의 방법·내용·시기, 그 밖에 필요한 사항은 대통령령으로 정한다.

제10조(입찰공고)① 지방자치단체의 장 또는 계약담당자는 입찰에 부치는 경우에는 입찰에 관한 사항을 공고하거나 통지하여야 한다.

② 제1항에 따른 입찰공고 또는 통지의 방법·내용·시기, 그 밖에 필요한 사항은 대통령령으로 정한다.

제11조(예정가격의 작성)① 지방자치단체의 장 또는 계약담당자는 입찰 또는 수의계약 등에 부칠 사항에 대하여 낙찰자 및 계약금액의 결정기준으로 삼기 위하여 미리 해당 규격서 및 설계서 등에 따라 예정가격을 작성하여야 한다. 다만, 다른 지방자치단체와 계약을 체결하는 경우 등 대통령령으로 정하는 경우에는 예정가격을 작성하지 아니하거나 생략할 수 있다.

② 지방자치단체의 장 또는 계약담당자는 제1항 본문에 따른 예정가격을 작성할 때에는 계약수량·이행기간·수급상황·계약조건 등 모든 여건을 고려

하여 적정하게 결정하여야 한다.

③ 제1항 본문에 따른 예정가격의 작성시기, 결정방법, 기준, 그 밖에 필요한 사항은 대통령령으로 정한다.

제12조(입찰보증금) ① 지방자치단체의 장 또는 계약담당자는 입찰에 참가하려는 자로 하여금 입찰보증금을 내도록 하여야 한다. 다만, 다른 지방자치단체, 「공공기관의 운영에 관한 법률」에 따른 공공기관(이하 "공공기관"이라 한다) 및 「지방공기업법」에 따른 지방공기업(이하 "지방공기업"이라 한다) 등 대통령령으로 정하는 입찰참가자에 대하여는 입찰보증금의 납부를 면제할 수 있다.

② 제1항에 따른 입찰보증금의 금액·납부방법, 그 밖에 필요한 사항은 대통령령으로 정한다.

③ 지방자치단체의 장 또는 계약담당자는 낙찰자가 계약을 체결하지 아니한 경우에는 그 입찰보증금을 해당 지방자치단체에 귀속시켜야 한다. 다만, 제1항 단서에 따라 입찰보증금의 납부를 면제한 경우에는 대통령령으로 정하는 바에 따라 낙찰자로 하여금 입찰보증금에 해당하는 금액을 해당 지방자치단체에 내도록 하여야 한다.

제13조(낙찰자 결정) ① 지방자치단체 수입의 원인이 되는 입찰에서는 최고가격의 입찰자를 낙찰자로 한다. 다만, 계약의 목적, 입찰가격 및 수량 등을 고려하여 대통령령으로 기준을 정한 경우에는 그에 따른다.

② 지방자치단체 재정지출의 부담이 되는 입찰에서는 다음 각 호의 어느 하나에 해당하는 입찰자를 낙찰자로 한다.

1. 충분한 계약이행능력이 있다고 인정되는 자로서 최저가격으로 입찰한 자. 다만, 입찰자 중 최저가격으로 입찰한 자의 순으로 입찰금액의 적정성을 심사하여 낙찰자를 결정할 수 있다.

2. 입찰가격, 품질, 기술력, 제안서 내용, 계약기간 등을 종합적으로 고려하여 해당 지방자치단체에 가장 유리하게 입찰한 자

3. 상징성, 기념성, 예술성 등의 창의성이 요구되는 설계용역을 할 때에는 설계공모에 당선된 자

4. 그 밖에 계약의 성질·규모 등을 고려하여 대통령령으로 기준을 정한 경우에는 그 기준에 가장 맞게 입찰한 자

③ 제2항에 따른 적용대상, 낙찰자 선정기준 및 선정절차, 그 밖에 필요한 사항은 대통령령으로 정한다.

④ 지방자치단체의 장 또는 계약담당자는 제2항에도 불구하고 공사에 대한

경쟁입찰로서 예정가격이 100억원 미만인 공사의 경우 대통령령으로 정하는 바에 따라 산정한 다음 각 호에 해당하는 비용의 합계액의 100분의 98 미만으로 입찰한 자를 낙찰자로 하여서는 아니 된다.

1. 재료비·노무비·경비
2. 제1호에 대한 부가가치세

제14조(계약서의 작성 및 계약의 성립)① 지방자치단체의 장 또는 계약담당자는 계약을 체결하려는 경우에는 계약의 목적, 계약금액, 이행기간, 계약보증금, 위험부담, 지연배상금(遲延賠償金), 그 밖에 필요한 사항을 명백히 적은 계약서를 작성하여야 한다. 다만, 대통령령으로 정하는 경우에는 계약서의 작성을 생략할 수 있다

② 지방자치단체의 장 또는 계약담당자는 계약을 체결하려는 경우에는 천재지변 등 대통령령으로 정하는 경우를 제외하고는 행정안전부장관이 지정하는 정보처리장치를 이용하여 「전자서명법」 제2조제1호에 따른 전자문서에 의한 계약서를 작성하여야 한다.

③ 제1항 본문에 따라 계약서를 작성하는 경우에는 그 지방자치단체의 장 또는 계약담당자와 계약상대자가 계약서에 기명·날인하거나 서명(「전자서명법」 제2조제2호에 따른 전자서명을 포함한다. 이하 같다)함으로써 계약이 확정된다.

제15조(계약보증금)① 지방자치단체의 장 또는 계약담당자는 지방자치단체와 계약을 체결하려는 자로 하여금 계약보증금을 내도록 하여야 한다. 다만, 다른 지방자치단체, 공공기관 및 지방공기업 등 대통령령으로 정하는 계약상대자에 대하여는 계약보증금의 납부를 면제할 수 있다.

② 제1항에 따른 계약보증금의 금액·납부방법, 그 밖에 필요한 사항은 대통령령으로 정한다.

③ 지방자치단체의 장 또는 계약담당자는 계약상대자가 계약상의 의무를 이행하지 아니하면 그 계약보증금을 해당 지방자치단체에 귀속시켜야 한다. 다만, 제1항 단서에 따라 계약보증금의 납부를 면제한 경우에는 대통령령으로 정하는 바에 따라 계약상대자로 하여금 계약보증금에 해당하는 금액을 해당 지방자치단체에 내도록 하여야 한다.

제16조(감독)① 지방자치단체의 장 또는 계약담당자는 공사·물품·용역 등의 계약을 체결한 경우에 그 계약을 적절하게 이행하도록 하기 위하여 필요하다고 인정하면 계약서·설계서 및 그 밖의 관계 서류에 따라 감독하거나 소속 공무원 등에게 그 사무를 위임하여 감독하게 하여야 한다. 다

만, 대통령령으로 정하는 계약의 경우에는 전문기관을 따로 지정하여 감독하게 할 수 있다.

② 지방자치단체의 장 또는 계약담당자는 상·하수도 사업, 마을 진입로 개설 등 주민생활과 관련이 있는 공사에 대하여는 제1항에 따른 감독 외에 그 공사와 관련이 있는 주민대표자 또는 주민대표자가 추천하는 자를 감독자(이하 "주민참여감독자"라 한다)로 위촉하여 감독하게 하여야 한다.

③ 주민참여감독자는 해당 지방자치단체의 장 또는 계약담당자에게 공사계약의 이행과정에서 그 공사와 관련하여 지역 주민들의 건의사항을 전달하거나 공사계약 이행상의 불법·부당 행위 등에 대하여 시정을 요구할 수 있다.

④ 지방자치단체의 장 또는 계약담당자는 대통령령으로 정하는 바에 따라 그 감독업무 수행에 따른 실비(實費)를 주민참여감독자에게 지급할 수 있다.

⑤ 주민참여감독자의 감독 대상 공사, 감독범위, 자격기준, 그 밖에 필요한 사항은 대통령령으로 정한다.

⑥ 제1항과 제2항에 따라 감독을 하는 자는 감독조서(監督調書)를 작성하여야 한다.

제17조(검사)① 지방자치단체의 장 또는 계약담당자는 계약상대자가 계약의 전부 또는 일부의 이행을 끝내면 이를 확인하기 위하여 계약서·설계서 및 그 밖의 관계 서류에 따라 이를 검사하거나 소속 공무원 등에게 위임하여 검사하게 하여야 한다. 다만, 다음 각 호의 어느 하나에 해당하는 계약의 경우에는 전문기관을 따로 지정하여 검사하게 할 수 있다.

1. 「건설기술 진흥법」 제39조제2항에 따라 건설사업관리를 하게 하는 공사
2. 재질·성능 또는 규격 등의 검사를 위하여 전문적인 지식이나 기술이 필요하다고 인정되는 계약

② 지방자치단체의 장 또는 계약담당자는 제1항에도 불구하고 다른 법령에 따른 품질인증을 받은 물품 또는 품질관리능력을 인증받은 자가 제조한 물품 등 대통령령으로 정하는 물품에 대해서는 제1항에 따른 검사를 하지 아니할 수 있다.

③ 제1항에 따라 검사를 하는 자는 검사조서를 작성하여야 한다. 다만, 대통령령으로 정하는 금액 미만의 계약 또는 매각계약, 전기·가스·수도의 공급 등 검사조서의 작성이 성질상 불필요한 경우에는 검사조서의 작성을 생략할 수 있다.

④ 물품구매계약 또는 물품제조계약의 경우 물품의 특성상 필요한 시험 등의 검사에 드는 비용과 검사로 인한 변형, 파손 등으로 발생하는 비용은 계약상대자가 부담한다.

제**18조**(대가의 지급)① 지방자치단체의 장 또는 계약담당자는 공사ㆍ물품ㆍ용역, 그 밖에 재정지출의 부담이 되는 계약에서는 검사한 후 또는 검사조서를 작성한 후에 그 대가를 지급하여야 한다. 다만, 「지방회계법」에 따라 선금급(先金給)을 지급하거나 국제관례 등 부득이한 사유가 있다고 인정되는 경우에는 그러하지 아니하다.

② 제1항에 따른 대가는 계약상대자로부터 대가 지급의 청구를 받은 날부터 대통령령으로 정하는 기한까지 지급하여야 하며, 그 기한까지 지급할 수 없으면 대통령령으로 정하는 바에 따라 해당 지체일수에 따른 이자를 지급하여야 한다. 다만, 제24조제2항에 따라 해당 연도 예산의 범위를 초과하여 시공한 부분에 대한 대가는 계약당사자 간에 합의한 바에 따라 지급한다.

③ 동일한 계약에서 제2항에 따른 이자와 제30조에 따른 지연배상금은 상계(相計)할 수 있다.

제**19조**(대가의 선납)지방자치단체의 장 또는 계약담당자는 재산의 매각ㆍ임대, 용역의 제공, 그 밖에 수입의 원인이 되는 계약에서는 다른 법령에 특별한 규정이 없으면 계약상대자로 하여금 그 대가를 미리 내도록 하여야 한다. 이 경우 계약상대자는 제15조에 따른 계약보증금을 내지 아니할 수 있다.

제**20조**(계약의 담보책임)① 지방자치단체의 장 또는 계약담당자는 공사의 도급계약을 체결할 때에는 그 담보책임의 존속기간을 정하여야 한다.

② 지방자치단체의 장 또는 계약담당자는 물품 및 용역 등의 계약을 체결할 때에는 그 계약의 성질상 필요한 경우 담보책임의 존속기간을 정할 수 있다.

③ 지방자치단체의 장 또는 계약담당자는 담보책임의 존속기간 중 목적물에 하자가 발생한 때에는 적절한 기간을 정하여 그 하자의 보수를 요구하거나 보수를 하여야 한다.

④ 제1항과 제2항에 따른 담보책임의 존속기간은 「민법」에서정한 기간을 초과할 수 없다.

⑤ 제1항과 제2항에 따른 담보책임의 존속기간, 하자 검사의 절차와 방법, 그 밖에 필요한 사항은 대통령령으로 정한다.

제**21조**(하자보수보증금)① 지방자치단체의 장 또는 계약담당자는 제20조제

1항 및 제2항에 따라 담보책임의 존속기간을 정한 경우에는 계약상대자로 하여금 그 계약의 하자보수를 보증하기 위하여 하자보수보증금을 내도록 하여야 한다. 다만, 다른 지방자치단체, 공공기관 및 지방공기업 등 대통령령으로 정하는 계약상대자에 대하여는 하자보수보증금의 납부를 면제할 수 있다.

② 제1항에 따른 하자보수보증금의 금액, 납부시기, 납부방법, 예치기간, 금액산정, 그 밖에 필요한 사항은 대통령령으로 정한다.

③ 지방자치단체의 장 또는 계약담당자는 계약상대자가 하자보수 의무를 이행하지 아니한 경우에는 그 하자보수보증금 중 하자보수에 필요한 금액을 해당 지방자치단체에 귀속시켜야 한다. 다만, 제1항 단서에 따라 하자보수보증금의 납부를 면제한 경우에는 대통령령으로 정하는 바에 따라 면제받은 자로 하여금 하자보수에 필요한 금액을 해당 지방자치단체에 내도록 하여야 한다.

④ 제3항에도 불구하고 지방자치단체의 장 또는 계약담당자는 그 하자의 보수를 위한 예산이 없거나 부족한 경우에는 지방자치단체에 귀속시키지 아니하고 직접 사용할 수 있다.

제24조(장기계속계약 및 계속비계약)① 지방자치단체의 장 또는 계약담당자는 이행에 수년이 걸리는 공사·제조 또는 용역 등의 계약은 다음 각 호의 구분에 따라 체결한다.

1. 총액으로 입찰하여 각 회계연도 예산의 범위에서 낙찰된 금액의 일부에 대하여 연차별로 계약을 체결하는 장기계속계약

2. 「지방재정법」 제42조에 따라 계속비로 예산을 편성하여 낙찰된 금액의 총액에 대하여 계약을 체결하는 계속비계약

② 제1항제2호의 계속비계약으로 집행하는 공사이행 중 계약상대자의 신청이 있는 경우에는 해당 연도 예산의 범위를 초과하여 연차별 공사를 이행하도록 할 수 있다.

③ 지방자치단체의 장과 계약담당자는 이행에 수년이 필요한 계약을 체결할 때에는 계약이 지연되지 아니하도록 노력하여야 한다.

제25조(단가계약)① 지방자치단체의 장 또는 계약담당자는 일정한 기간 계속하여 제조·구매·수리·보수·복구·가공·매매·공급·사용 등의 계약을 체결할 필요가 있을 때에는 해당 회계연도 예산의 범위에서 미리 단가(單價)에 대하여 계약을 체결할 수 있다.

② 제1항에 따른 단가계약의 범위·절차·기준, 그 밖에 필요한 사항은 대

통령령으로 정한다.

제26조(제3자를 위한 단가계약)① 특별시장·광역시장·도지사는 관할 구역 안에 있는 시·군·구(자치구를 말한다. 이하 같다)에 공통적으로 필요한 물자로서 제조·구매 및 가공 등의 계약에 관하여 시·군·구의 요청이 있는 경우에는 미리 단가만을 정하고 그 물자의 납품요구 및 그 대금지급은 각 시·군·구에서 직접 처리할 수 있도록 하는 계약(이하 이 조에서 "제3자를 위한 단가계약"이라 한다)을 체결할 수 있다.

② 제3자를 위한 단가계약의 절차·기준, 그 밖에 필요한 사항은 대통령령으로 정한다.

제38조(벌칙 적용에서 공무원 의제)다음 각 호의 어느 하나에 해당하는 사람은 공무원이 아니더라도 해당 업무에 관하여 「형법」이나 그 밖의 법률에 따른 벌칙을 적용할 때에는 공무원으로 본다.

1. 제7조제1항에 따라 위임·위탁을 받아 계약사무를 처리하는 기관의 계약 관련 업무를 수행하는 자(그 계약사무 처리와 관련하여 위원회 등이 설치된 경우 그 위원회 등의 위원을 포함한다)

2. 제16조제2항에 따른 주민참여감독자

3. 제31조제1항제7호아목에 따른 위원

5. 제32조제1항에 따른 계약심의위원회의 위원

6. 제35조에 따른 지방계약심의조정위원회의 위원

7. 제42조에 따른 전문기관의 평가담당자

제43조(계약과정의 공개)① 지방자치단체의 장 또는 계약담당자는 발주계획, 입찰, 계약, 설계변경 및 그로 인한 계약금액의 조정, 감독, 검사, 대가의 지급 등 입찰, 계약, 계약의 이행과 관련되는 사항 중 대통령령으로 정하는 사항을 공개하여야 한다.

② 제1항에 따른 공개의 절차, 기간, 방법, 그 밖에 공개에 필요한 사항은 대통령령으로 정한다.

◆상속세 및 증여세법

제4절 공익목적 출연재산의 과세가액 불산입

제16조(공익법인등에 출연한 재산에 대한 상속세 과세가액 불산입)① 상속재산 중 피상속인이나 상속인이 종교·자선·학술 관련 사업 등 공익성을 고려하여 대통령령으로 정하는 사업을 하는 자(이하 "공익법인등"이라 한

다)에게 출연한 재산의 가액으로서 제67조에 따른 신고기한(법령상 또는 행정상의 사유로 공익법인등의 설립이 지연되는 등 대통령령으로 정하는 부득이한 사유가 있는 경우에는 그 사유가 없어진 날이 속하는 달의 말일부터 6개월까지를 말한다)까지 출연한 재산의 가액은 상속세 과세가액에 산입하지 아니한다.

② 제1항에도 불구하고 내국법인의 의결권 있는 주식 또는 출자지분(이하 이 조에서 "주식등"이라 한다)을 공익법인등에 출연하는 경우로서 출연하는 주식등과 제1호의 주식등을 합한 것이 그 내국법인의 의결권 있는 발행주식총수 또는 출자총액(자기주식과 자기출자지분은 제외한다. 이하 이 조에서 "발행주식총수등"이라 한다)의 제2호에 따른 비율을 초과하는 경우에는 그 초과하는 가액을 상속세 과세가액에 산입한다.

1. 주식등: 다음 각 목의 주식등

가. 출연자가 출연할 당시 해당 공익법인등이 보유하고 있는 동일한 내국법인의 주식등

나. 출연자 및 그의 특수관계인이 해당 공익법인등 외의 다른 공익법인등에 출연한 동일한 내국법인의 주식등

다. 상속인 및 그의 특수관계인이 재산을 출연한 다른 공익법인등이 보유하고 있는 동일한 내국법인의 주식등

2. 비율: 100분의 10. 다만, 다음 각 목의 어느 하나에 해당하는 경우에는 다음 각 목의 구분에 따른 비율

가. 다음의 요건을 모두 갖춘 공익법인등(나목 또는 다목에 해당하는 공익법인등은 제외한다)에 출연하는 경우: 100분의 20

1) 출연받은 주식등의 의결권을 행사하지 아니할 것

2) 자선·장학 또는 사회복지를 목적으로 할 것

나. 「독점규제 및 공정거래에 관한 법률」 제31조에 따른 상호출자제한기업집단(이하 "상호출자제한기업집단"이라 한다)과 특수관계에 있는 공익법인등: 100분의 5

다. 제48조제11항 각 호의 요건을 충족하지 못하는 공익법인등: 100분의 5

③ 제2항에도 불구하고 다음 각 호의 어느 하나에 해당하는 경우에는 그 내국법인의 발행주식총수등의 같은 항 제2호에 따른 비율을 초과하는 경우에도 그 초과하는 가액을 상속세 과세가액에 산입하지 아니한다.

1. 제49조제1항 각 호 외의 부분 단서에 해당하는 공익법인등으로서 상호출자제한기업집단과 특수관계에 있지 아니한 공익법인등에 그 공익법인등의

출연자와 특수관계에 있지 아니한 내국법인의 주식등을 출연하는 경우로서 주무관청이 공익법인등의 목적사업을 효율적으로 수행하기 위하여 필요하다고 인정하는 경우

2. 상호출자세한기업집단과 득수관계에 있지 아니한 공익법인등으로서 제48조제11항 각 호의 요건을 충족하는 공익법인등(공익법인등이 설립된 날부터 3개월 이내에 주식등을 출연받고, 설립된 사업연도가 끝난 날부터 2년 이내에 해당 요건을 충족하는 경우를 포함한다)에 발행주식총수등의 제2항제2호 각 목에 따른 비율을 초과하여 출연하는 경우로서 해당 공익법인등이 초과보유일부터 3년 이내에 초과하여 출연받은 부분을 매각(주식등의 출연자 또는 그의 특수관계인에게 매각하는 경우는 제외한다)하는 경우

3. 「공익법인의 설립·운영에 관한 법률」 및 그 밖의 법령에 따라 내국법인의 주식등을 출연하는 경우

④ 제1항부터 제3항까지의 규정에 따라 공익법인등에 출연한 재산의 가액을 상속세 과세가액에 산입하지 아니한 경우로서 다음 각 호의 어느 하나에 해당하는 경우에는 대통령령으로 정하는 가액을 상속세 과세가액에 산입한다.

1. 상속세 과세가액에 산입하지 아니한 재산과 그 재산에서 생기는 이익의 전부 또는 일부가 상속인(상속인의 특수관계인을 포함한다)에게 귀속되는 경우

2. 제3항제2호에 해당하는 경우로서 초과보유일부터 3년 이내에 발행주식총수등의 제2항제2호 각 목에 따른 비율을 초과하여 출연받은 주식등을 매각(주식등의 출연자 또는 그의 특수관계인에게 매각하는 경우는 제외한다)하지 아니하는 경우

⑤ 제1항부터 제4항까지의 규정에 따른 상속재산의 출연방법, 발행주식총수등의 범위, 발행주식총수등의 제2항제2호에 따른 비율을 초과하는 가액의 계산방법, 상호출자제한기업집단과 특수관계에 있지 아니한 공익법인등의 범위, 해당 공익법인등의 출연자와 특수관계에 있지 아니한 내국법인의 범위, 제2항제2호가목의 요건을 갖춘 공익법인등의 범위 및 그 밖에 필요한 사항은 대통령령으로 정한다

제35조(저가 양수 또는 고가 양도에 따른 이익의 증여)① 특수관계인 간에 재산(전환사채 등 대통령령으로 정하는 재산은 제외한다. 이하 이 조에서 같다)을 시가보다 낮은 가액으로 양수하거나 시가보다 높은 가액으로 양

도한 경우로서 그 대가와 시가의 차액이 대통령령으로 정하는 기준금액 (이하 이 항에서 "기준금액"이라 한다) 이상인 경우에는 해당 재산의 양수일 또는 양도일을 증여일로 하여 그 대가와 시가의 차액에서 기준금액을 뺀 금액을 그 이익을 얻은 자의 증여재산가액으로 한다.

② 특수관계인이 아닌 자 간에 거래의 관행상 정당한 사유 없이 재산을 시가보다 현저히 낮은 가액으로 양수하거나 시가보다 현저히 높은 가액으로 양도한 경우로서 그 대가와 시가의 차액이 대통령령으로 정하는 기준금액 이상인 경우에는 해당 재산의 양수일 또는 양도일을 증여일로 하여 그 대가와 시가의 차액에서 대통령령으로 정하는 금액을 뺀 금액을 그 이익을 얻은 자의 증여재산가액으로 한다.

③ 재산을 양수하거나 양도하는 경우로서 그 대가가 「법인세법」 제52조제2항에 따른 시가에 해당하여 그 거래에 대하여 같은 법 제52조제1항 및 「소득세법」 제101조제1항(같은 법 제87조의27에 따라 준용되는 경우를 포함한다)이 적용되지 아니하는 경우에는 제1항 및 제2항을 적용하지 아니한다. 다만, 거짓이나 그 밖의 부정한 방법으로 상속세 또는 증여세를 감소시킨 것으로 인정되는 경우에는 그러하지 아니하다.

④ 제1항 및 제2항을 적용할 때 양수일 또는 양도일의 판단 및 그 밖에 필요한 사항은 대통령령으로 정한다.

제4절 공익목적 출연재산 등의 과세가액 불산입

제48조(공익법인등이 출연받은 재산에 대한 과세가액 불산입등)① 공익법인등이 출연받은 재산의 가액은 증여세 과세가액에 산입하지 아니한다. 다만, 공익법인등이 내국법인의 의결권 있는 주식 또는 출자지분(이하 이 조에서 "주식등"이라 한다)을 출연받은 경우로서 출연받은 주식등과 다음 각 호의 주식등을 합한 것이 그 내국법인의 의결권 있는 발행주식총수 또는 출자총액(자기주식과 자기출자지분은 제외한다. 이하 이 조에서 "발행주식총수등"이라 한다)의 제16조제2항제2호에 따른 비율을 초과하는 경우 (제16조제3항 각 호에 해당하는 경우는 제외한다)에는 그 초과하는 가액을 증여세 과세가액에 산입한다.

1. 출연자가 출연할 당시 해당 공익법인등이 보유하고 있는 동일한 내국법인의 주식등
2. 출연자 및 그의 특수관계인이 해당 공익법인등 외의 다른 공익법인등에 출연한 동일한 내국법인의 주식등
3. 출연자 및 그의 특수관계인으로부터 재산을 출연받은 다른 공익법인등이

보유하고 있는 동일한 내국법인의 주식등

② 세무서장등은 제1항 및 제16조제1항에 따라 재산을 출연받은 공익법인 등이 다음 제1호부터 제4호까지, 제6호 및 제8호의 어느 하나에 해당하는 경우에는 그 사유가 발생한 날에 내통령령으로 정하는 가액을 공익법인등이 증여받은 것으로 보아 즉시 증여세를 부과하고, 제5호 및 제7호에 해당하는 경우에는 제78조제9항에 따른 가산세를 부과한다. 다만, 불특정 다수인으로 부터 출연받은 재산 중 출연자별로 출연받은 재산가액을 산정하기 어려운 재산으로서 대통령령으로 정하는 재산은 제외한다.

1. 출연받은 재산을 직접 공익목적사업 등(직접 공익목적사업에 충당하기 위하여 수익용 또는 수익사업용으로 운용하는 경우를 포함한다. 이하 이 호에서 같다)의 용도 외에 사용하거나 출연받은 날부터 3년 이내에 직접 공익목적사업 등에 사용하지 아니하거나 3년 이후 직접 공익목적사업 등에 계속하여 사용하지 아니하는 경우. 다만, 직접 공익목적사업 등에 사용하는 데에 장기간이 걸리는 등 대통령령으로 정하는 부득이한 사유가 있는 경우로서 제5항에 따른 보고서를 제출할 때 납세지 관할세무서장에 게 그 사실을 보고하고, 그 사유가 없어진 날부터 1년 이내에 해당 재산을 직접 공익목적사업 등에 사용하는 경우는 제외한다.

2. 출연받은 재산(그 재산을 수익용 또는 수익사업용으로 운용하는 경우 및 그 운용소득이 있는 경우를 포함한다. 이하 이 호 및 제3항에서 같다) 및 출연받은 재산의 매각대금(매각대금에 의하여 증가한 재산을 포함하며 대통령령으로 정하는 공과금 등에 지출한 금액은 제외한다. 이하 이 조에서 같다)을 내국법인의 주식등을 취득하는 데 사용하는 경우로서 그 취득하는 주식등과 다음 각 목의 주식등을 합한 것이 그 내국법인의 의결권 있는 발행주식총수등의 제16조제2항제2호에 따른 비율을 초과하는 경우. 다만, 제16조제3항제1호 또는 제3호에 해당하는 경우(이 경우 "출연"은 "취득"으로 본다)와 「산업교육진흥 및 산학연협력촉진에 관한 법률」에 따른 산학협력단이 주식등을 취득하는 경우로서 대통령령으로 정하는 요건을 갖춘 경우는 제외한다.

가. 취득 당시 해당 공익법인등이 보유하고 있는 동일한 내국법인의 주식등

나. 해당 내국법인과 특수관계에 있는 출연자가 해당 공익법인등 외의 다른 공익법인등에 출연한 동일한 내국법인의 주식등

다. 해당 내국법인과 특수관계에 있는 출연자로부터 재산을 출연받은 다른 공익법인등이 보유하고 있는 동일한 내국법인의 주식등

3. 출연받은 재산을 수익용 또는 수익사업용으로 운용하는 경우로서 그 운용소득을 직접 공익목적사업 외에 사용한 경우

4. 출연받은 재산을 매각하고 그 매각대금을 매각한 날부터 3년이 지난 날까지 대통령령으로 정하는 바에 따라 사용하지 아니한 경우

5. 제3호에 따른 운용소득을 대통령령으로 정하는 기준금액에 미달하게 사용하거나 제4호에 따른 매각대금을 매각한 날부터 3년 동안 대통령령으로 정하는 기준금액에 미달하게 사용한 경우

6. 제16조제2항제2호가목에 따른 요건을 모두 충족하는 공익법인등(같은 호 나목 및 다목에 해당하는 공익법인등은 제외한다)이 같은 목 1)을 위반하여 출연받은 주식등의 의결권을 행사한 경우

7. 다음 각 목의 공익법인등이 대통령령으로 정하는 출연재산가액에 100분의1(제16조제2항제2호가목에 해당하는 공익법인등이 발행주식총수등의 100분의 10을 초과하여 보유하고 있는 경우에는 100분의 3)을 곱하여 계산한 금액에 상당하는 금액(이하 제78조제9항제3호에서 "기준금액"이라 한다)에 미달하여 직접 공익목적사업(「소득세법」에 따라 소득세 과세대상이 되거나 「법인세법」에 따라 법인세 과세대상이 되는 사업은 제외한다)에 사용한 경우

가. 다음의 요건을 모두 갖춘 공익법인등으로서 대통령령으로 정하는 공익법인등

1) 내국법인의 주식등을 출연받은 공익법인등일 것

2) 대통령령으로 정하는 바에 따라 계산한 주식등의 보유비율이 그 내국법인의 발행주식총수등의 100분의 5를 초과할 것

나. 가목 외의 공익법인등(자산 규모, 사업의 특성 등을 고려하여 대통령령으로 정하는 공익법인등은 제외한다)

8. 그 밖에 출연받은 재산 및 직접 공익목적사업을 대통령령으로 정하는 바에 따라 운용하지 아니하는 경우

③ 제1항에 따라 공익법인등이 출연받은 재산, 출연받은 재산을 원본으로 취득한 재산, 출연받은 재산의 매각대금 등을 다음 각 호의 어느 하나에 해당하는 자에게 임대차, 소비대차(消費貸借) 및 사용대차(使用貸借) 등의 방법으로 사용·수익하게 하는 경우에는 대통령령으로 정하는 가액을 공익법인등이 증여받은 것으로 보아 즉시 증여세를 부과한다. 다만, 공익법인등이 직접 공익목적사업과 관련하여 용역을 제공받고 정상적인 대가를 지급하는 등 대통령령으로 정하는 경우에는 그러하지 아니하다.

1. 출연자 및 그 친족
2. 출연자가 출연한 다른 공익법인등
3. 제1호 또는 제2호에 해당하는 자와 대통령령으로 정하는 특수관계에 있
   는 자
④ [종전 제4항은 제14항으로 이동
⑤ 제1항 및 제16조제1항에 따라 공익법인등이 재산을 출연받은 경우에는
그 출연받은 재산의 사용계획 및 진도에 관한 보고서를 대통령령으로 정하
는 바에 따라 납세지 관할세무서장에게 제출하여야 한다.
⑥ 세무서장은 공익법인등에 대하여 상속세나 증여세를 부과할 때에는 그
공익법인등의 주무관청에 그 사실을 통보하여야 한다.
⑦ 공익법인등의 주무관청은 공익법인등에 대하여 설립허가, 설립허가의 취
소 또는 시정명령을 하거나 감독을 한 결과 공익법인등이 제1항 단서, 제2
항 및 제3항에 해당하는 사실을 발견한 경우에는 대통령령으로 정하는 바
에 따라 그 공익법인등의 납세지 관할세무서장에게 그 사실을 통보하여야
한다.
⑧ 출연자 또는 그의 특수관계인이 대통령령으로 정하는 공익법인등의 현재
이사 수(현재 이사 수가 5명 미만인 경우에는 5명으로 본다)의 5분의 1을
초과하여 이사가 되거나, 그 공익법인등의 임직원(이사는 제외한다. 이하 같
다)이 되는 경우에는 제78조제6항에 따른 가산세를 부과한다. 다만, 사망
등 대통령령으로 정하는 부득이한 사유로 출연자 또는 그의 특수관계인이
공익법인등의 현재 이사 수의 5분의 1을 초과하여 이사가 된 경우로서 해
당 사유가 발생한 날부터 2개월 이내에 이사를 보충하거나 개임(改任)하는
경우에는 제78조제6항에 따른 가산세를 부과하지 아니한다.
⑨ 공익법인등(국가나 지방자치단체가 설립한 공익법인등 및 이에 준하는
것으로서 대통령령으로 정하는 공익법인등과 제11항 각 호의 요건을 충족
하는 공익법인등은 제외한다)이 대통령령으로 정하는 특수관계에 있는 내국
법인의 주식등을 보유하는 경우로서 그 내국법인의 주식등의 가액이 해당
공익법인등의 총 재산가액의 100분의 30(제50조제3항에 따른 회계감사, 제
50조의2에 따른 전용계좌 개설·사용 및 제50조의3에 따른 결산서류등의
공시를 이행하는 공익법인등에 해당하는 경우에는 100분의 50)을 초과하는
경우에는 제78조제7항에 따른 가산세를 부과한다. 이 경우 그 초과하는 내
국법인의 주식등의 가액 산정에 관하여는 대통령령으로 정한다.
⑩ 공익법인등이 특수관계에 있는 내국법인의 이익을 증가시키기 위하여 정

당한 대가를 받지 아니하고 광고 · 홍보를 하는 경우에는 제78조제8항에 따른 가산세를 부과한다. 이 경우 특수관계에 있는 내국법인의 범위, 광고 · 홍보의 방법, 그 밖에 필요한 사항은 대통령령으로 정한다.

⑪ 공익법인등이 내국법인의 발행주식총수등의 100분의 5를 초과하여 주식등을 출연(출연받은 재산 및 출연받은 재산의 매각대금으로 주식등을 취득하는 경우를 포함한다)받은 후 다음 각 호의 어느 하나에 해당하는 요건을 충족하지 아니하게 된 경우에는 제16조제2항 또는 이 조 제1항에 따라 상속세 과세가액 또는 증여세 과세가액에 산입하거나 제2항에 따라 즉시 증여세를 부과한다.

1. 제2항제3호에 따른 운용소득에 대통령령으로 정하는 비율을 곱하여 계산한 금액 이상을 직접 공익목적사업에 사용할 것

2. 삭제

3. 그 밖에 공익법인등의 이사의 구성 등 대통령령으로 정하는 요건을 충족할 것

⑫ 제16조제3항 각 호의 어느 하나 또는 제48조제2항제2호 단서에 해당하는 공익법인등이 제49조제1항 각 호 외의 부분 단서에 따른 공익법인등에 해당하지 아니하게 되거나 해당 출연자와 특수관계에 있는 내국법인의 주식등을 해당 법인의 발행주식총수등의 100분의 5를 초과하여 보유하게 된 경우에는 제16조제2항 또는 제48조제1항에 따라 상속세 과세가액 또는 증여세 과세가액에 산입하거나 같은 조 제2항에 따라 즉시 증여세를 부과한다.

⑬제16조제2항에 따라 내국법인의 발행주식총수등의 100분의 5를 초과하여 주식등을 출연받은 자 등 대통령령으로 정하는 공익법인등은 과세기간 또는 사업연도의 의무이행 여부 등에 관한 사항을 대통령령으로 정하는 바에 따라 납세지 관할 지방국세청장에게 신고하여야 한다

⑭ 직접 공익목적사업에의 사용 여부 판정기준, 수익용 또는 수익사업용의 판정기준, 발행주식총수등의 제16조제2항제2호에 따른 비율을 초과하는 가액의 계산방법, 해당 내국법인과 특수관계에 있는 출연자의 범위, 상속세 · 증여세 과세가액 산입 또는 즉시 증여세 부과에 관한 구체적 사항 및 공익법인등의 의무이행 여부 신고에 관한 사항 및 그 밖에 필요한 사항은 대통령령으로 정한다.

제50조(공익법인등의 세무확인 및 회계감사의무)① 공익법인등은 과세기간별 또는 사업연도별로 출연받은 재산의 공익목적사업 사용 여부 등에 대하여 대통령령으로 정하는 기준에 해당하는 2명 이상의 변호사, 공인회계

사 또는 세무사를 선임하여 세무확인(이하 "외부전문가의 세무확인"이라 한다)을 받아야 한다. 다만, 자산 규모, 사업의 특성 등을 고려하여 대통령령으로 정하는 공익법인등은 외부전문가의 세무확인을 받지 아니할 수 있다.

② 제1항에 따라 외부전문가의 세무확인을 받은 공익법인등은 그 결과를 대통령령으로 정하는 바에 따라 납세지 관할세무서장에게 보고하여야 한다. 이 경우 관할세무서장은 공익법인등의 출연재산의 공익목적사업 사용 여부 등에 관련된 외부전문가의 세무확인 결과를 일반인이 열람할 수 있게 하여야 한다.

③ 공익법인등은 과세기간별 또는 사업연도별로 「주식회사 등의 외부감사에 관한 법률」 제2조제7호에 따른 감사인에게 회계감사를 받아야 한다. 다만, 다음 각 호의 어느 하나에 해당하는 공익법인등은 그러하지 아니하다.

1. 자산 규모 및 수입금액이 대통령령으로 정하는 규모 미만인 공익법인등
2. 사업의 특성을 고려하여 대통령령으로 정하는 공익법인등

④ 기획재정부장관은 자산 규모 등을 고려하여 대통령령으로 정하는 공익법인등이 연속하는 4개 과세기간 또는 사업연도에 대하여 제3항에 따른 회계감사를 받은 경우에는 그 다음 과세기간 또는 사업연도부터 연속하는 2개 과세기간 또는 사업연도에 대하여 기획재정부장관이 지정하는 감사인에게 회계감사를 받도록 할 수 있다. 이 경우 기획재정부장관은 감사인 지정 업무의 전부 또는 일부를 국세청장에게 위임할 수 있다.

⑤ 기획재정부장관은 제3항 또는 제4항에 따라 회계감사를 받을 의무가 있는 공익법인등이 공시한 감사보고서와 그 감사보고서에 첨부된 재무제표에 대하여 감리할 수 있다.

⑥ 기획재정부장관은 제5항에 따른 감리 업무의 전부 또는 일부를 대통령령으로 정하는 바에 따라 회계감사 및 감리에 관한 전문성을 갖춘 법인이나 단체에 위탁할 수 있다. 이 경우 해당 업무를 위탁받은 법인이나 단체는 제3항 또는 제4항에 따른 회계감사의 감사보수 중 일부를 감사인으로부터 기획재정부령으로 정하는 바에 따라 감리업무 수수료로 받을 수 있다.

⑦ 제1항부터 제5항까지의 규정을 적용할 때 세무확인 항목, 세무확인의 절차·방법, 보고서의 작성 및 세무확인 결과의 보고절차, 외부감사의 방법, 감사인 지정 기준 및 절차, 감리업무 및 감리 결과에 따른 조치 등 그 밖에 필요한 사항은 대통령령으로 정한다.

제50조의2(공익법인등의 전용계좌 개설·사용 의무)① 공익법인등(사업의

특성을 고려하여 대통령령으로 정하는 공익법인등은 제외한다. 이하 이 조에서 같다)은 해당 공익법인등의 직접 공익목적사업과 관련하여 받거나 지급하는 수입과 지출의 경우로서 다음 각 호의 어느 하나에 해당하는 경우에는 대통령령으로 정하는 직접 공익목적사업용 전용계좌(이하 "전용계좌"라 한다)를 사용하여야 한다.

1. 직접 공익목적사업과 관련된 수입과 지출을 대통령령으로 정하는 금융회사등을 통하여 결제하거나 결제받는 경우

2. 기부금, 출연금 또는 회비를 받는 경우. 다만, 현금을 직접 받은 경우로서 대통령령으로 정하는 경우는 제외한다.

3. 인건비, 임차료를 지급하는 경우

4. 기부금, 장학금, 연구비 등 대통령령으로 정하는 직접 공익목적사업비를 지출하는 경우. 다만, 100만원을 초과하는 경우로 한정한다.

5. 수익용 또는 수익사업용 자산의 처분대금, 그 밖의 운용소득을 고유목적사업회계에 전입(현금 등 자금의 이전이 수반되는 경우만 해당한다)하는 경우

② 공익법인등은 직접 공익목적사업과 관련하여 제1항 각 호의 어느 하나에 해당되지 아니하는 경우에는 명세서를 별도로 작성·보관하여야 한다. 다만, 「소득세법」 제160조의2제2항제3호 또는 제4호에 해당하는 증명서류를 갖춘 경우 등 대통령령으로 정하는 수입과 지출의 경우에는 그러하지 아니하다.

③ 공익법인등은 최초로 공익법인등에 해당하게 된 날부터 3개월 이내에 전용계좌를 개설하여 해당 공익법인등의 납세지 관할세무서장에게 신고하여야 한다. 다만, 2016년 1월 1일, 2017년 1월 1일 또는 2018년 1월 1일이 속하는 소득세 과세기간 또는 법인세 사업연도의 수입금액(해당 공익사업과 관련된 「소득세법」에 따른 수입금액 또는 「법인세법」에 따라 법인세 과세대상이 되는 수익사업과 관련된 수입금액을 말한다)과 그 과세기간 또는 사업연도에 출연받은 재산가액의 합계액이 5억원 미만인 공익법인등으로서 본문에 따라 개설 신고를 하지 아니한 경우에는 2019년 6월 30일까지 전용계좌의 개설 신고를 할 수 있다.

④ 공익법인등은 전용계좌를 변경하거나 추가로 개설하려면 대통령령으로 정하는 바에 따라 신고하여야 한다.

⑤ 공익법인등의 전용계좌 개설·신고·변경·추가 및 그 신고방법, 전용계좌를 사용하여야 하는 범위 및 명세서 작성 등에 필요한 사항은 대통령령

으로 정한다.

제**50**조의**3**(공익법인등의 결산서류등의 공시의무)① 공익법인등(사업의 특성 등을 고려하여 대통령령으로 정하는 공익법인등은 제외한다. 이하 이 조에서 같다)은 다음 각 호의 서류 등(이하 이 조에서 "결산서류등"이라 한다)을 해당 공익법인등의 과세기간 또는 사업연도 종료일부터 4개월 이내에 대통령령으로 정하는 바에 따라 국세청의 인터넷 홈페이지에 게재하는 방법으로 공시하여야 한다. 다만, 자산 규모 등을 고려하여 대통령령으로 정하는 공익법인등은 대통령령으로 정하는 바에 따라 간편한 방식으로 공시할 수 있다.

1. 재무제표
2. 기부금 모집 및 지출 내용
3. 해당 공익법인등의 대표자, 이사, 출연자, 소재지 및 목적사업에 관한 사항
4. 출연재산의 운용소득 사용명세
5. 제50조제3항에 따라 회계감사를 받을 의무가 있는 공익법인등에 해당하는 경우에는 감사보고서와 그 감사보고서에 첨부된 재무제표
6. 주식보유 현황 등 대통령령으로 정하는 사항

② 국세청장, 납세지 관할 지방국세청장 또는 납세지 관할세무서장은 공익법인등이 제1항에 따라 결산서류등을 공시하지 아니하거나 그 공시 내용에 오류가 있는 경우에는 해당 공익법인등에 대하여 1개월 이내의 기간을 정하여 공시하도록 하거나 오류를 시정하도록 요구할 수 있다.

③ 국세청장은 공익법인등이 공시한 결산서류등을 대통령령으로 정하는 자에게 제공할 수 있다.

④ 제1항과 제2항에 따른 결산서류등의 공시 및 그 시정 요구의 절차 등은 대통령령으로 정한다.

제**50**조의**4**(공익법인등에 적용되는 회계기준)① 공익법인등(사업의 특성을 고려하여 대통령령으로 정하는 공익법인등은 제외한다)은 제50조제3항에 따른 회계감사의무 및 제50조의3에 따른 결산서류등의 공시의무를 이행할 때에는 대통령령으로 정하는 회계기준을 따라야 한다.

② 제1항에 따른 회계기준의 제정·개정 등 회계제도의 운영과 절차 등에 관하여 필요한 사항은 대통령령으로 정한다.

제**51**조(장부의 작성·비치 의무)① 공익법인등은 소득세 과세기간 또는 법

인세 사업연도별로 출연받은 재산 및 공익사업 운용 내용 등에 대한 장부를 작성하여야 하며 장부와 관계있는 중요한 증명서류를 갖춰 두어야 한다.

② 제1항에 따른 장부와 중요한 증명서류는 해당 공익법인등의 소득세 과세기간 또는 법인세 사업연도의 종료일부터 10년간 보존하여야 한다.

③ 공익법인등의 수익사업에 대하여 「소득세법」 제160조 및 「법인세법」 제112조 단서에 따라 작성·비치된 장부와 중요한 증명서류는 제1항에 따라 작성·비치된 장부와 중요한 증명서류로 본다. 이 경우 그 장부와 중요한 증명서류에는 마이크로필름, 자기테이프, 디스켓 또는 그 밖의 정보보존장치에 저장된 것을 포함한다.

④ 제1항부터 제3항까지의 규정에 따른 장부 및 증명서류의 작성·비치에 필요한 사항은 대통령령으로 정한다.

제78조(가산세 등) ① 삭제

② 삭제

③ 세무서장등은 공익법인등이 제48조제5항에 따라 제출하여야 할 보고서를 제출하지 아니하였거나 제출된 보고서의 내용이 대통령령으로 정하는 바에 따라 불분명한 경우에는 그 미제출분 또는 불분명한 부분의 금액에 상당하는 상속세액 또는 증여세액의 100분의 1에 상당하는 금액을 징수하여야 한다.

④ 세무서장등은 공익법인등이 제49조제1항 각 호의 어느 하나에 규정된 기한이 지난 후에도 같은 항에 따른 주식등의 보유기준을 초과하여 보유하는 경우에는 같은 항 각 호의 어느 하나에 규정된 기한의 종료일 현재(같은 항 각 호 외의 부분 단서를 적용받는 경우에는 그 기준에 미달하는 소득세 과세기간 또는 법인세 사업연도 종료일 현재) 그 보유기준을 초과하는 의결권 있는 주식 또는 출자지분(이하 이 항 및 제7항에서 "주식등"이라 한다)에 대하여 매년 말 현재 시가의 100분의 5에 상당하는 금액을 대통령령으로 정하는 바에 따라 그 공익법인등이 납부할 세액에 가산하여 부과한다. 이 경우 가산세의 부과기간은 10년을 초과하지 못한다.

⑤ 세무서장등은 공익법인등이 다음 각 호에 해당하는 경우에는 대통령령으로 정하는 소득세 과세기간 또는 법인세 사업연도의 수입금액과 그 과세기간 또는 사업연도에 출연받은 재산가액을 합친 금액에 1만분의 7을 곱하여 계산한 금액(제1호에 해당되어 계산된 금액이 100만원 미만인 경우에는 100만원으로 한다)을 상속세 또는 증여세로 징수한다. 다만, 공익법인등의

특성, 출연받은 재산의 규모, 공익목적사업 운용 실적 등을 고려하여 대통령령으로 정하는 경우에는 그러하지 아니하다.

1. 제50조제1항 및 제2항에 따른 외부전문가의 세무확인에 대한 보고의무 능을 이행하지 아니한 경우
2. 제51조에 따른 장부의 작성·비치 의무를 이행하지 아니한 경우
3. 제50조제3항 또는 제4항에 따른 회계감사를 이행하지 아니한 경우(제50조제4항에 따라 지정받은 감사인이 아닌 다른 감사인에게 회계감사를 받은 경우를 포함한다)

⑥ 세무서장등은 제48조제8항에 따른 이사 수를 초과하는 이사가 있거나, 임직원이 있는 경우 그 사람과 관련하여 지출된 대통령령으로 정하는 직접경비 또는 간접경비에 상당하는 금액 전액을 매년 대통령령으로 정하는 바에 따라 그 공익법인등이 납부할 세액에 가산하여 부과한다

⑦ 세무서장등은 공익법인등이 제48조제9항에 따른 내국법인의 주식등의 보유기준을 초과하여 주식등을 보유하는 경우에는 매 사업연도 말 현재 그 초과하여 보유하는 주식등의 시가의 100분의 5에 상당하는 금액을 대통령령으로 정하는 바에 따라 그 공익법인등이 납부할 세액에 가산하여 부과한다.

⑧ 세무서장등은 공익법인등이 제48조제10항에 따른 광고·홍보를 하는 경우에는 그 행위와 관련하여 직접 지출된 경비에 상당하는 금액을 대통령령으로 정하는 바에 따라 그 공익법인등이 납부할 세액에 가산하여 부과한다.

⑨ 세무서장등은 공익법인등이 다음 각 호의 어느 하나에 해당하는 경우에는 각 호의 구분에 따른 금액의 100분의 10(제48조제2항제7호가목의 공익법인등이 이 항 제3호에 해당하는 경우에는 같은 호에 따른 금액의 100분의 200)에 상당하는 금액을 대통령령으로 정하는 바에 따라 그 공익법인등이 납부할 세액에 가산하여 부과한다. 이 경우 제1호와 제3호에 동시에 해당하는 경우에는 더 큰 금액으로 한다.

1. 제48조제2항제5호에 따라 운용소득을 대통령령으로 정하는 기준금액에 미달하여 사용한 경우: 운용소득 중 사용하지 아니한 금액
2. 제48조제2항제5호에 따라 매각대금을 대통령령으로 정하는 기준금액에 미달하여 사용한 경우: 매각대금 중 사용하지 아니한 금액
3. 제48조제2항제7호에 해당하는 경우: 기준금액에서 직접 공익목적사업에 사용한 금액을 차감한 금액

⑩ 세무서장등은 공익법인등이 다음 각 호의 어느 하나에 해당하면 각 호의

구분에 따른 금액을 대통령령으로 정하는 바에 따라 그 공익법인등이 납부할 세액에 가산하여 부과한다

1. 제50조의2제1항 각 호의 어느 하나에 해당하는 경우로서 전용계좌를 사용하지 아니한 경우: 전용계좌를 사용하지 아니한 금액의 1천분의 5
2. 제50조의2제3항에 따른 전용계좌의 개설·신고를 하지 아니한 경우: 다음 각 목의 금액 중 큰 금액
가. 다음 계산식에 따라 계산한 금액

$$ A \quad \times \quad \frac{B}{C} \quad \times \quad \text{1천분의 5} $$

A: 해당 각 과세기간 또는 사업연도의 직접 공익목적사업과 관련한 수입금액의 총액

B: 해당 각 과세기간 또는 사업연도 중 전용계좌를 개설·신고하지 아니한 기간으로서 신고기한의 다음 날부터 신고일 전날까지의 일수

C: 해당 각 과세기간 또는 사업연도의 일수

나. 제50조의2제1항 각 호에 따른 거래금액을 합친 금액의 1천분의 5

⑪ 세무서장등은 공익법인등이 제50조의3에 따른 결산서류등을 공시하지 아니하거나 공시 내용에 오류가 있는 경우로서 같은 조 제2항에 따른 공시 또는 시정 요구를 지정된 기한까지 이행하지 아니하는 경우에는 공시하여야 할 과세기간 또는 사업연도의 종료일 현재 그 공익법인등의 자산총액의 1천분의 5에 상당하는 금액을 대통령령으로 정하는 바에 따라 그 공익법인등이 납부할 세액에 가산하여 부과한다. 다만, 제50조의3제1항 각 호 외의 부분 단서에 따른 공익법인등의 2022년 12월 31일 이전에 개시하는 과세기간 또는 사업연도분의 공시에 대하여는 본문에 따른 가산세를 부과하지 아니한다.

⑫ 세무서장등은 제82조제1항·제3항·제4항 또는 제6항에 따라 해당 지급명세서 등을 제출하여야 할 자가 지급명세서 등을 제출하지 아니하거나 누락한 경우 또는 제출한 지급명세서 등에 대통령령으로 정하는 불분명한 부분이 있는 경우에는 미제출분, 누락분 또는 불분명한 부분에 해당하는 금액의 1천분의 2(제82조제3항 및 제4항의 경우에는 1만분의 2)에 상당하는 금액을 소득세나 법인세에 가산하여 징수한다. 이 경우 산출세액이 없을 때에도 가산세는 징수한다.

⑬ 제12항을 적용할 때 지급명세서 등을 제출기한이 지난 후 1개월 이내에

제출하는 경우에는 1천분의 1(제82조제3항 및 제4항의 경우에는 1만분의 1)에 상당하는 금액을 소득세나 법인세에 가산하여 징수한다. 이 경우 산출세액이 없을 때에도 가산세는 징수한다.

⑭ 세무서상등은 공익법인등이 세48조제13항에 따라 신고하지 아니한 경우에는 신고해야 할 과세기간 또는 사업연도의 종료일 현재 그 공익법인등의 자산총액의 1천분의 5에 상당하는 금액으로서 대통령령으로 정하는 금액을 대통령령으로 정하는 바에 따라 그 공익법인등이 납부할 세액에 가산하여 부과한다.

⑮ 세무서장등은 제74조제5항에 따라 납세담보를 제공하지 아니한 자가 다음 각 호의 어느 하나에 해당하면 각 호에 따른 금액을 징수하여야 한다.

1. 제74조제6항에 따른 국가지정문화재등의 보유현황 자료를 제출하지 아니한 경우 징수유예 받은 상속세액의 100분의 1에 상당하는 금액

2. 제74조제7항에 따른 국가지정문화재등의 양도 사실을 신고하지 아니한 경우 징수유예 받은 상속세액의 100분의 20에 상당하는 금액

◆상속세 및 증여세법 시행령

제4절 공익목적 출연재산의 과세가액 불산입

제12조(공익법인등의 범위)법 제16조제1항에서 "대통령령으로 정하는 사업을 하는 자"란 다음 각 호의 어느 하나에 해당하는 사업을 하는 자(이하 "공익법인등"이라 한다)를 말한다. 다만, 제9호를 적용할 때 설립일부터 1년 이내에 「법인세법 시행령」 제39조제1항제1호바목에 따른 공익법인등으로 고시된 경우에는 그 설립일부터 공익법인등에 해당하는 것으로 본다.

1. 종교의 보급 기타 교화에 현저히 기여하는 사업

2. 「초·중등교육법」 및 「고등교육법」에 의한 학교, 「유아교육법」에 따른 유치원을 설립·경영하는 사업

3. 「사회복지사업법」의 규정에 의한 사회복지법인이 운영하는 사업

4. 「의료법」에 따른 의료법인이 운영하는 사업

8. 「법인세법」 제24조제2항제1호에 해당하는 기부금을 받는 자가 해당 기부금으로 운영하는 사업

9. 「법인세법 시행령」 제39조제1항제1호 각 목에 따른 공익법인등 및 「소득세법 시행령」 제80조제1항제5호에 따른 공익단체가 운영하는 고유목적사업. 다만, 회원의 친목 또는 이익을 증진시키거나 영리를 목적으로 대

가를 수수하는 등 공익성이 있다고 보기 어려운 고유목적사업은 제외한다.

10. 「법인세법 시행령」 제39조제1항제2호다목에 해당하는 기부금을 받는 자가 해당 기부금으로 운영하는 사업. 다만, 회원의 친목 또는 이익을 증진시키거나 영리를 목적으로 대가를 수수하는 등 공익성이 있다고 보기 어려운 고유목적사업은 제외한다.

제38조(공익법인등이 출연받은 재산의 사후관리) ①법 제48조제2항 각 호 외의 부분 단서에서 "대통령령으로 정하는 재산"이란 제12조제1호에 따른 종교사업에 출연하는 헌금(부동산 및 주식등으로 출연하는 경우를 제외한다)을 말한다.

②법 제48조제2항제1호·제7호, 같은 조 제11항제1호 및 제2호에서 직접 공익목적사업에 사용하는 것은 공익법인등의 정관상 고유목적사업에 사용(다음 각 호의 어느 하나에 해당하는 경우는 제외한다)하는 것으로 한다. 다만, 출연받은 재산을 해당 직접 공익목적사업에 효율적으로 사용하기 위하여 주무관청의 허가를 받아 다른 공익법인등에게 출연하는 것을 포함한다.

1. 「법인세법 시행령」 제56조제11항에 따라 고유목적에 지출한 것으로 보지 아니하는 금액

2. 해당 공익법인등의 정관상 고유목적사업에 직접 사용하는 시설에 소요되는 수선비, 전기료 및 전화사용료 등의 관리비를 제외한 관리비

③ 법 제48조제2항제1호 단서에서 "직접 공익목적사업 등에 사용하는 데에 장기간이 걸리는 등 대통령령으로 정하는 부득이한 사유"란 다음 각 호의 어느 하나에 해당하는 사유로 출연 받은 재산을 3년 이내에 직접 공익목적사업 등에 전부 사용하거나 3년 이후 직접 공익목적사업 등에 계속하여 사용하는 것이 곤란한 경우를 말한다.

1. 법령상 또는 행정상의 부득이한 사유 등으로 사용이 곤란한 경우로서 주무부장관(권한을 위임받은 자를 포함한다)이 인정한 경우

2. 해당 공익목적사업 등의 인가·허가 등과 관련한 소송 등으로 사용이 곤란한 경우

④법 제48조제2항제4호에서 "대통령령으로 정하는 바에 따라 사용하지 아니한 경우"란 매각한 날이 속하는 과세기간 또는 사업연도의 종료일부터 3년 이내에 매각대금 중 직접 공익목적사업에 사용한 실적(매각대금으로 직접 공익목적사업용, 수익용 또는 수익사업용 재산을 취득한 경우를 포함하며, 「독점규제 및 공정거래에 관한 법률」 제31조에 따른 공시대상기업집단

에 속하는 법인과 같은 법 시행령 제4조제1호에 따른 동일인 관련자의 관계에 있는 공익법인등이 매각대금으로 해당 기업집단에 속하는 법인의 의결권 있는 주식등을 취득한 경우는 제외한다. 이하 이 항 및 제7항에서 같다)이 매각내금의 100분의 90에 미달하는 경우를 말한다. 이 경우 해당 매각대금 중 직접 공익목적사업용, 수익용 또는 수익사업용 재산(공익목적사업용, 수익용 또는 수익사업용 재산을 취득하기 전에 일시 취득한 재산을 제외한다. 이하 이 항 및 제7항에서 같다)을 취득한 가액이 매각대금의 사용기준에 상당하는 금액에 미달하는 경우에는 그 차액에 대하여 이를 적용한다.

⑤법 제48조제2항제5호에서 운용소득과 관련된 "대통령령으로 정하는 기준금액"이란 제1호에 따라 계산한 금액에서 제2호의 금액을 뺀 금액(이하 이 항에서 "운용소득"이라 한다)의 100분의 80에 상당하는 금액(이하 이 항에서 "사용기준금액"이라 한다)을 말한다. 이 경우 직전 과세기간 또는 사업연도에서 발생한 운용소득을 사용기준금액에 미달하게 사용한 경우에는 그 미달하게 사용한 금액(법 제78조제9항에 따른 가산세를 뺀 금액을 말한다)을 운용소득에 가산한다.

1. 해당 과세기간 또는 사업연도의 수익사업에서 발생한 소득금액(「법인세법」 제29조제1항 각 호 외의 부분에 따른 고유목적사업준비금과 해당 과세기간 또는 사업연도 중 고유목적사업비로 지출된 금액으로서 손금에 산입된 금액을 포함하며, 다음 각 목의 어느 하나에 해당하는 금액은 제외한다)과 출연재산을 수익의 원천에 사용함으로써 생긴 소득금액의 합계액

가. 출연재산과 관련이 없는 수익사업에서 발생한 소득금액

나. 법 제48조제2항제4호에 따른 출연재산 매각금액

다. 「법인세법」 제16조제1항제5호 또는 「소득세법」 제17조제2항제4호에 해당하는 금액(합병대가 중 주식등으로 받은 부분으로 한정한다)으로서 해당 과세기간 또는 사업연도의 소득금액에 포함된 금액

라. 「법인세법」 제16조제1항제6호 또는 「소득세법」 제17조제2항제6호에 해당하는 금액(분할대가 중 주식으로 받은 부분으로 한정한다)으로서 해당 과세기간 또는 사업연도의 소득금액에 포함된 금액

2. 해당 소득에 대한 법인세 또는 소득세·농어촌특별세·주민세 및 이월결손금

⑥법 제48조제2항제5호에 따른 운용소득의 사용은 그 소득이 발생한 과세기간 또는 사업연도 종료일부터 1년 이내에 직접 공익목적사업에 사용한

실적(제5항제1호에 따라 해당 과세기간 또는 사업연도 중 고유목적사업비로 지출된 금액으로서 손금에 산입된 금액을 포함한다)을 말한다. 이 경우 그 실적 및 기준금액은 각각 해당 과세기간 또는 사업연도와 직전 4과세기간 또는 사업연도와의 5년간의 평균금액을 기준으로 계산할 수 있으며 사업개시 후 5년이 경과되지 아니한 경우에는 사업개시 후 5년이 경과한 때부터 이를 계산한다.

⑦법 제48조제2항제5호에서 "매각대금을 매각한 날부터 3년 동안 대통령령으로 정하는 기준금액에 미달하게 사용한 경우"란 매각대금 중 직접 공익목적사업에 사용한 실적이 매각한 날이 속하는 과세기간 또는 사업연도 종료일부터 1년 이내에 매각대금의 100분의 30, 2년 이내에 매각대금의 100분의 60에 미달하게 사용한 경우를 말한다. 이 경우 해당 매각대금 중 직접 공익목적사업용 또는 수익사업용 재산을 취득한 가액이 매 연도별 매각대금의 사용기준에 상당하는 금액에 미달하는 경우에는 그 차액에 대하여 이를 적용한다.

⑧법 제48조제2항제8호에서 "대통령령으로 정하는 바에 따라 운용하지 아니하는 경우"란 다음 각 호의 어느 하나에 해당하는 경우를 말한다.

1. 공익법인등이 사업을 종료한 때의 잔여재산을 국가·지방자치단체 또는 해당 공익법인등과 동일하거나 주무부장관이 유사한 것으로 인정하는 공익법인등에 귀속시키지 아니한 때

2. 직접 공익목적사업에 사용하는 것이 사회적 지위·직업·근무처 및 출생지 등에 의하여 일부에게만 혜택을 제공하는 것인 때. 다만, 주무부장관이 기획재정부장관과 협의(「행정권한의 위임 및 위탁에 관한 규정」 제3조제1항에 따라 공익법인 등의 설립허가등에 관한 권한이 위임된 경우에는 해당 권한을 위임받은 기관과 해당 공익법인등의 관할세무서장의 협의를 말한다)하여 따로 수혜자의 범위를 정하여 이를 다음 각 목의 어느 하나에 해당하는 조건으로 한 경우를 제외한다.

가. 해당 공익법인등의 설립허가의 조건으로 붙인 경우

나. 정관상의 목적사업을 효율적으로 수행하기 위하여 또는 정관상의 목적사업에 새로운 사업을 추가하기 위하여 재산을 추가출연함에 따라 정관의 변경허가를 받는 경우로서 그 변경허가조건으로 붙인 경우

⑨법 제48조제2항제1호, 제3호부터 제5호까지, 제7호 및 제8호를 적용할 때 출연받은 재산·운용소득·출연받은 재산의 매각대금 및 제8항제1호에 따른 잔여재산(이하 이 항에서 "출연받은 재산등"이라 한다)중 일부가 다음

각 호의 어느 하나에 해당하는 사유로 인하여 직접 공익목적사업에 사용할 수 없거나 제8항제1호에 따른 국가·지방자치단체 및 공익법인등에 귀속시킬 수 없는 경우에는 해당 금액을 출연받은 재산등의 가액에서 뺀 금액을 기준으로 한다.

1. 공익법인등의 이사 또는 사용인의 불법행위로 인하여 출연받은 재산등이 감소된 경우. 다만, 출연자 및 그 출연자와 제2조의2제1항제1호의 관계에 있는 자의 불법행위로 인한 경우를 제외한다.

2. 출연받은 재산등을 분실하거나 도난당한 경우

⑩ 법 제48조제8항에서 "출연자"란 재산출연일 현재 해당 공익법인등의 총 출연재산가액의 100분의 1에 상당하는 금액과 2천만원 중 적은 금액을 초과하여 출연한 자를 말한다.

⑪법 제48조제8항에서 "대통령령으로 정하는 공익법인등"이란 다음 각 호의 법인(제12조제4호에 해당하는 공익법인을 제외한다)을 말한다.

1. 출연자와 제2조의2제1항제3호의 관계에 있는 자가 이사의 과반수를 차지하거나 재산을 출연하여 설립한 비영리법인

2. 출연자와 제2조의2제1항제4호의 관계에 있는 자가 재산을 출연하여 설립한 비영리법인

3. 출연자와 제2조의2제1항제5호 또는 제8호의 관계에 있는 비영리법인

⑫ 법 제48조제8항 단서에서 "사망 등 대통령령으로 정하는 부득이한 사유"란 다음 각 호의 어느 하나에 해당하는 사유를 말한다.

1. 이사의 사망 또는 사임

2. 특수관계인에 해당하지 아니하던 이사가 특수관계인에 해당하는 경우

⑬법 제48조제9항 본문 및 제10항 본문에서 "특수관계에 있는 내국법인"이란 다음 각 호의 어느 하나에 해당하는 자가 제1호에 해당하는 기업의 주식등을 출연하거나 보유한 경우의 해당 기업(해당 기업과 함께 제1호에 해당하는 자에 속하는 다른 기업을 포함한다)을 말한다.

1. 기획재정부령으로 정하는 기업집단의 소속 기업(해당 기업의 임원 및 퇴직임원을 포함한다)과 다음 각 목의 어느 하나에 해당하는 관계에 있는 자 또는 해당 기업의 임원에 대한 임면권의 행사 및 사업방침의 결정 등을 통하여 그 경영에 관하여 사실상의 영향력을 행사하고 있다고 인정되는 자

가. 기업집단 소속의 다른 기업

나. 기업집단을 사실상 지배하는 자

다. 나목의 자와 제2조의2제1항제1호의 관계에 있는 자

2. 제1호 각 목 외의 부분에 따른 소속 기업 또는 같은 호 가목에 따른 기업의 임원 또는 퇴직임원이 이사장인 비영리법인

3. 제1호 및 제2호에 해당하는 자가 이사의 과반수이거나 재산을 출연하여 설립한 비영리법인

⑭법 제48조제9항 후단에서 "그 초과하는 내국법인의 주식등의 가액"이란 각 사업연도 종료일 현재 제1호의 가액에서 제2호의 가액의 100분의 30(법 제50조제3항에 따른 외부감사, 법 제50조의2에 따른 전용계좌의 개설 및 사용과 법 제50조의3에 따른 결산서류등의 공시를 이행하는 공익법인등에 해당하면 100분의 50)에 해당하는 금액을 차감하여 계산한 가액을 말한다.

1. 「법인세법 시행령」 제74조제1항제1호 마목의 규정에 의한 당해 내국법인의 주식등의 취득가액과 재무상태표상의 가액 중 적은 금액

2. 공익법인등의 총재산(당해 내국법인의 주식등을 제외한다)에 대한 재무상태표상의 가액에 제1호의 가액을 가산한 가액

⑮법 제48조제10항에 따라 가산세를 부과하는 광고·홍보는 공익법인등이 다음 각 호의 어느 하나에 해당하는 행위를 하는 경우를 말한다.

1. 신문·잡지·텔레비전·라디오·인터넷 또는 전자광고판등을 이용하여 내국법인을 위하여 홍보하거나 내국법인의 특정상품에 관한 정보를 제공하는 행위. 다만, 내국법인의 명칭만을 사용하는 홍보를 제외한다.

2. 팜플렛·입장권 등에 내국법인의 특정상품에 관한 정보를 제공하는 행위. 다만, 내국법인의 명칭만을 사용하는 홍보를 제외한다.

<16> 이 조를 적용함에 있어 주무부장관 또는 주무관청을 알 수 없는 경우에는 관할 세무서장을 주무부장관 또는 주무관청으로 본다.

<17> 법 제48조제2항제2호 각 목 외의 부분 본문에서 "대통령령으로 정하는 공과금 등"이란 출연받은 재산의 매각에 따라 부담하는 국세 및 지방세를 말한다.

<18> 법 제48조제2항제7호 각 목 외의 부분에서 "대통령령으로 정하는 출연재산가액"이란 직접 공익목적사업에 사용해야 할 과세기간 또는 사업연도의 직전 과세기간 또는 사업연도 종료일 현재 재무상태표 및 운영성과표를 기준으로 다음의 계산식에 따라 계산한 가액을 말한다. 다만, 공익법인등이 제41조의2제6항에 따른 공익법인등에 해당하거나 제43조제3항에 따른 공익법인등에 해당하지 않는 경우로서 재무상태표상 자산가액이 법 제4장에 따라 평가한 가액의 100분의 70 이하인 경우에는 같은 장에 따라 평가한 가

액을 기준으로 다음의 계산식에 따라 계산한 가액을 말한다.

> 수익용 또는 수익사업용으로 운용하는 재산(직접 공익목적사업용 재산은 제외한다)의
> [총자산가액 - (부채가액 + 당기 순이익)]
>
> • 총자산가액 중 해당 공익법인등이 3년 이상 5년 미만 보유한 유가증권시장 또는
> 코스닥시장에 상장된 주권상장법인의 주식의 가액은 직전 3개 과세기간 또는 사업연도
> 종료일 현재 각 재무상태표 및 운영성과표를 기준으로 한 가액의 평균액으로 하고, 해당
> 공익법인등이 5년 이상 보유한 유가증권시장 또는 코스닥시장에 상장된 주권상장법인의
> 주식의 가액은 직전 5개 과세기간 또는 사업연도 종료일 현재 각 재무상태표 및
> 운영성과표를 기준으로 한 가액의 평균액으로 한다.

<19> 법 제48조제2항제7호 각 목 외의 부분에 따른 직접 공익목적사업에 사용한 실적은 직접 공익목적사업에 사용해야 할 과세기간 또는 사업연도 중 고유목적사업비로 지출된 금액으로서 손금에 산입한 금액을 포함하며, 직접 공익목적사업에 사용한 실적을 계산할 때 공익법인등이 해당 공익목적 사업 개시 후 5년이 지난 경우에는 직접 공익목적사업에 사용해야 할 과세 기간 또는 사업연도와 그 과세기간 또는 사업연도 직전 4개 과세기간 또는 사업연도의 5년간 평균금액을 기준으로 계산할 수 있다.

<20> 법 제48조제2항제7호가목1) 및 2) 외의 부분에서 "대통령령으로 정하는 공익법인등"이란 법 제48조제11항 각 호의 요건을 모두 충족하여 법 제16조제2항, 제48조제1항, 같은 조 제2항제2호, 같은 조 제9항 및 제49조제1항에 따른 주식등의 출연·취득 및 보유에 대한 증여세 및 가산세 등의 부과대상에서 제외되는 공익법인등으로서 다음 각 호의 어느 하나에 해당하는 공익법인등을 말한다.

1. 법 제16조제2항 및 제48조제1항에 따라 내국법인의 발행주식총수등의 100분의 5를 초과하여 주식등을 출연받은 공익법인등. 다만, 다음 각 목의 어느 하나에 해당하는 경우는 제외한다.

가. 다음의 어느 하나에 해당하는 공익법인등으로서 법 제16조제3항제1호에 해당하는 경우

1) 국가·지방자치단체가 출연하여 설립한 공익법인등

2) 제42조제2항 각 호의 어느 하나에 해당하는 공익법인등

나. 법 제16조제3항제3호에 해당하는 경우

2. 법 제48조제2항제2호에 따라 내국법인의 발행주식총수등의 100분의 5를 초과하여 주식등을 취득한 공익법인등. 다만, 다음 각 목의 어느 하나에

해당하는 경우는 제외한다.

가. 공익법인등(다음의 어느 하나에 해당하는 공익법인등이 제13조제6항에 해당하는 경우로 한정한다)이 제13조제7항에 따른 내국법인의 주식등을 취득하는 경우로서 주무관청이 공익법인등의 목적사업을 효율적으로 수행하기 위하여 필요하다고 인정하는 경우

1) 국가·지방자치단체가 출연하여 설립한 공익법인등

2) 제42조제2항 각 호의 어느 하나에 해당하는 공익법인등

나. 「공익법인의 설립·운영에 관한 법률」 및 그 밖의 법령에 따라 내국법인의 주식등을 취득하는 경우

다. 「산업교육진흥 및 산학연협력촉진에 관한 법률」 제25조에 따른 산학협력단이 주식등을 취득하는 경우로서 제37조제6항 각 호의 요건을 모두 갖춘 경우

3. 법 제48조제9항에 따른 가산세가 부과되지 않는 공익법인등이 제38조제13항에 따른 특수관계에 있는 내국법인의 주식등을 보유하는 경우로서 같은 조 제14항에 따른 가액이 0보다 큰 공익법인등. 다만, 다음 각 목의 어느 하나에 해당하는 공익법인등은 제외한다.

가. 국가·지방자치단체가 출연하여 설립한 공익법인등

나. 제42조제2항 각 호의 어느 하나에 해당하는 공익법인등

4. 법 제49조제1항에 따라 1996년 12월 31일 현재 의결권 있는 발행주식총수등의 100분의 5를 초과하는 동일한 내국법인의 의결권 있는 주식등을 보유하고 있는 공익법인등으로서 해당 주식등을 발행주식총수등의 100분의 5를 초과하여 계속하여 보유하고 있는 공익법인등. 다만, 다음 각 목의 어느 하나에 해당하는 공익법인등은 제외한다.

가. 국가·지방자치단체가 출연하여 설립한 공익법인등

나. 제42조제2항 각 호의 어느 하나에 해당하는 공익법인등

<21> 법 제48조제2항제7호가목2)에서 "대통령령으로 정하는 바에 따라 계산한 주식등"이란 제20항 각 호의 구분에 따라 출연, 취득 또는 보유하는 주식등을 말한다.

<22> 법 제48조제2항제7호나목에서 "대통령령으로 정하는 공익법인등"이란 다음 각 호의 어느 하나에 해당하는 공익법인등을 말한다.

1. 제43조의5제1항 및 제2항에 따른 공익법인등

2. 「법인세법 시행령」 제39조제1항제1호바목에 따른 공익법인등 중 「공공기관의 운영에 관한 법률」 제4조에 따른 공공기관 또는 법률에 따라 직

접 설립된 기관

제**41조(출연재산 명세의 보고등)**①법 제48조제5항에 따라 재산을 출연받은 공익법인등은 결산에 관한 서류[「공익법인의 설립·운영에 관한 법률」 및 그 밖의 법령에 따라 공익법인등이 주무관청에 제출하는 재무상태표 및 손익계산서(손익계산서에 준하는 수지계산서 등을 포함한다)로 한정한다] 및 기획재정부령으로 정하는 다음 각 호에 규정하는 사항에 관한 서류를 과세기간 또는 사업연도 종료일부터 4개월 이내에 납세지 관할세무서장에게 제출해야 한다.

1. 출연받은 재산의 명세

2. 출연재산(출연재산의 운용소득을 포함한다)의 사용계획 및 진도현황

3. 법 제48조제2항제4호 및 같은 항 제5호(제38조제7항에 해당하는 경우에 한정한다)에 해당하는 경우에는 매각재산 및 그 사용명세

4. 운용소득의 직접 공익목적사업 사용명세

5. 그 밖에 기획재정부령으로 정하는 필요한 서류

②법 제48조제6항의 규정에 의한 주무관청에의 통보는 기획재정부령이 정하는 통보서에 의하여 상속세 또는 증여세를 부과한 날이 속하는 달의 다음 달 말일까지 하여야 한다.

③법 제48조제7항의 규정에 의한 통보를 하고자 하는 주무관청은 기획재정부령이 정하는 통보서에 의하여 설립허가등을 한 날이 속하는 달의 다음 달 말일까지 그 통보를 하여야 한다.

제**43조(공익법인등에 대한 외부전문가의 세무확인등)**① 법 제50조제1항 본문에서 "대통령령으로 정하는 기준"이란 다음 각 호의 어느 하나에도 해당하지 아니하는 경우를 말한다.

1. 해당 공익법인등의 출연자(재산출연일 현재 해당 공익법인등의 총 출연재산가액의 100분의 1에 해당하는 금액과 2천만원 중 적은 금액 이하의 금액을 출연한 사람은 제외한다), 설립자(이하 이 항에서 "출연자등"이라 한다) 또는 임직원(퇴직 후 5년이 지나지 아니한 사람을 포함한다)인 경우

2. 출연자등과 제2조의2제1항제1호 또는 제2호의 관계에 있는 사람인 경우

3. 출연자등 또는 그가 경영하는 회사(해당 회사가 법인인 경우에는 출연자등이 최대주주등인 회사를 말한다)와 소송대리, 회계감사, 세무대리, 고문 등의 거래가 있는 사람인 경우

4. 해당 공익법인등과 채권·채무 관계에 있는 사람인 경우

5. 제1호부터 제4호까지의 사유 외에 해당 공익법인등과 이해관계가 있는 등의 사유로 그 직무의 공정한 수행을 기대하기 어렵다고 인정되는 사람인 경우

6. 제1호(임직원은 제외한다) 및 제3호부터 제5호까지의 규정에 따른 관계에 있는 법인에 소속된 사람인 경우

②법 제50조제1항 단서에서 "대통령령으로 정하는 공익법인등"이란 다음 각 호의 어느 하나에 해당하는 공익법인등을 말한다.

1. 법 제50조제1항에 따라 외부전문가의 세무확인을 받아야 하는 과세기간 또는 사업연도의 종료일 현재 재무상태표상 총자산가액(부동산의 경우 법 제60조·제61조 및 제66조에 따라 평가한 가액이 재무상태표상의 가액보다 큰 경우에는 그 평가한 가액을 말한다)의 합계액이 5억원 미만인 공익법인등. 다만, 해당 과세기간 또는 사업연도의 수입금액(해당 공익사업과 관련된 「소득세법」에 따른 수입금액 또는 「법인세법」에 따라 법인세 과세대상이 되는 수익사업과 관련된 수입금액을 말한다. 이하 이 조 및 제43조의5제2항 단서에서 같다)과 그 과세기간 또는 사업연도에 출연받은 재산가액의 합계액이 3억원 이상인 공익법인등은 제외한다.

2. 불특정다수인으로부터 재산을 출연받은 공익법인등(출연자 1명과 그의 특수관계인이 출연한 출연재산가액의 합계액이 공익법인등이 출연받은 총 재산가액의 100분의 5에미달하는 경우로 한정한다)

3. 국가 또는 지방자치단체가 재산을 출연하여 설립한 공익법인등으로서 「감사원법」 또는 관련 법령에 따라 감사원의 회계검사를 받는 공익법인등(회계검사를 받는 연도분으로 한정한다)

③ 법 제50조제3항제1호에서 "대통령령으로 정하는 규모 미만인 공익법인등"이란 회계감사를 받아야 하는 과세기간 또는 사업연도의 직전 과세기간 또는 직전 사업연도의 총자산가액 등이 다음 각 호를 모두 충족하는 공익법인등을 말한다. 다만, 제41조의2제6항에 해당하는 공익법인등은 제외한다.

1. 과세기간 또는 사업연도 종료일의 재무상태표상 총자산가액(부동산인 경우 법 제60조·제61조 및 제66조에 따라 평가한 가액이 재무상태표상의 가액보다 크면 그 평가한 가액을 말한다)의 합계액이 100억원 미만일 것

2. 해당 과세기간 또는 사업연도의 수입금액과 그 과세기간 또는 사업연도에 출연받은 재산가액의 합계액이 50억원 미만일 것

3. 해당 과세기간 또는 사업연도에 출연받은 재산가액이 20억원 미만일 것

④ 법 제50조제3항제2호에서 "대통령령으로 정하는 공익법인등"이란 제12조제1호 또는 제2호의 사업을 하는 공익법인등을 말한다. 다만, 제41조의2 제6항에 해당하는 공익법인등은 제외한다.

⑤ 법 세50세7항에 따른 외부전문가의 세무확인 항목은 다음 각 호의 어느 하나에 따른다.

1. 출연받은 재산의 공익목적 사용여부
2. 법 제48조·이 영 제37조 및 제39조에 따른 의무사항 이행여부
4. 그 밖에 공익목적사업운영등에 관하여 기획재정부령이 정하는 것

⑥ 외부전문가의 세무확인을 받은 공익법인등은 그 결과를 기획재정부령이 정하는 보고서에 의하여 세무확인을 받은 해당 공익법인등의 과세기간 또는 사업연도의 종료일부터 4개월 이내에 해당 공익법인등을 관할하는 세무서장에게 보고해야 한다.

⑦ 법 제50조제3항에 따라 회계감사를 받은 공익법인등은 감사인이 작성한 감사보고서를 해당 공익법인등의 과세기간 또는 사업연도 종료일부터 4개월 이내에 관할 세무서장에게 제출해야 한다. 이 경우 관할 세무서장은 제출받은 감사보고서를 일반인이 열람할 수 있도록 해야 한다

⑧ 법 제50조제7항에 따른 세무확인절차·방법 및 외부감사를 위한 외부전문가 및 감사인의 선임·선임의 제한, 외부전문가의 의무, 세무확인서 및 세무확인기간 등 외부전문가의 세무확인 및 감사인의 외부감사에 필요한 세부사항은 기획재정부령으로 정한다.

제**43조의3**(감사보고서 등에 대한 감리)① 기획재정부장관은 법 제50조제5항에 따라 공익법인등이 공시한 감사보고서와 그 감사보고서에 첨부된 재무제표가 다음 각 호의 어느 하나에 해당하는 경우에는 그 감사보고서와 재무제표에 대하여 감리할 수 있다.

1. 계량적 분석 또는 무작위 표본 추출 등의 방법에 따라 감리 대상으로 선정된 경우
2. 기획재정부장관이 공익법인등의 회계 관련 법령 위반사실의 확인을 위하여 감리가 필요하다고 인정하는 경우

② 기획재정부장관은 제1항에 따른 감리에 필요한 경우 해당 공익법인등 또는 감사인에게 자료 제출이나 의견 진술 등을 요구할 수 있다.

③ 기획재정부장관은 제1항에 따른 감리 결과 해당 감사보고서 또는 재무제표가 「주식회사 등의 외부감사에 관한 법률」 제16조에 따른 회계감사기준 또는 법 제50조의4제1항에 따른 회계기준(다른 법령에 따라 별도의 회계기

준이 적용되는 공익법인등의 경우에는 해당 회계기준을 말한다)을 위반한 것으로 인정되는 경우 해당 공익법인등과 감사인의 명단 및 위반 내용 등을 해당 공익법인등의 주무관청, 국세청장 및 금융위원회에 통보해야 한다.
④ 제3항에 따른 통보를 받은 금융위원회는 그 통보 내용에 따라 해당 감사인에 대하여 징계 등의 조치를 하는 경우 그 내용을 기획재정부장관에게 통보해야 한다.
⑤ 기획재정부장관은 법 제50조제6항 전단에 따라 이 조 제1항 및 제2항에 따른 감리 및 자료 제출 등의 요구 업무를 「공인회계사법」 제41조에 따른 한국공인회계사회에 위탁한다.
⑥ 제1항부터 제5항까지에서 규정한 사항 외에 감리 대상 선정 및 감리 방법 등에 관하여 필요한 세부사항은 기획재정부령으로 정한다.
제43조의6(공익법인등에 적용되는 회계기준)① 기획재정부장관은 법 제50조의4에 따라 공익법인등에 적용되는 회계기준과 그 밖에 회계제도의 운영과 절차 등에 관하여 필요한 사항을 정한다.
② 법 제50조의4제1항에서 "대통령령으로 정하는 공익법인등"이란 「의료법」에 따른 의료법인 또는 「사립학교법」에 따른 학교법인, 그 밖에 이와 유사한 공익법인등으로서 기획재정부령으로 정하는 공익법인등을 말한다.
③ 기획재정부장관은 제1항에 따라 공익법인등에 적용되는 회계기준의 제정ㆍ개정과 그 밖에 회계제도의 운영에 필요한 사항을 국세청 등 관계 기관과 협의하기 위하여 필요한 경우에는 공익법인회계기준협의회를 구성ㆍ운영할 수 있다.
④ 제3항에 따른 공익법인회계기준협의회의 구성 및 운영에 필요한 사항은 기획재정부장관이 정한다.

■ 저자

이 상문

- 현)복지법인시설실무카페(네이버) 운영자
- 현)부산광역시 소재 사회복지법인 사무국장
- 현)한국사회복지사협회 패널

- 신라대학교 사회복지대학원(사회복지학과) 졸업(사회복지석사)
- 사회복지사 1급
- 행정사(2014년도)
- 홍조근정훈장
- 지방부이사관으로 퇴직